LOUISE PRESCOTT

Le complexe d'Ulysse

SIGNIFIANCE ET MICROPOLITIQUE DANS LA PRATIQUE DE L'ART

ÉDITIONS D'ART LE SABORD

À mes amours, Jean-Paul et Sophie.
À mes attaches profondes, Marie et Marcel.
À mes compagnons.
À tous les dieux qui furent bons pour moi.

TABLE DES MATIÈRES

I AVANT-PROPOS

La gravité des mots

Une mise en abyme. L'art comme désir. Quand le sens manque. L'ordre plastique et le fait pictural. De la gravité. Regard et vision. L'Arbitrarium. Filet, trame, tissu. Le sujet artiste. Connaissance et vérité. L'inconscient artistique et le langage. Figures abstraites et concrètes de l'aliénation. L'identité artistique. Le postulat de la signifiance. Exposition et publicité. De l'authenticité. La vigile artistique. L'épreuve de la vérité. L'œuvre, la parole et la loi. L'acte de l'«Art».

La pratique de l'art ou le complexe d'Ulysse

La sagesse de l'art. Enchaînements, glissements et condensations. La Cité. Du reste critique. Un vraiment songe. L'artiste comme prétendant. La névrose artistique. Œuvres, manœuvres et hors-d'œuvre. La quête du complexe. Le complexe d'Ulysse. Le temps de l'exploration. Signifiance et micropolitique. Les eaux souterraines. Le principe de la crise. Le romantisme pragmatiste. De la création politique. La parole et l'artiste. Mouvances. Un espace proliférique. De la légitimité. De la souveraineté. De la démocratie. Des bélugas. De la discipline. La parole d'artiste. L'idéologie de la disparition. L'art de couler. De l'autonomie artistique. Une crise de la main-d'œuvre. Signer.

L'homme en colère

L'artiste en Ulysse. L'art de la formule. L'Odyssée ou le désir de retour. Le regard d'Homère. Odysseia. L'endurant Ulysse. Désir et angoisse. La vie comme fleuve. Les intensités immobiles. Les rivages d'Hadès ou la conduite schizoïde. Régression et retour. Le jeu et la magie. L'oracle. Une mer splendide. Le gai savoir. Esthétique kaléidoscopique. L'éthique du désir. La folie de l'art ou le mythe de Van Gogh. Le rusé Ulysse. Pub et performance. Don et demande. Le manège de l'artiste. L'im / posture. La pointe de l'art. L'espace de l'art. Génératrice. Ça. Le bruit du désir. L'Ébranleur de Terre. La marche du crabe. Tomber sous le sens. De la justesse. Through failles, fails and fault. Art, esthétique et existence. La guerre de Troie. De la répression. De la douleur. De la beauté arrachée. Le nom de mon désir. L'oiseau. L'art médecine. L'autisme.

L'Odyssée, ou le désir des lamentations

Lamentations. Mille pensées. L'identité artistique. Art et spectacle. Le terrain politique. Résistance et survivance. La relation des épreuves. Le Milieu. Rêves de justice. La joie de la joie de créer. Machine culturelle et raison instrumentale. D'un vrai Ulysse. L'esthétisation du politique. De la raison d'État. La soumission de l'art. L'artiste mécène. Micropolitiques. Alternatives et liberté. L'art comme initiative privée. Les clauses orphelines. Le mythe de l'autonomie. Ulysse en mendiant. L'art ambulatoire. De l'errance. De la carrière. Quête et conquête. L'art du paradoxe. La Loi des Mille Lieux. Les limites de la liberté. L'engagement. De la quête héroïque. Les malades de l'«Art». L'art comme conduite. L'exigence artistique. La politique du geste. Du sublime. Paroles ailées. La rencontre. La reconnaissance.

Homère ou la logique de l'art

Les âges obscurs. Les identités multiples. De la nation. Les temps héroïques. Le Grand Fleuve Océan. Les faiseurs de mythes. La méthode d'Homère et ses critères de validité. La politique des dieux. Les hommes et le divin. Naturel et surnaturel. Figures mythiques. Du destin. L'innommable et le fabuleux. Mythologia. Culture de masse et aliénation. Des monstres. Le devenir-héros contemporain. L'identité individuelle et collective. Quête identitaire et processus de formation historique. La crise. Identifications et mystifications. La connaissance des oiseaux. L'art de se perdre. La civilisation de la honte. L'immoralité d'Homère. La blessure de Platon. Le nom propre. Le désir de transcendance. Mémoire collective et figures d'héroïsme. De la naïveté. De l'inachèvement. Le héros post-révolutionnaire. Des enfants qui suivent. Le désir de mort. De la reconstruction. Transmission et reconnaissance. De la poétique politique. Le donné de l'art. Le péril. La liberté d'Homère. Le désir d'éthique. L'esprit des foules. La condition humaine ou le grand fleuve. De la logique artistique. Les chants anciens. Les titres vénérables. Faire école. Du lieu de l'art. La conduite et l'affect. La machine d'Homère : espace complexe et perspectives multiples. La quête d'Ulysse. L'inconscient selon Homère. Le risque artistique. De la force. L'art de la relation. Mille traverses. La mer des désirs. Les mouvances du Moi. Les bœufs sacrés. Le chant de la terre. De la survie.

La Mer aux Mille Bruits

Le sujet affecté. Gravure et impression. Le cœur d'Ulysse. Le réel et le désir. L'effet juste. Plastique et jouissance. L'ancre. Prodiges. Se tenir dessous. Le débordement des signes. Quand la mer se déchaîne. L'épreuve. Le naufrage. Liaison et déliaison. Forcer le retour. Ulysse aux Mille Expédients. De la lucidité artistique. L'espace et la situation. La chair de l'idée. Intégration et transgression. L'inconscient collectif et le paysage intérieur. Faire acte. La vigile artistique. Le sensible. Une île parmi les îles. Ployer la force. De la forme. De l'intégrité. L'homme dissocié. Les marais de l'ignorance. Le savoir-vivre. Comprendre. Le savoir de l'esclave. Les bordures fluides. L'art du discernement. La honte muette. Le surhumain. Le mal-à-être contemporain. De la toute-puissance. Le sujet comme propriété publique. De la paralysie. De l'asphyxie. L'invention du manque. De la beauté intrinsèque. Figures de l'extrême. Le savoir défiguré. Les forces cachées. L'art de la vie bonne. S'émouvoir. La tribu des chanteurs. Le son de l'eau vive. Joindre des lignes. Rester sans voix. De la signifiance. La vie-plastique. La vie-peinture. La peinture-silence. La violence des prétendants. L'autre monde.

Le massacre des prétendants. *In memoriam.*

Visions mythiques. La colère des dieux. Le temps du bronze. La béance. Le chant des Sirènes. La tâche du sens. L'épreuve de l'éthique. Peindre au couteau. La violence du monde. Le retour d'Ulysse. L'art du massacre. Le trouble d'Homère. De l'immoralité. De la transfiguration. L'homme en colère. Le coup d'éclat. L'appel d'Homère. L'envers de l'art. La zone grise. De la tragédie. Le Moi artiste. Le désir de massacre. La pulsion subversive. La mise à mort comme archaïsme. De la territorialité. D'Œdipe à Ulysse. Le massacre comme symptôme. L'interdit et le manque. Politique de l'irrationnel. Le mythe d'Ulysse. Du destin artistique. La ligne de crête. Liberté et souveraineté. L'action artistique et le prestige. L'au-delà de l'art. Ithaque, terre sacrée. De la justice close. Le vrai problème d'Ulysse. De la grandeur. De la responsabilité. L'offre de Calypso. La vie sur terre. De la sagesse. Aurore. La promesse. La prière d'Homère. Le miracle grec.

L'épopée... ou le feu sacré

La fidélité. Les amants. La passion de l'art. Le noyau dur. Le signifiant «artiste». L'étranger et le Cyclope. De l'anonymat. Le sceau d'Ulysse. Les mille traverses. De la nostalgie. L'enfance ou le monde merveilleux d'Ulysse. De la pensée magique. De l'humiliation. L'adolescence ou les mystères d'Ulysse. De l'Académie sous toutes ses formes. L'exil. L'oubli. Le naufrage. Accomplir son retour. L'Île-en-soi. Le devenir-adulte. L'art comme désir. La plastique du Moi. Grandir. L'aventure. Le retour d'Ulysse. L'art comme théâtre. De Charybde en Scylla. Toucher le temps. L'imaginaire aquatique. Le vaisseau-passeport. Explorer. Devenir héros. Les signes secrets. La fuite. Perte d'un compagnon. Le sacrifice. L'action. Découvrir. Rencontrer. Échapper à la mort. S'exposer. L'emprise du signifiant. Kubrick et les autres. De l'autorité. Le complexe d'Ulysse. L'épopée. Dénouer les fils. L'univers d'Homère. Du courage comme nécessité. Le choc.

L'épopée... ou le feu sacré (suite et fin)

Recommencer la toile. Écrire et décrire. Visions de peintre. Figures de fil. Le geste inlassable. Du sacré et du merveilleux. Le monde de Pénélope. La chambre secrète. Le complexe de virilité. La femme au cœur de fer. Pour une politique de l'hymen. La Porte des Songes. L'autonomie resplendissante. Paroles ailées. De l'héroïsme. La leçon de Joyce. La misère d'Ulysse. Les ruses de l'intelligence. Du cynisme et de la compassion. De la démesure. Suivre et perdre le fil. Le délire. Le seuil critique. L'épreuve d'artiste. De la libre jouissance des lieux. Le torrent tout au fond. La langue de l'hystérie. Le massacre. La souveraineté de l'art. De l'archaïsme. Du délire comme cadeau des dieux. De la «jouis-sens». Pour une politique du désir. De la dépense. De l'irrationnel et du surnaturel. Du libre accès. Pisteurs de l'amour. Le mythe artistique. Exister. De l'invocation. Présence du fabuleux. L'aventure de la vie. Les divinités concrètes. L'art comme fantasme. Le flambeau. L'autre scène. Le devenir-immortel selon Joyce. De la jouissance phallique. Devenir père. Ithaque... ou vouloir son désir. La mêlée. La Loi du Père. L'éthique de la jouissance. De la névrose civilisationnelle. La parole de Molly. L'Anti-Œdipe. Ho! Mère! Suivre les chemins liquides. Le Dire de l'amour. Le contrat sacré. La compagnie des dieux.

LISTE DES RÉFÉRENCES

LISTE DES FIGURES

• Figure 10. / p.77 *Le Grand Assembleur des Nues* (2000). Acrylique sur toile libre. 241 x 183 cm. Collection de l'artiste. Photo : Édith Martin.

• Figure 11. / p.81 *Figure mythique* (1995). De la suite des *Carnets* (1990 — en cours). Acrylique, graphite, papiers choisis sur Stonehenge. 76 x 56 cm. Collection Ville de Laval. Photo : Pierre Charrier.

• Figure 12. / p.89 *Temps de plantes ou le chant de la terre* (1998). Acrylique sur toile libre. 241 x 183 cm. Collection du Bistro à Champlain, Sainte-Marguerite du Lac Masson. Photo : Pierre Charrier.

• Figure 13. / p.101 *L'Ébranleur de Terre, dieu de la Mer aux Mille Bruits* (2000). Acrylique sur toile libre. 241 x 183 cm. Collection du Bistro à Champlain, Sainte-Marguerite du Lac Masson. Photo : Édith Martin.

• Figure 14. / p.104 *L'eau vive* (2000). De la suite des *Carnets* (1990 — en cours). Collection privée, Trois-Rivières. Acrylique sur Stonehenge. 76 x 56 cm. Photo : Édith Martin.

• Figure 15. / p.113 *Fibrines, No. 3* (1995). Acrylique sur toile libre. 241 x 183 cm. Collection de l'artiste. Photo : Pierre Charrier.

• Figure 16. / p.123 *Le Grand Porteur* (2000). Acrylique sur toile libre. 245 x 185 cm. Collection de Robert Poulin, Montréal. Photo : Édith Martin.

• Figure 17. / p.126 *Le chant des Sirènes* (2000). Acrylique sur toile libre. 245 x 185 cm. Collection de Louis-Joseph Tassé, Montréal. Photo : Édith Martin.

• Figure 18. / p.131 *Le massacre des prétendants. Le 11 septembre 2001. In memoriam* (2001). Acrylique sur toile libre. 245 x 185 cm. Collection de l'artiste. Photo : Édith Martin.

• Figure 19. / p.134 *Aurore aux Doigts de Rose* (2000). Acrylique sur toile libre. 245 x 185 cm. Collection de l'artiste. Photo : Édith Martin.

• Figure 20. / p.142-143 *Paroles ailées — Wingèd words* (2000-2002). Exposition solo itinérante. Vue partielle de l'installation à Kingston : Modern Fuel Gallery, 2002. Photo : C. O. Brien.

 L'expérience de l'art vue de l'intérieur, c'est-à-dire telle qu'elle se vit et se pense lorsqu'on est créateur, est à la fois très riche et très difficile à expliquer. Lorsque j'ai entrepris cette recherche, une question me hantait depuis mes tous débuts en tant qu'artiste : pourquoi aime-t-on l'art au point d'y consacrer une vie entière?

C'est à partir d'une simple intuition que cet ouvrage s'est développé. Celle que mon expérience pouvait me permettre d'appréhender certains concepts généralisables, afin de cerner d'un peu plus près comment s'établissent les relations complexes entre l'artiste, l'œuvre et le public. Était-il possible, en effet, à partir d'une pratique individuelle, d'élaborer un modèle compréhensif de la pratique de l'art actuel et de proposer un cadre d'interprétation générale qui puisse être applicable à l'ensemble des artistes? Au départ, la notion de «pratique de l'art» est beaucoup plus vaste que la stricte création artistique, parce qu'elle reconnaît tous les types de présence de l'artiste dans la sphère sociale. La pratique englobe non seulement la création, mais aussi, la diffusion et tout ce que j'appellerais le travail périphérique, mais néanmoins nécessaire pour les besoins de la création aussi bien que pour le maintien d'une identité d'artiste. Mon projet était donc ambitieux, puisqu'il n'existe que très peu d'ouvrages ou d'écrits d'artistes à ce sujet.

Le risque est inhérent à la création. L'artiste en art actuel rencontre un grand nombre de défis, qu'il connaît intimement, mais les risques qu'il prend sont difficiles à mesurer. Pour le public, il est à la fois «personne» et «personnage» et, comme nous le verrons plus loin dans ce livre, l'image de l'artiste en *Ulysse*, celle de l'aventurier et de l'explorateur, s'est imposée très tôt dans ma pratique. Elle sera développée de manière plus substantielle dans cette recherche, utilisant l'*Odyssée* d'Homère comme une puissante métaphore de la vie d'artiste.

S'il est entendu que les valeurs artistiques sont transmises par les œuvres, elles le sont toujours d'une manière à la fois ouverte et voilée, de façon justement à permettre une pluralité d'interprétations possibles. Ce serait l'une des fonctions sociales — de médiation et de circulation des idées — attribuées à l'art d'ailleurs. Cependant, ce caractère polysémique des œuvres dans leur forme achevée ne nous permet pas nécessairement d'en retracer la genèse. Certes, des idées traversent et certaines techniques ont été utilisées. Mais ce qui constitue le travail de gestation, de l'imagination, le rôle de l'intuition, des fantasmes comme des connaissances théoriques de l'artiste, soit son travail dans les trois registres de la réalité que sont le Réel, l'Imaginaire et le Symbolique, ne nous sont accessibles en général que par des témoignages : soit celui de l'artiste lui-même, soit celui d'une personne qui a fait enquête. Ces témoignages sont rares et peu accessibles pour le grand public. Ils n'intéressent pas les média en général, particulièrement en ce qui concerne l'art actuel et encore moins manifestement dans le domaine des arts visuels. Interrogeant un jour une sociologue à ce sujet, son diagnostic fut sans appel : pour les journalistes, les artistes visuels n'auraient pas la réputation de réfléchir beaucoup et ne seraient en général pas des figures très médiatiques. Or, la réalité de la pratique est fort différente. Les artistes sont régulièrement sollicités pour rencontrer le public, lors d'une exposition par exemple, et c'est d'ailleurs là que les questions et les réponses concernant la poïétique des œuvres surgissent et se communiquent le plus souvent. Et contrairement à ce que l'on pense, le public est très curieux. Il veut savoir en quoi consiste la *micropolitique* de l'artiste, soit les décisions de toutes sortes que l'artiste a prises, non seulement pour que l'œuvre se concrétise, mais aussi pour qu'elle existe socialement. Il veut également connaître leur *signifiance*, ou, comme nous le verrons plus loin, leur valeur de vérité pour l'artiste. Ces problématiques intéressent un public très varié. Il peut s'agir aussi bien d'amateurs que d'autres professionnels de l'art, très souvent de catégories d'âge et de provenances sociales différentes.

Aux questions du public, la très grande majorité des artistes est capable de répondre. On oublie très souvent que leur formation professionnelle comprend aussi un volet théorique et que, dans leur pratique, ils ont à faire ce type de production intellectuelle dès qu'ils s'attaquent à la diffusion de leur œuvre ou à la recherche de financement. Ainsi par exemple, quantité de mémoires de maîtrise sont déposés chaque année. Ils sont à mon avis sous-utilisés dans la sphère communicationnelle. Ils recèlent pourtant quantité d'observations qui méritent l'attention de toute personne s'intéressant à l'art autrement qu'en consommateur de produit culturel.

La transmission des connaissances artistiques a plusieurs autres véhicules, notamment au niveau de l'enseignement collégial et universitaire. Elle existe aussi par la voie de très nombreux ateliers de recherche, colloques et résidences d'artistes à travers le monde, tout comme elle peut se faire d'artiste à artiste, au cours de fructueuses collaborations. Force est de constater qu'elle se fait généralement par la parole. Bien des paroles marquent le savoir artistique et le transmettent, mais comme toutes les paroles, elles ont tendance à se perdre. Aussi, dans cet ouvrage, nous verrons que la parole d'artiste se structure en neuf *Chants*, de façon à rappeler que c'est d'abord par des «chants» que la parole d'Homère s'est transmise jusqu'à nous; parole d'abord perçue comme poétique, mais comme nous le verrons aussi, profondément politique et éthique. D'où l'expression d'Homère, *Paroles ailées*, qui deviendra éventuellement, dans mes travaux récents, un signifiant porteur.

L'artiste est un sujet multidimensionnel. Pour élaborer mon modèle, il me fallait trouver des façons d'actualiser le plus grand nombre possible de ces dimensions dans la pratique, de les rendre intelligibles et tangibles, comme une peinture doit matérialiser une vision. Mais il fallait aussi que l'articulation entre la théorie et la pratique soit absolument cohérente. L'une des critiques les plus fréquentes faites aux artistes est de produire un discours dont on ne comprend pas les rapports avec l'œuvre. J'ai donc opté pour la meilleure méthode que je connaisse pour apprendre, comprendre et produire, soit ma méthode artistique. Ce recueil constitue le document-témoin de ce que fut mon exploration visuelle aussi bien que narrative ou, en d'autres termes, ma recherche-création.

Lorsque j'ai commencé à écrire à propos de mon expérience d'artiste, j'ai vite réalisé que commençait pour moi une véritable épopée, puisque à parler si directement de la pratique, il me fallait inévitablement me révéler en tant qu'individu, dans mes valeurs comme dans toute mon affectivité. Comment un imaginaire d'artiste se construit-il? Comment le mien s'est-il construit et quel en est le résultat sur la scène publique, au moyen de l'œuvre? Mettre à la disposition du lecteur le plus honnêtement possible tout ce travail intérieur, travail intellectuel aussi bien qu'émotionnel, fut sans doute l'une des aventures les plus périlleuse de ma vie. Mais voilà : l'intérêt de la pratique de l'art réside pour moi dans le type d'expérience vécue, permise, transmise par le médium qu'est l'art. Et j'aime les artistes, ce qu'ils ont à me montrer comme ce qu'ils ont à dire. J'ai eu le privilège d'en côtoyer énormément depuis tant d'années, de plusieurs provenances géographiques et de cultures différentes. Qu'ils aient été plasticiens, poètes, danseurs, acteurs, musiciens, metteurs en scène ou vidéastes, leur rencontre a enrichi ma réflexion et m'a aidée à vivre ma vie d'artiste. J'espère ici avoir rendu justice à ce qu'ils m'ont transmis. Je leur dédie particulièrement cet ouvrage et souhaite qu'ils trouvent en ce livre un «Mentor» qui les accompagnera dans leur propre retour vers Ithaque.

Cependant, je connais mon public. Le visiteur est affairé et pressé. Il arrive souvent très énervé. Il a tout comme moi beaucoup de soucis; mais contrairement à moi, qui ai choisi de m'y consacrer, il dispose de peu de temps pour l'art à moins qu'il ne soit à la retraite ou que l'école l'y emmène. Ce temps qu'il consacre à mon œuvre est à chaque fois un temps très précieux, volé au travail, aux enfants, à sa vieille mère, aux obligations de toutes sortes. C'est un temps autre et qu'il n'a pas l'habitude d'éprouver. Je le sais. Je sais aussi que selon que j'ai réussi ou non dans mon travail d'artiste, son temps deviendra mon temps. Quelque chose se passera et subitement, ses angoisses et ses défenses tomberont. Il s'abandonnera à l'expérience que je lui propose pour quelques minutes ou pour quelques heures, peut-être même plus encore. Et si cela arrive, si je réussis à faire cela pour lui, il éprouvera une grande satisfaction. Même si je l'ai bousculé quelque peu. Même si je l'ai retenu dans mes grottes secrètes ou transformé en animal... Grâce à mon intervention, il aura pris contact avec de la signifiance, notion que j'expliciterai et illustrerai autant que faire se peut dans cet ouvrage.

Comme mon hôte est très souvent stressé, je lui propose un *Livre aux Mille Lieux*, qu'il pourra explorer de diverses manières selon le temps dont il dispose et, surtout, selon son désir. Cependant, à l'instar de James Joyce, je dirais que je l'ai écrit «pour que le lecteur y consacre sa vie entière». Ici, je pense particulièrement aux jeunes artistes et à tous ceux qui à un moment ou un autre de leur carrière éprouveront pour sûr «le désir des lamentations». Mais je pense aussi à toute personne qui s'intéresse à l'art actuel et veut un peu mieux comprendre les mécanismes de la création, les enjeux de la pratique et la nature de la conduite artistique.

Pour commencer son exploration, je propose à mon hôte un premier itinéraire, celui des œuvres qui ponctuent l'ouvrage et font «chanter» la couleur et la matière. Le visuel parle de lui-même. Mon écriture de peintre est l'une de mes manières de communiquer et un autre registre d'expression. Si mon hôte n'y trouve pas beaucoup de micropolitique, il y trouvera déjà certainement de la signifiance, car mes peintures sont aussi des *chants*. De temps en temps, j'analyserai leur mode de présence et de fonctionnement dans le volet théorique de ce recueil, mais, surtout, je les mettrai le plus fréquemment possible en relation avec l'écriture; non pas à titre d'illustrations, comme c'est le cas le plus souvent, mais bien à titre de modalités d'expression de certaines idées et concepts présents dans le texte. De cette manière, j'espère montrer que la peinture est un moyen de connaissance à part entière et qu'elle génère son propre savoir.

Deuxième circuit : le texte. Mon visiteur a peut-être déjà parcouru une partie de cet ouvrage, les *Carnets d'Ulysse*, qui furent publiés dans la revue *Le Sabord*, de l'automne 1999 jusqu'au printemps 2002. Cette chronique s'est donc tenue pendant près de trois ans. Ce qu'il ne sait pas, c'est que cette écriture avait démarré bien avant et qu'elle avait accompagné au moins quinze ans de pratique professionnelle dans toutes sortes de carnets épars et de textes d'artistes; tout comme elle se retrouvait à l'état embryonnaire dans la suite des *Carnets* visuels que j'ai commencée en 1990, et dont nous verrons ici quelques exemples. Ce que mon visiteur ignore aussi probablement, c'est qu'en 1997, *Le Sabord* me proposait de publier mon premier recueil de poèmes, les *Lettres du deuxième millénaire* (1994). Cependant, je suspendis le projet, car j'en étais insatisfaite; je désirais pousser plus loin mon geste d'écriture et mieux développer mon propos. Pour ce faire, j'entrepris une thèse de doctorat en études et pratiques des arts. Ainsi, la chronique *Carnets d'Ulysse* est le condensé d'intenses recherches plastiques et théoriques s'inspirant de l'*Odyssée* d'Homère, qui furent menées entre 1997 et 2002 et dont ce recueil est l'aboutissement : un minutieux tissage de peinture et de mots qu'il m'a fallu faire, défaire et refaire pendant toutes ces années, autour de ma question de départ. Un début de réponse s'élabore dans le premier carnet. D'autres réponses se développent, mais aussi, d'autres problématiques, et ce jusqu'à la fin de la chronique. Progressivement, nous découvrirons le rôle essentiel que joue *Pénélope* dans cette épopée.

Aussi et d'emblée, je propose à mon lecteur pressé, mais également à celui qui n'a pas lu ma chronique, de commencer par les *Carnets d'Ulysse*, qui se sont transformés dans ce recueil en *Chants*, puisque ces derniers intègrent un très grand nombre de vers, de formules ainsi qu'un argumentaire artistique. Pour ce faire, il esquivera, dans un premier temps, les notes infrapaginales qui marquent le texte. Je le lui demande même comme une faveur, pour qu'il prenne d'abord connaissance de la dimension écrite des carnets, de leur souffle poétique et du désir qui les traverse, mais aussi pour qu'il ressente la présence et l'effet des *Paroles ailées* dans les divers registres d'écriture qu'elles mettent en scène. Rédigés sur quelques années, les *Carnets d'Ulysse* dans leur forme originale lui permettront de mesurer l'évolution de mon écriture et de ma pensée au cours de mon voyage et les multiples voix que j'y ai expérimentées pour trouver mon expression «sur les chemins liquides», comme disait Homère. Car il s'agit bien d'une écriture en fleuve; «ce torrent tout au fond», ajoute Joyce. Avec chaque carnet, j'arrive en terre inconnue. J'y rencontre de nouveaux défis et dois trouver des manières de m'en sortir pour «accomplir mon retour». Et je découvre ce que sont mes *Intensités immobiles*, comme nous le verrons plus avant dans l'ouvrage.

Mon hôte pressé, quoique intéressé par ma démarche intellectuelle, trouvera aussi au début de chaque chant une hydrographie des idées — *les Mille Traverses* — et des signifiants — *les Mille Bruits* — qui irriguent le texte. Pour ce faire, je me suis inspirée d'Homère, mais aussi de Jacques Lacan. Homère résumait le début de chaque chant de l'*Odyssée* par des formules marquant les temps forts du récit. Ces formules permettaient aux aèdes de mémoriser les chants et, également, de choisir parmi eux des épisodes précis à raconter. Ce sont donc des clés qui permettront au lecteur de revenir aux idées principales du texte et, également, des opérateurs théoriques que je souhaite généralisables. Lacan pour sa part — qui, comme nous le verrons, maîtrisait remarquablement l'art de la formule — a abondamment parlé de l'«emprise du signifiant», concept sur lequel il fonde sa méthode psychanalytique. Cet exercice de repérage des signifiants, je l'ai fait constamment, à partir de centaines de pages manuscrites, après l'écriture de chaque *Carnet*, puis après chaque *Chant*. Il m'aura aidée à me repérer pendant mon voyage et, comme nous le verrons, à me «maintenir dans mon désir». Pour Ulysse en artiste, *Okéanos*, la mer des désirs, est sans limites; mais ce qui fait constamment retour dans le langage indique que la terre est proche. Ce fut une manière de pister mon inconscient et de me mettre à l'épreuve, mais aussi de mettre au point quelques formules de mon cru. Cette façon de faire intéressera tout individu qui a quelque chose à créer, en lui montrant comment son inconscient et son désir, gages de sa singularité, se manifestent dans le langage.

Un quatrième niveau de lecture est proposé au visiteur qui désire approfondir sa réflexion théorique sur l'art actuel, ses enjeux et ses périls pour le créateur. À la fin de chacun des chants se trouvent regroupées les notes et les références qui donnent aux *Carnets d'Ulysse* leurs assises théoriques. Ici, le vaisseau est amarré et Ulysse prend pied sur la terre ferme. La dimension du chercheur-créateur, le «Ulysse aux Mille Expédients», s'y révèle particulièrement. C'est en ce lieu que «l'artiste» discute avec d'autres artistes, mais aussi avec de très nombreux théoriciens des domaines disciplinaires les plus diversifiés et que s'appliquent de manière très concrète mes concepts de signifiance et de micropolitique. De plus, nous verrons qu'avec chaque nouveau problème rencontré, des éléments de méthode se mettent au point et se précisent au fur et à mesure que la recherche avance, ce qui est un mode de recherche typiquement artistique.

C'est aussi dans cette partie des chants que, forcément, s'est ouvert un dialogue avec mon œuvre. Les liens entre la pratique et la théorie sont difficiles à établir et à élaborer. Un artiste développe avec les années un ensemble de conceptions, de schèmes cognitifs, voire de réflexes qui sont pour la plupart du temps inconscients, enfouis dans la mémoire; d'autant plus que la matière travaillée par l'artiste visuel n'est pas le langage verbal, qu'il se tient même volontairement hors de celui-ci lorsqu'il crée. Dans l'écriture des chants, j'ai fait régulièrement «retour» sur l'œuvre, de façon à concrétiser le plus possible mes énoncés. J'ai également fait retour sur des textes que j'avais écrits par le passé, pour montrer la persistance de certaines idées dans la durée. Car nous verrons que l'artiste est aussi un «endurant Ulysse», et ce à plus d'un titre. C'est donc véritablement dans cette autre hydrographie, celle de «toutes les eaux souterraines», que mon hôte comprendra pourquoi l'art est un *complexe*, mais aussi comment l'œuvre est ce vaisseau sombre qui tangue constamment, trouvant son équilibre malgré le souffle puissant des vents contraires que sont la signifiance et le micropolitique.

J'ai vogué de surprise en surprise à travers les carnets et les découvertes progressives que mon hôte fera furent d'abord les miennes. Pour cette raison, j'ai voulu conserver aux *Carnets d'Ulysse* l'intégrité de leur parole, pour retravailler mon discours théorique plus tard, dans les *Chants*. Ce fut une décision importante à prendre. En effet, on reproche très souvent aux écrits d'artistes leur style pamphlétaire, ce qui au regard d'une certaine science — «supposée savoir», dirait Lacan — serait moins intéressant en tant que savoir par son manque d'objectivité. Par la mise en relation de ces deux niveaux d'écriture, l'une plus métaphorique et poétique, l'autre plus intellectuelle et théorique, j'espère avoir montré qu'un artiste d'expérience ne parle pas «à travers son chapeau», mais qu'il lui importe sans doute beaucoup plus d'assumer sa parole et tout ce qu'elle recèle d'investissement personnel, mais aussi d'engagement social. Et je dirais que ce faisant, il se montre souvent, en tant que chercheur, plus engagé, mais aussi plus responsable de ses actes devant la collectivité. J'accorderai donc une place très importante à l'éthique artistique dans cet écrit. En fait, nous verrons comment en art, éthique et esthétique sont indissociables.

C'est donc en réfléchissant de manière intensive à ce que représentait l'art pour moi, tout en maintenant la critique de cette représentation par diverses incursions dans d'autres champs disciplinaires, que la pratique de l'art m'est apparue comme un complexe, un nœud de problématiques où les fils multiples de la signifiance et du micropolique s'entrelacent pour donner à la création sa dynamique particulière, mais aussi, pour conférer à l'œuvre toute sa singularité. Ce qui m'amène à formuler une dernière remarque concernant le volet théorique de cet ouvrage. À la lecture des chants, le lecteur ne tardera pas à découvrir que ma thèse est transdisciplinaire, tant par les moyens d'expression artistiques qui y sont mis à contribution que par les auteurs convoqués, qui proviennent des domaines de recherche les plus variés. Ceux-ci furent pour moi de véritables relais de conscience, dans des domaines où je n'étais pas nécessairement à l'aise. Mais il m'importait de bien comprendre ce qu'ils avaient à me transmettre comme vérité et de refléter le plus justement possible leurs idées. À leur manière, ils auront contribué au chant artistique. Ainsi le lecteur visitera de nombreux territoires disciplinaires, dont la poïétique, la philosophie, l'éthique et l'esthétique, les sciences politiques, l'histoire de l'art bien sûr, l'anthropologie et la sociologie de la culture, les études littéraires et plus particulièrement les études grecques. L'art fut toujours pour moi une pratique transversale et un lieu d'intégration des savoirs. Si je qualifie cette recherche de «trans», plutôt que «multi» ou «interdisciplinaire», c'est parce qu'elle intègre véritablement ces savoirs pour en formuler de nouveaux concernant mon objet de recherche, soit *Le complexe d'Ulysse*. La transdisciplinarité est une attitude : celle du chercheur qui considère que la réalité n'est pas une, mais multiple et qu'un esprit libre et créateur saura circuler à travers les divers découpages du réel que les sciences nous proposent. Ainsi, nous trouverons, dans la partie annotée des chants, toute une revue de littérature qui nous éclairera dans la compréhension du *Complexe d'Ulysse*.

Cette thèse est transdisciplinaire sous un autre aspect, sans doute le plus signifiant pour moi. Lorsque j'ai commencé cette recherche, je voulais aussi créer des ponts entre mes connaissances artistiques et mes connaissances en sciences humaines, plus précisément en psycho-éducation, en psychologie, en psychanalyse et en sociologie du milieu carcéral. En effet, j'ai été psycho-éducatrice en milieu carcéral et en services communautaires, de même que consultante parentale dans un cabinet privé pendant de nombreuses années. De plus, la psychanalyse occupe toujours une place très importante dans ma vie, nous verrons pourquoi en fin de parcours. Quoi qu'il en soit, l'art peut être «inhumain» à ses heures, particulièrement lorsqu'on l'étudie comme «milieu» et comme «système». J'en donnerai quelques exemples et opérerai cette critique à partir de mes expériences passées au sein d'institutions autres. Je pointerai certains dangers qui guettent l'artiste, mais aussi tout un milieu souvent trop refermé sur lui-même. Sur l'artiste praticien, j'essaierai de ramener un regard plus attentif et bienveillant.

Je réserve cependant au lecteur la surprise et, si possible, le plaisir de découvrir de manière progressive en quoi consiste *Le complexe d'Ulysse*, comme je l'ai fait moi-même par la peinture, la lecture et l'écriture. D'un point de vue strictement esthétique, j'ai voulu maintenir son intérêt en ayant recours à plusieurs de mes stratégies picturales, car je ne voulais certainement pas produire un autre de ces ouvrages théoriques ennuyeux. Et pour peu que mon hôte soit sensible, il découvrira de nombreuses correspondances — diversité de traits, de tons et de touches, d'espaces explorés, par exemple — entre ma peinture et ma parole, qui se veulent le plus possible vivantes et expressives. En sus de cette exigence artistique, j'espère avoir réussi à proposer un portrait cohérent et convaincant du praticien artiste dans ses nombreuses dimensions et plus particulièrement, dans sa dimension clinique, soit en tant que sujet de désir et de l'inconscient. S'il y a bien une épigénèse affective qui teinte l'identité d'un sujet, je trouverai, au fil de mes avancées théoriques, toute une épigénèse artistique avec ses stades de développement et ses enjeux particuliers. Et cela est sans doute ma découverte la plus inattendue, mais aussi celle qui me rend la plus heureuse aujourd'hui, car l'artiste et la clinicienne se trouvent pour la première fois réunies grâce à cet ouvrage et que les deux travaillant de concert m'ont ouvert de nouveaux horizons de recherche.

Suivre les chemins liquides. C'est ce qu'Homère nous propose avec l'*Odyssée*. C'est ce que je vous propose à mon tour avec *Le complexe d'Ulysse*.

Louise Prescott
Le 1er août 2002

CHANT I

Figure 1.

Fibrines (1995). Acrylique sur toile libre. 241 x 183 cm.
Collection du Musée d'art de Joliette.
Photo : Pierre Charrier.

La gravité des mots[1]

Une mise en abyme. L'art comme désir. Quand le sens manque. L'ordre plastique et le fait pictural. De la gravité. Regard et vision. L'Arbitrarium. Filet, trame, tissu. Le sujet artiste. Connaissance et vérité. L'inconscient artistique et le langage. Figures abstraites et concrètes de l'aliénation. L'identité artistique. Le postulat de la signifiance. Exposition et publicité. De l'authenticité. La vigile artistique. L'épreuve de la vérité. L'œuvre, la parole et la loi. L'acte de l'«Art».

1.1 L'artiste et le désir d'art: un projet insensé

La scène est la suivante. Je suis invitée à parler de ma démarche artistique à des étudiants et des professeurs de l'UQAM.[2] Après plus d'une heure de présentation, diapositives à l'appui, vient la période de questions. Une professeure me dit avec une délicate franchise : «Je suis toute étonnée de voir que vous vous nommiez artiste... Il me semblait que cette catégorie avait disparu...».

Avec ces cinquante paires d'oreilles qui attendent une réponse dans la seconde, vous imaginez mon état. Ces paroles sortent de la bouche d'un professeur émérite, membre de notre élite intellectuelle. Ce n'est pas une mise en boîte... mais une mise en abyme.

Une réponse pragmatiste aurait été : «L'art, chère madame, c'est les œuvres que je fabrique»; ou encore, «J'existe en tant que professionnelle d'un champ spécifique de recherche et qui a ses formes de reconnaissance sociale». Mais l'art n'est pas que le produit d'une activité et n'est pas seulement une activité professionnelle. J'aurais pu dire aussi : «L'art, c'est ce que vous venez juste de voir». Mais c'eût été trop simple, car l'art n'est pas que ce qui est montré, ce qu'on appelle sa diffusion... En fait, en tant qu'artiste invitée et du haut de ma tribune universitaire, j'aurais pu afficher une superbe indifférence et ne rien répondre du tout : c'eût été très payant politiquement, mais ce n'est pas mon genre. Finalement, peut-être aurais-je dû esquiver le problème : «Vous avez absolument raison. Moi non plus, je ne sais pas du tout ce qu'est l'art, et je ne suis pas certaine de mon existence même en tant qu'artiste...». J'aurais ici fait montre de deux grandes vertus, l'honnêteté et la lucidité. De plus, on m'aurait trouvée charmante et fort sympathique.

Or, dans le feu de l'action, voici ce que je trouve à dire : «C'est que l'art... c'est d'abord et avant tout une pratique. L'art en soi, ça n'existe pas. L'art, il faut le faire... il faut le faire vivre». Je venais de répondre en tant que créateur, prise avec mon désir d'art.[3]

...

Je vous le demande. Pourquoi l'art actuel, dans chacune de ses manifestations, apparaît-il toujours comme un projet insensé?[4]

Entrer dans la parole, c'est penser l'insensé. Déjà, lorsqu'on travaille le visuel, sens et non-sens sont contenus tout entiers dans une figure, les deux côtés d'une médaille présentés simultanément.[5] Lorsqu'on est plasticien, cette figure prend une matérialité; et pour la peintre que je suis, c'est l'espace tout entier qui se matérialise. Il n'y a pas d'image en peinture sans sa substance. Aussi, dans l'écriture, j'ai tendance à comprendre et mesurer les mots selon leur densité, leur viscosité, leur vitesse d'étalement et ce qu'ils cristallisent. Car les mots ont un poids, ils ont une *gravité*. Ils sont chargés de sens multiples et glissent sous ma main selon les circonstances.[6]

Lorsque j'écris *Sans titre* sous une œuvre, c'est que ou bien je ne trouve pas les mots, ou bien je refuse de prendre la parole, ou bien je me tiens volontairement hors du discours. Si j'ajoute un titre, c'est pour faire travailler deux ordres de langage différents et, de ce fait, introduire une donnée qui rend l'objet encore plus complexe et donc, plus problématique. Cela je le fais autant pour moi que pour le public... parce que ce qui compte, c'est le travail du sens : l'interminable travail du sens.[7]

Imaginons une phrase comme une combinaison de gestes-couleur (*fig. 2*), ou un paragraphe comme une zone aux couches superposées où le sens se stratifie de multiples manières. Imaginons qu'un texte soit comme une composition picturale, qu'il ait ses figures d'intensité et d'opacité, ses lignes de fuite, ses concrétions; ou des ruptures de mouvement, des failles, des trous, des catastrophes; ou bien, des glissements et des enchaînements marqués par des figures de scansion (*fig. 1*). Imaginons qu'un texte ait quantité de points lumineux qui dirigent le regard de manière presque subliminale (*fig. 8*). En réalité, si mes peintures parlaient, elles seraient incompréhensibles pour l'entendement humain. Mais ce serait un exercice intéressant de voir comment un littéraire modifierait son écriture à partir des structures formelles que j'élabore, ou comment un physicien expliquerait le type d'espace que j'y montre...[8]

Autrement dit, il y a une plastique de l'effet, à éprouver tant dans la langue que dans le visuel. L'ordre plastique, ce n'est, ni plus ni moins, qu'un «regard»: une manière d'organiser les matériaux sur une surface... ou une page, ou dans toute l'étendue d'un livre. Et l'ordre plastique fait du sens, à sa manière. Ce n'est pas tant mon désir qui lui donne cet ordre: il surgit souvent de lui-même, il fait événement. Mais c'est par mon désir qu'il demeurera ou non dans l'état de son apparition.[9]

Figure 2.

Promises, promesses (1998). Acrylique sur toile libre. 241 x 183 cm.
Collection du Bistro à Champlain, Sainte-Marguerite du Lac Masson.
Photo : Pierre Charrier.

1.2 Pisteurs de l'inconscient

«Il n'y a de vérité que la vérité du sujet»; et «l'inconscient n'est pas un langage...
l'inconscient est structuré comme un langage»[10]. Par une simple tournure des
mots, ces mots ultimes qui mirent sans doute des années à se mettre ensemble,
non seulement Lacan actualise-t-il la pratique psychanalytique, mais il affirme
pour moi la pertinence et la force sociale que peut représenter la pratique
artistique. C'est l'art tout entier, comme pratique transhistorique et transcul-
turelle, qui s'explique par là. Que serait la notion d'*authenticité* en art, sinon
cette pratique de la recherche de vérité? Pratique qui consiste, pour le sujet
artiste, à chercher un langage à cet inconscient, à en trouver la structure et à la
rendre perceptible; pratique qui consiste ainsi à exprimer la présence désirante
de manière sensible, à lui donner une substance à partir de son actualité.

L'inconscient tord la réalité. Cette torsion, c'est par exemple l'inflexion donnée
à la voix, à la posture d'un corps, à la fuite d'un regard. Par là, l'inconscient se
manifeste et se communique. C'est toujours lui qui est traqué par l'artiste : nous
sommes tous des pisteurs de l'inconscient. L'inconscient, qu'on le veuille ou
non, s'exprime et il s'affirme même dans les démarches les plus conceptuelles
ou formalistes. On a toujours en face de soi le travail d'un auteur, une signature,
une singularité manifeste. Que serait ce qu'on appelle «l'ambition» d'une
œuvre sans cette dimension du désir qui s'exprime? La marque, ça se passe
d'inconscient à inconscient : «Phénomène intersubjectif», dirait Lacan.[11]

En ce qui concerne la *vérité*, peut-être doit-on remonter ici aux sources de la
pensée occidentale. Pour l'artiste, l'art est un moyen d'arriver à la connaissance. Il
y a toujours quelque part en nous un sophiste qui dit : «L'homme est la mesure
de toutes choses» et, de ce fait même, «toujours pris dans un filet de mots et
d'opinions»[12]. Lacan aurait dit «déterminé par le langage». Et ma réflexion
actuelle m'amène à penser qu'il y a, dans le choix d'une vie «dans l'art», une
pratique primordiale du refus de cette détermination. Peut-être est-ce à cause
de ce refus que l'on considère que l'art occupe toujours une fonction critique
dans la société. Un paradoxe est que ce refus du langage nous amène à en créer
un autre, qu'il soit poétique, visuel ou chorégraphique... preuve par son
contraire que cette détermination existe.

Y aurait-il un inconscient artistique? Fuir le discours, trafiquer le discours, résister
au discours, éprouver le discours seraient dès lors des raisons communes à tous les
arts. Deleuze disait : «Le travail de l'artiste, c'est de faire bégayer la langue»[13].

Peut-être faut-il se demander si, à chaque fois qu'on prononce des mots tels que «la dénonciation du système», «le refus de l'autoritarisme», ou «la transgression», on n'en appelle pas, pour commencer, à ce sentiment partagé d'être aliéné dans le langage, pris dans son filet.[14]

Voir le système du langage comme source première d'aliénation semble nous éloigner de la vie ordinaire. Tentons de nous en rapprocher, de prendre un point de vue moins abstrait. On pourrait dire que la première source d'aliénation telle qu'elle se vit, c'est l'aliénation dans le désir de l'Autre. Ça commence par le discours des parents à propos de l'enfant à naître, la manière d'être langé, d'être nourri, ou porté lorsqu'on est bébé; ça continue par la parole, par les énoncés de vérité des parents à l'enfant, par tout ce qui donne à une simple remarque la force d'une loi. Ça continue par l'école, le patron, la télévision et j'en passe. Pour défaire ce filet — et je plains ma pauvre Sophie, qui, à dix ans, y est déjà toute empêtrée... d'où les protestations et contestations fusant de toutes parts à l'approche de la puberté — pour se déprendre du discours, des ordres, de la loi, de tout ce qui exerce une pression et nous étouffe, et pour le faire tout de même de manière civilisée, il faut commencer par trouver son désir, soit trouver sa parole, ressentir intimement certaines paroles, certains signifiants comme des vérités. Bref, il faut devenir «sujet». Un lieu commun est de parler d'une «vérité intérieure», mais cette notion indique qu'il s'agit ici d'une vérité *éprouvée*, c'est-à-dire, vécue comme telle. La recherche de vérité en art est la recherche d'une telle signifiance : la construction de sens pour soi, par la découverte de formes que nous appelons dans la pratique des formes «significatives».

1.3 Une valeur de vérité

En psychanalyse, cette parole se trouve dans une relation analyste-analysant, selon la règle du tout-dire. Pour l'artiste, des paroles et des formes trouvées d'abord sur une scène intime, puis présentées sur une scène publique, rendent tangibles un être-au-monde et qualifient son geste comme geste social. Il n'y a d'identité artistique que par ce geste de sociabilité. L'œuvre d'art est ce qui se présente au public, se donne au regard de l'Autre. En présentant son œuvre publiquement, l'artiste postule que ses formes peuvent présenter une signifiance pour ses contemporains.[15] Il a fallu d'abord que cette œuvre ait pris valeur de vérité pour lui, vérité en tant que sujet... membre d'une société avec laquelle il partage une culture.

Du fait de cette «publicité», le sujet artiste n'expose pas qu'une œuvre : il «s'expose» de manière plus ou moins importante avec elle (*fig. 3, fig. 6, fig. 20, fig. 27, fig. 30*). C'est-à-dire qu'il peut choisir, de manière consciente ou inconsciente, de s'en distancier suffisamment pour ne pas trop ressentir les effets de cette exposition sur sa vie même. Et je pense qu'il est d'autant plus fragilisé que l'œuvre reste au plus près des processus de création qui l'ont vue naître.[16] Cependant, c'est peut-être là que se joue le sentiment que l'œuvre est «authentique», que cette chose exprimée apparaît comme véridique. Par elle, l'artiste fait l'expérience d'une vérité, et le public avec lui. Car l'effet d'art ne se mesure pas. L'effet d'art s'expérimente.[17]

L'oreille de l'analyste est tendue à percevoir ce qui s'exprime à travers le discours, à y chercher la parole du sujet, à y saisir des signifiants-clés. Le sujet artiste exerce lui-même cette vigilance : à partir de ce qu'il sent et perçoit, il cherche à saisir la signifiance dans les matériaux par un travail de la forme. C'est un travail de dégagement du sens, à travers un filet de voix. Construction progressive ou acte de création, l'œuvre est un devenir-parole. Et l'œuvre d'art, cette chose que nous allons montrer au public, est cette brèche dans le filet, en tant que vérité intime, «en tant que» parole d'un sujet. Car nous, artistes, nous nous méfions du discours comme de la peste. Mais, conduite paradoxale, nous remplaçons le discours par un objet, un réel incontournable et qui prend de ce fait force de loi. Un objet comme alternative à la loi.[18] Un objet comme une autre loi.[19]

C'est que, dans l'inconscient artistique,[20] il n'y a pas qu'un sujet et pas qu'un psychanalyste. Il y a aussi un scientifique, un entrepreneur, un politicien, un administrateur... Nous voulons voir la parole en «acte», nous voulons voir la vérité comme un «objet». Nous voulons qu'un désir se «concrétise». Nous voulons que la réalité soit «transformée». Nous voulons qu'une expérience soit «réalisée». Bref, nous voulons «faire quelque chose»... Et, nous voulons que ce quelque chose soit de l'«Art». Du coup, cent-soixante-cinq siècles d'objets fabriqués par des hommes et considérés comme artistiques[21] nous aspirent comme dans un trou noir. Gravité ultime. Fin de toute chose.

•••

«Une chose existe pour l'homme en tant qu'elle est nommée», dit le psychanalyste. «Un objet de réflexion existe en tant qu'il est posé», dit le philosophe. «Un objet de recherche existe en tant qu'il est problématisé», dit le scientifique. Que dit l'artiste? Lorsque Dieu est mort, lorsque la révolution est le remplacement d'un totalitarisme par un autre, lorsque la première aliénation de l'homme est d'être englué dans le désir de l'Autre et empêtré dans l'ensemble des machines à discours, que dit l'artiste? «Un objet artistique existe en tant qu'expérience». Soit : l'art, il faut le faire... il faut le faire vivre!

Figure 3.

Prolifical space — Espace proliférique (1998).
Exposition solo (vue de la première salle). Toronto : Edward Day Gallery, 1998.
Photo : archives de la galerie.

[1] «Carnet d'Ulysse No.1. La gravité des mots», *Art Le Sabord, No. 54*, automne 1999, p. 34-36.

[2] Communication *La Parole et l'artiste* (1998) visant à montrer, au moyen du visuel, comment le jeu analytique de la parole et des signifiants s'exerce et s'exprime dans mon expérience de création. GÉPI (Groupe d'études psychanalytiques interdisciplinaires), Université du Québec à Montréal (document inédit).

[3] D'emblée, l'artiste est ici posé comme sujet de *désir*, concept issu d'une très riche tradition philosophique aussi bien que psychanalytique. Le désir peut être émancipateur en provoquant le mouvement et l'action. Dans la tradition de Spinoza et de Nietzsche, le désir est foncièrement *producteur*; il est *puissance affirmative*; de plus chez Deleuze et Guattari, il est *flux, ligne de fuite* de nos métamorphoses, *machinique* (cf. Renaud Barbaras (1999), *Le désir et la distance*, Paris : Vrin; Camille Dumoulié (1999), *Le désir*, Paris : Armand Colin; Gilbert Hottois (1997), *De la renaissance à la postmodernité. Une histoire de la philosophie moderne et contemporaine*, Bruxelles : De Boeck Université; et Fabien Lamouche (1999), *Le désir*, Paris : Hatier). Si on peut affirmer que tout individu est sujet de désir, l'une de mes hypothèses est que tous ne sont pas affectés du *désir d'art*. Ici, le désir chercherait à s'inscrire dans un champ expérientiel et symbolique spécifiquement investi par le sujet, l'«Art»; champ qui déborde très largement les catégories évoquées plus haut. Le sujet artiste est donc un sujet multidimensionnel; et c'est à la plus grande variété possible de ces dimensions que cette recherche s'intéressera. Elle est donc, nécessairement et absolument, exploratoire, autoréflexive et transdisciplinaire. Sur la transdisciplinarité, voir le dossier «Niveaux de réalité», in *Rencontres transdisciplinaires. Bulletin du CIRET (Centre International de recherches et études transdisciplinaires), No. 15*, mai 2000; et plus particulièrement l'article du physicien Basarab Nicolescu : «Transdisciplinarity and complexity : Levels of Reality as source of indeterminacy», p. 25-38.

[4] C'est la première question que je me pose lorsque j'entreprends l'écriture des carnets. Plus avant dans ma recherche, je réaliserai que ce sont mes propres doutes quand à la pertinence de mon travail qui s'expriment ici. La quête de signifiance dont il est question est d'abord la mienne, quoique le public vienne la renforcer régulièrement par ses diverses remarques.

[5] Sur la nature paradoxale du sens, voir Gilles Deleuze (1969), *Logique du sens*, Paris : Minuit; l'affirmation du sens implique nécessairement sa négation, c'est-à-dire qu'elle opère par opposition et selon une logique binaire. Dans un autre ordre d'idées, chez Lacan, la production de sens implique en plus une aliénation, puisque de toutes façons, «nous sommes contraints de perdre quelque chose» (cité par Georges Didi-Huberman (1990), *Devant l'image : Question posée aux fins d'une histoire de l'art*, Paris : Minuit, p. 278). Bref, pour le sujet philosophique ou psychanalytique, toujours le sens «manque». Il en va de même pour l'historien de l'art qui tente d'interpréter l'œuvre. Or, au moment originaire de la création plastique, la Figure est un «donné», une totalité pleine et entière qui engage des processus cognitifs différents, «des concepts sensoriels que nous préférons maintenant qualifier de percepts» (Nycole Paquin (1997), *Le corps juge*, Montréal : XYZ, p. 177). Si manque il y a, il arrivera après coup, devant le fait accompli, avec l'intervention du langage verbal.

[6] Que les mots «glissent» est, comme le disait Borduas, une «pensée de peintre». Qu'une problématique soit, dans mon langage plastique, une «coulée structurante», est aussi l'une de mes pensées de peintre (*fig. 1*). Dans *Francis Bacon : Logique de la sensation*, Deleuze (1981) soutient qu'il appartient au peintre de «*faire voir* une sorte d'unité originelle des sens, et de faire apparaître visuellement une Figure multisensible» (Gilles Deleuze, Paris : La Différence, p. 31). C'est toute une phénoménologie de la perception qui est convoquée ici. En ce qui me concerne, dans la transposition du pictural au verbal, le mot, le phrasé ou la composition d'ensemble peuvent aussi devenir des «Figures multisensibles». Un exemple en est justement la Figure de «gravité»

évoquée ici, dans le texte; elle est d'abord physiquement opérante dans ma peinture — l'action de la gravité que je peux voir sur la matière picturale liquide, lorsque je bouge la toile. Pour Deleuze, l'acte de peindre ou d'écrire de cette manière serait de l'ordre du diagramme, soit «l'ensemble opératoire des lignes et des zones, des traits et des taches asignifiants et non représentatifs», dont la fonction serait, comme le précise le peintre Francis Bacon, de «suggérer» et d'introduire «des possibilités de fait» (*ibid.*, p. 66).

[7] Je fais ici allusion à la fonction symbolique de l'œuvre, qui, dans la logique artistique, se doit de demeurer «ouverte». Ardent défenseur de la *rationalité esthétique*, Rainer Rochlitz (1994) reconnaît que «c'est précisément parce que l'œuvre d'art n'obéit pas aux règles de la connaissance discursive qu'elle ne peut pas entrer en concurrence avec elle. L'une et l'autre ont des logiques et des fonctions sociales irréductiblement différentes, qui ne peuvent d'aucune façon se substituer l'une à l'autre [...] Les œuvres d'art suscitent des divergences d'appréciation qui ne sont pas gratuites et qui, si elles ne peuvent que rarement être tranchées, appellent néanmoins le discours argumenté» (*Subversion et subvention*, Paris : Gallimard, p. 78). Rochlitz ne nie pas qu'il y ait une logique de sensation dans l'œuvre et considère que c'est justement celle-ci qui convoque la subjectivité du public; cependant, le jugement esthétique, du moins chez les experts, devrait pouvoir se justifier rationnellement, de manière à favoriser la communication et ultimement, restaurer la confiance du public dans les institutions artistiques (particulièrement en art contemporain). Du point de vue de l'artiste, toute discussion à propos de l'œuvre est bienvenue. C'est ainsi qu'elle prend une signifiance sociale et, dans l'idéal, ce travail devrait être «interminable», soit se maintenir le plus possible dans la durée.

[8] Dans *Pragmatique esthétique*, Louise Poissant (1994) démontre que toute l'histoire de l'art pourrait être réécrite en fonction de paramètres axés sur la réception des œuvres, c'est-à-dire sur les effets visés par l'artiste et les nouvelles attitudes esthétiques qu'ils convoquent chez ce qu'elle appelle «le spectateur acteur» (cf. en particulier le chapitre «Le cubisme analytique», in *Pragmatique esthétique*, Montréal : H.M.H., p. 163-173). On se rapproche considérablement ici du problème du «traitement» inhérent à la création. Un artiste anticipe nécessairement sur la réception de l'œuvre, sur sa fonction interprétative et communicationnelle et ce, particulièrement, lorsqu'il se maintient à un certain niveau d'abstraction. Déjà en 1978, le psychologue Hans Robert Jauss posait qu'étudier l'expérience esthétique, c'était chercher à reconnaître les types de participation et d'identification requis par les œuvres (*Pour une esthétique de la réception*, Paris : Gallimard). En peinture, une image est aussi «matière», le traitement de cette matière fait partie de son «dire» et la «manière de dire» est un problème crucial du point de vue de la pratique picturale. Ceci parce que cette manière affectera absolument — la plupart du temps de manière inconsciente — la perception du spectateur, par les modifications du champ sensible, ou le Réel, qu'elle produit. Par exemple, une zone présentant un *sfumato* ou un lavis aura un impact psychologique très différent d'une zone d'empâtements traitée au couteau ou présentant des égratignures (*fig. 2*). Or certaines approches interprétatives éliminent complètement cette dimension. Pourquoi? Comme le remarque Didi-Huberman : «Ce n'est pas tant la minutie du détail qui met en question l'herméneutique du tout pictural (et même sa possibilité de description), c'est d'abord son essentielle *vocation chaotique*» (Georges Didi-Huberman, *Devant l'image : Question posée aux fins d'une histoire de l'art*, p. 279). «Ce que montre la peinture, c'est sa cause matérielle [...] l'histoire de l'art en néglige à peu près constamment les effets. C'est la négligence très tactique d'un savoir qui tente ou fait semblant de se constituer comme science «claire et distincte» : il aimerait donc bien que son objet, la peinture, soit lui aussi clair et distinct, aussi distinct (sécable) que les mots d'une phrase, les lettres d'un mot. En regardant un tableau, l'historien de l'art déteste se laisser inquiéter par les effets de la peinture»

(*ibid.*, p. 281); tandis que la peinture travaille, précisément, ce que l'auteur appelle «les effets de jet», de subjectilité, bref, des effets de matière. J'ajouterais à sa suite que si la matière picturale est très largement boudée par une certaine critique d'art, c'est précisément parce que le sens «lui» manque, que ses outils d'interprétation sont insuffisants pour rendre compte de cette expérience — au risque de tomber dans la subjectivité — ce que le prétendant au savoir refuse. Ainsi pour moi, c'est encore par le défi qu'elle pose au langage, mais aussi à la connaissance objective, que la peinture et, particulièrement, la peinture abstraite, demeure pertinente, sinon profondément subversive. Ce faisant, en ces temps de rationalité, elle risque fort d'être frappée d'interdit par tout un ensemble d'experts, y compris par de très nombreux artistes. Ce qui fait d'elle — par la force des choses — un acte politique.

[9] Pour le psychologue et psychanalyste Jean-Paul Allaire (1993, 1997), le fait pictural est un fait brut, de l'ordre de l'expression et du désir, plutôt que de la signification et du discours. C'est cette dimension expressive et désirante qui distinguerait précisément le «regard» de la «vision». À ce sujet, voir «Le visuel : de la signification à l'expression» (1997), communication au colloque «Art et psychanalyse» organisé par *L'Atelier psychanalytique de Montréal* et la revue *Parachute*, Montréal : Espace Go (document inédit); voir également *La vision syncrétique des artistes et les effets de champ perceptifs* (1993), Montréal : Université de Montréal, thèse de doctorat (P.hd. en psychologie). Afin de dissiper tout malentendu, je précise que Jean-Paul Allaire est mon conjoint et que j'ai été son assistante pour cette recherche à laquelle une centaine d'artistes professionnels montréalais ont participé.

[10] Je cite ici de mémoire. Dans *L'envers de la psychanalyse*, Jacques Lacan (1991) reprend sa formulation : «Le langage est la condition de l'inconscient, c'est ce que je dis» (*Le séminaire. Livre XVII. L'envers de la psychanalyse*, Paris : Seuil, p. 45). Pour s'initier aux concepts psychanalytiques et comprendre la contribution de Jacques Lacan au champ psychanalytique, voir Michel Plon et Elizabeth Roudinesco (1997), *Dictionnaire de la psychanalyse*, Paris : Fayard. Pour approfondir la pensée freudienne et lacanienne, voir particulièrement Jacques Lacan (1994), *Le Séminaire. Livre XI. Les quatre concepts fondamentaux de la psychanalyse*, Paris : Seuil.

[11] Cette problématique fut traitée dans mon exposition solo *L'Arbitrarium* (Musée d'art de Joliette, 1998) et dans le texte du feuillet de salle *L'Arbitrarium... ou le sexe des abeilles* (*fig. 4, fig. 5, fig. 12, fig. 15*). C'était le point de départ de la présente recherche-création. Le concept de cette exposition s'inspirait des trois registres lacaniens : le Réel, l'Imaginaire et le Symbolique. Les liens comme les points de rupture entre la parole, l'écriture et la peinture y étaient également évoqués, notamment par l'œuvre progressive réalisée en collaboration avec le public. Celui-ci était invité, en arrivant dans la salle, à donner des titres aux œuvres et à les inscrire sur des strates de vinyle transparent. La superposition des écritures évoquait le processus de construction de sens par la peinture, l'intersubjectivité convoquée par l'œuvre d'art, mais aussi la nature arbitraire du langage lorsqu'il tente de nommer (d'où le titre *L'Arbitrarium*, ou lieu de rencontre de «l'arbitraire» et lieu de débat, «forum»). Cent (100) visiteurs ont répondu à l'appel, ce qui s'est révélé en bout de ligne et de manière inattendue, un excellent exercice de médiation aux dires des animateurs du musée, de même qu'un outil me donnant des informations précieuses sur le Réel des œuvres et les transports imaginaires qu'elles provoquaient chez le public.

[12] Elizabeth Clément *et al.* (1994), *Pratique de la philosophie de A à Z*, Paris : Hatier, p. 334.

[13] Gilles Deleuze en entrevue (1996) : *L'Abécédaire de Gilles Deleuze*, Pierre-André Boutang, France, 450 min. Cette idée est précisée dans les *Dialogues* de Gilles Deleuze et Claire Parnet (1996) : «Le problème est celui d'un devenir-minoritaire : non pas faire semblant, non pas faire ou imiter l'enfant, le fou, la femme, l'animal, le bègue ou l'étranger, mais devenir tout cela, pour inventer de nouvelles forces ou de nouvelles armes» (Paris : Flammarion, p. 9).

[14] «[...] Distinguer ce qu'il en est du discours, comme une structure nécessaire qui dépasse de beaucoup la parole [...], c'est *un discours sans paroles*. C'est qu'à la vérité, sans paroles, il peut fort bien subsister. Il subsiste, dans certaines relations fondamentales. Celles-ci, littéralement, ne sauraient se maintenir sans le langage» : Jacques Lacan, *Le séminaire. Livre XVII. L'envers de la psychanalyse*, p. 11. D'où l'image du «filet», très fréquemment évoquée par Lacan. J'ajoute que dans la langue courante, les images de la «trame» (trame d'un récit), du «fil» (fil conducteur), du «tissu» (tissu de références) sont aussi très utilisées pour qualifier le langage. Cette notion trouve son expression dans mon travail, les espaces picturaux y étant tramés par tout un ensemble de coulées s'y réseautant de part en part (*fig. 1*). D'où souvent le sentiment, en regardant ma peinture, qu'un drame s'y prépare; les coulées installent toujours une tension sous-jacente à l'image, en même temps qu'elles en fournissent la structure. À ce sujet, voir le film documentaire d'Alain Larouche (2000), *Louise Prescott. L'art sans servitude* (Montréal : Productions P.A.L., 10 min.). Les prises de travail en atelier montrent comment se construit cet univers tramé, mais aussi extrêmement fluide, puisque chez moi cette trame n'est pas géométrique, mais plutôt de nature hydrographique. Elle vise entre autres à qualifier l'expérience de la mouvance et des fluctuations du désir, préliminaires à toute élaboration et à tout processus de construction.

[15] Un bon artiste est aussi un chercheur. En effet, toute recherche se fonde sur une interprétation générale et un certain nombre de postulats qu'il s'agira de vérifier par l'expérimentation, au moyen d'une méthode et de procédés techniques déterminés. A l'instar de nombreuses recherches en sciences humaines, on peut dire que la recherche artistique est de type «exploratoire» et d'ordre «qualitatif» (cf. Chantal Deschamps, Robert Letendre *et al* (1998), «L'attitude du chercheur en recherche qualitative», *Recherches qualitatives*, Vol. 18; et particulièrement, l'article de Louis Lepage et Robert Letendre, «L'intervention de manifestations contre-transférentielles dans le déroulement de la recherche : réflexions sur une pratique et exemples», p. 51-71). De très nombreux parallèles peuvent s'établir, entre la pratique psychalytique et la pratique artistique par exemple. Cependant, la principale différence entre l'art et la science, c'est qu'on ne peut strictement parler d'une «méthodologie» artistique. En effet, la méthode qu'un artiste développe est plutôt un ensemble ouvert et combinatoire de manières de faire qui se découvrent et s'organisent en fonction de son désir comme du but poursuivi; de ce fait, le résultat de la recherche ne peut jamais prétendre à une stricte reproductibilité des résultats. En réalité, parce que l'art repose sur des prémisses toutes autres — de singularité et d'originalité — ces résultats ne devraient *jamais* pouvoir être reproduits. Vu sous cet angle, le terme «méthodologie» est donc abusif lorsqu'on l'utilise dans le champ artistique; d'autre part, il est trop restrictif s'il limite la méthode à des procédés techniques. Si certaines idées et techniques sont transmissibles et contribuent à faire de l'objet produit un donné objectif et descriptible, cela ne confère pas automatiquement à une création le statut d'œuvre d'art, pas plus que cela ne constitue une garantie de sa qualité artistique. L'œuvre est donc un objet d'étude pour l'artiste lui-même, et un objet très complexe, puisqu'il fonctionne aussi bien dans les registres du Réel que de l'Imaginaire et du Symbolique. Pour reprendre une formulation piagétienne, la combinaison gagnante ne se trouve que par l'assimilation, l'accommodation et l'organisation propre aux schèmes mobiles (Jean Piaget (1975), *La naissance de l'intelligence chez l'enfant*, Paris : Delachaux et Niestlé). En même temps, c'est précisément cette extrême mobilité cognitive qui confère à la pratique artistique son originalité et sa contribution sociale spécifique comme mode de recherche et de connaissance. En effet, les structures de l'esprit se construisent par l'action et plus particulièrement par la coordination des actions; or le mode opératoire des artistes est à la fois sensori-moteur et combinatoire-formel (cf. «Dossier : L'intelligence. Une ou multiple?», *Sciences humaines*, No. 116, mai 2001, p. 21-37).

[16] Le problème de l'artiste est ici le passage du discernement personnel au jugement public, là où la réception de l'œuvre, le jugement esthétique, l'homologation et la reconnaissance artistique interviennent. Si pour le critique d'art, il s'agit de construire des relations en fonction d'une «hypothèse sur le sens de l'œuvre» et «d'un pari sur son ambition et sa valeur» (Rainer Rochlitz, *Subversion et subvention*, p. 71), l'artiste est nécessairement passé lui-même par ce processus réflexif; cependant que son pari est beaucoup plus important, puisqu'il met en cause non seulement la perception de l'œuvre, mais aussi son identité personnelle. Un artiste «signe» une œuvre et vise à une certaine «reconnaissance» qui lui permettra de poursuivre ses objectifs et de trouver les moyens futurs de sa création. Pour ce faire, il ne peut en général que se fier à ses propres intuitions, à moins qu'il ne répète des recettes éculées ou que sa réputation soit déjà très bien établie. Ainsi, une création est plus ou moins «risquée» du point de vue de l'artiste selon les répercussions qu'elle aura, et qu'il ne peut qu'appréhender, sur sa propre vie. Plus l'inconscient et le désir sont engagés, plus l'œuvre se rapproche des «processus primaires» comme le formulait Freud, plus le sujet et l'être sont en cause et vulnérables sur le plan affectif.

[17] «La vérité, cela s'éprouve, cela ne veut pas dire du tout, pour autant, qu'elle en connaît plus du réel, surtout si l'on parle du connaître [...]». Lacan, *Le séminaire. Livre XVII. L'envers de la psychanalyse*, p. 201. Pour la psychanalyse et en ce qui concerne le sujet, l'expérience de vérité constitue un savoir. Ce qui «ne veut pas dire», c'est l'affect, pour lequel il n'y a pas de mots, mais que le sujet connaît et peut reconnaître chez l'Autre. C'est ce type de connaissance que certaines œuvres arrivent à transmettre et par lesquelles nous «re / connaissons» être «affectés». En fait, elles réussissent plus ou moins intensément à communiquer directement avec notre propre inconscient, tant par l'image que par leur matérialité (traitement, facture, etc.); soit par ce que les Grecs appelaient la *charis*, leur qualité de présence ou encore leurs qualités performatives.

[18] «La meilleure approche de l'objet consiste sans doute à insister sur sa force principale : aider la personnalité à se développer et à vaincre l'insécurité qui la menace (il est donc une prothèse existentielle). Au lieu de ne raisonner qu'en termes de possession ou d'avidité avaricieuse, voire de puissance quasi meurtrière, voyons plutôt en lui un dispositif socio-culturel qui nous permet de nous autoaffirmer [...] L'homme a besoin de s'appuyer sur un ensemble de moyens ordinaires; la descente dans la misère va de pair avec la dépossession, l'absence de ces objets qu'on retrouve et qui vous appartiennent, auxquels on est attaché ou habitué. Nous nous inscrivons en eux, mais eux aussi à leur manière, entrent en nous [...]». François Dagonet (1996), *Les dieux sont dans la cuisine. Philosophie des objets et objets de la philosophie*, Tours : Synthélabo Groupe, p. 26.

[19] «Le poète, l'artiste, le musicien et le penseur indépendant se nourrissent toujours, entre autres, d'une étrange ferveur rebelle à toute tentative de réduction à quelque schéma que ce soit. Il est pour tout artiste d'une nécessité vitale — car c'est la matière fondamentale de l'acte de création — de berner ceux qui attendent quelque chose de précis à un moment précis. C'est le sens de cette exclamation de Liszt écoutant un morceau de Chopin : «C'est surprenant; dans ce passage, il devait fatalement y avoir un ♮a, et voilà qu'il met un ♭si bémol» [...] Il existera toujours cet élément de surprise, ce coup de génie à l'originalité imprévue : c'est cela qui véritablement renouvelle notre vision, nos idées et nos sentiments». Antoni Tàpies (1974), *La pratique de l'art*, Paris : Gallimard, p. 184.

[20] J'appellerai à partir d'ici «inconscient artistique» les effets de discours comme les agencements de désir qui relient les artistes entre eux et qui les font se reconnaître, indépendamment de leur sphère d'activité et de leurs choix esthétiques. L'un des buts de cette recherche est justement de l'explorer.

[21] Selon Georges Didi-Huberman. L'historien de l'art prend ici Lascaux pour repère. *Devant l'image : Question posée aux fins d'une histoire de l'art*, p. 9.

CHANT II

Figure 4.

Bruits (1995). Acrylique sur toile libre. 241 x 183 cm.
Collection «La Peau de l'Ours», Montréal.
En page couverture du feuillet de salle de l'exposition solo *L'Arbitrarium*,
Musée d'art de Joliette, 1998.
Photo : Pierre Charrier.

Louise Prescott

L'ARBITRARIUM

MUSÉE D'ART DE JOLIETTE

Du 25 janvier au 12 avril 1998

La pratique de l'art ou le complexe d'Ulysse [22]

La sagesse de l'art. Enchaînements, glissements et condensations. La Cité. Du reste critique. Un vraiment songe. L'artiste comme prétendant. La névrose artistique. Œuvres, manœuvres et hors-d'œuvre. La quête du complexe. Le complexe d'Ulysse. Le temps de l'exploration. Signifiance et micropolitique. Les eaux souterraines. Le principe de la crise. Le romantisme pragmatiste. De la création politique. La parole et l'artiste. Mouvances. Un espace proliférique. De la légitimité. De la souveraineté. De la démocratie. Des bélugas. De la discipline. La parole d'artiste. L'idéologie de la disparition. L'art de couler. De l'autonomie artistique. Une crise de la main-d'œuvre. Signer.

2.1 L'art dans la Cité

Au littéral, le peintre oppose le figural.[23] La figure plastique autorise tous les glissements possibles : elle est pleine de sous-entendus. Elle les concentre en un geste simple, mais lourd de conséquences. De glissements et de condensations, je ferai abondamment usage ici. Par exemple, que condense cette formule : «Moi, artiste, je travaille à faire vivre l'art»? Elle est, au moins, à double sens : littéral et figuré, transport imaginaire et saisie d'un problème concret. Elle parle du désir d'art, mais aussi, de son économie, c'est-à-dire, platement, que je paye pour le faire vivre. C'est ainsi qu'une langue devient «imagée», «colorée», «nuancée»; qu'elle se tient du côté de la parole plutôt que du discours; qu'elle se présente moins comme un programme que comme un témoignage. Sans explications supplémentaires, cette expression demeure «équivoque», soit : à paroles égales, ou à égalité des voix. Sagesse de l'art, lorsqu'elle laisse s'exprimer le plus de voix possibles.

Pour le scientifique, ces glissements sont à éviter absolument : pour soutenir une thèse, il faut que les termes soient précis et sans équivoque.[24] En arts visuels, on ne soutient pas des thèses, mais des anti / thèses. Parce que la linéarité de la pensée n'y existe tout simplement pas. La saisie est d'abord syncrétique. Les hypothèses s'y chevauchent, s'y entremêlent, s'y entrelacent en un tissu vivant et vibrant, par enchaînements, glissements et condensations. Et la peinture, c'est l'art de la pensée vive, de la connaissance immédiate, l'écriture de l'intuition pendant qu'elle se cherche des images. C'est ce processus qu'elle rend visible (*fig. 1*, *fig. 2*, *fig. 4*). Elle est donc aussi «transparente» : politiquement transparente, sans autre intention que de se montrer telle qu'elle est.[25]

Alors, voici : la pire critique qu'un scientifique puisse recevoir, c'est d'avoir une pensée syncrétique. Le pire reproche qu'on puisse faire à un politicien, c'est d'avoir une vision artistique. Un animateur de télé qui cafouille est un mauvais animateur. Et l'inadmissible pour un juge, c'est d'exercer une justice à géométrie variable. Maintenant, quelle serait ma fonction sociale, à moi ? Me maintenir dans une politique du pire ? Dans une politique du soupçon ? Dans une politique du *reste critique*, cette chose dont personne ne s'occupe et qui pourtant fait partie du réel ?[26] Ou simplement, exercer une politique de la transparence et de l'égalité des voix : affirmer que l'art, c'est l'exercice démocratique par excellence, dans une société où ce mot semble oublié.[27]

2.2 Micropolis

Il n'est pas suffisant d'être «affecté» pour être artiste, ni d'être «créateur». L'artiste est aussi un prétendant à l'art, un faire-valoir de l'art, son témoin comme son instigateur.[28] L'art est cet espace où il s'investit socialement, où il se donne une identité et un rôle. L'art devient le pôle d'intégration de sa vie privée à une vie publique, par ses études, ses recherches, l'apprentissage de savoir-faire et quantité d'activités professionnelles.[29]

Puisqu'en principe, tout y est possible, la première tâche de l'artiste consiste à réfléchir, à partir de ses circonstances, à la fonction sociale de l'art, à la nature de l'œuvre, à ses conditions de possibilité : bref, à ce qu'il peut bien, lui personnellement, ajouter à cette vaste entreprise. Et ici, les maux de tête artistiques commencent : les doutes, le déchirement, l'angoisse... Tous ces sentiments qui rendent tangible ce que j'appellerai, pour le moment, le «noyau névrotique» de l'artiste, ce qu'il condense psychiquement et ce qui fait de son travail une quête : cet interminable travail du sens, par *Œuvres, manœuvres et hors-d'œuvre*, enchaînés dans et par le réel.[30]

...

Comment Ulysse est-il devenu un «complexe»?[31] D'abord parce que l'œuvre de l'art est riche et complexe.[32] Ensuite, parce que ce qui m'intéresse particulièrement, c'est cette posture de l'artiste qui, pour de très multiples raisons — que j'essaie de comprendre — se maintient dans un état de crise en permanence : à la fois sujet de désir et de l'inconscient, préoccupé par la signifiance comme vérité intime aussi bien que collective; à la fois sujet micropolitique,[33] dans un espace social où l'autonomie, la valeur de l'art et les critères de sa qualité sont constamment remis en question.[34] Position paradoxale s'il en est une, à la fois romantique et pragmatique : car en effet, si l'œuvre est la face visible de son travail, la pratique artistique inclut beaucoup d'autres fonctions.[35]

Si, pour l'artiste, la «crise» est un indicateur comme un opérateur, elle l'est tout autant pour le politicien qui y voit un défi et un manque à combler. Du coup, je soutiens que faire l'expérience de l'art, c'est faire de la création politique. C'est affirmer sa souveraineté quant à la fonction de l'œuvre d'art et quant aux critères de sa qualité.[36]

2.3 On sauve bien les bélugas

On m'a demandé récemment, en me prenant au pied de la lettre : «Pourquoi remplacer le désir d'art par un discours sur le désir d'art?» A cela je réponds, pour commencer, qu'il y a une grande différence entre «parole» et «discours» et que c'est en effet un exercice très périlleux pour un artiste que de trouver une parole, puis de la prendre publiquement. Prendre la parole, c'est d'abord dire «je», c'est partir d'une recherche intime de vérité, c'est mettre au jour ses propres investigations et réflexions.[37] La parole, c'est d'abord une quête de sens; et la prise de parole, «l'exposition» de cette quête, en tant qu'elle est assumée publiquement, avec la responsabilité qui vient avec. La «gravité des mots», c'est le poids de cette responsabilité, lorsque, d'individuelle, elle devient collective. Pour cela, l'artiste peut revendiquer la liberté d'expression au même titre qu'il le fait par sa production artistique. En conséquence, pourquoi prendre la parole sur le désir d'art, faire de la parole l'inscription de ce désir? Je réponds : parce qu'on sauve bien les bélugas!

Dans le carnet précédent, j'ai rapporté le fait suivant : la crise intime qu'a provoquée chez moi la remarque d'une sociologue qui laissait entendre, et ce publiquement, qu'en tant qu'artiste, j'appartenais à une catégorie disparue ou, à tout le moins, en voie de disparition. Le béluga qui vous parle n'a pas insisté assez sur un fait : c'est que cette spécialiste est régulièrement invitée à s'exprimer sur l'art, dans des colloques sur l'art. Bref, qu'elle en fait son travail et en tire une valorisation à la fois sociale et pécuniaire.[38]

Ainsi, à moins d'être un observateur attentif des luttes politiques qui se jouent actuellement dans l'arène artistique et extra-artistique, je pense qu'on n'a pas idée de ce que cette idéologie de la disparition recouvre. En fait, elle n'est à mon avis que le symptôme d'une crise beaucoup plus profonde, la pointe de l'iceberg sur lequel le Titanic — cet immense bateau sur lequel se sont embarqués les chercheurs et intervenants en arts de toutes catégories — est à la veille de se heurter.[39] Ce qui me désole au plus haut point, c'est le manque de vision critique qui permette l'émergence d'un tel discours. D'une part, il y a quelque chose d'extraordinairement pervers et sinistre à chaque fois qu'une classe légitimise son existence et sa domination par le dénigrement d'une autre et son exclusion; et si je faisais ici la recension des ouvrages consacrés à la prétendue disparition de l'art par des experts, vous en auriez le vertige.[40] Mais d'autre part, ce qui est encore plus pernicieux, c'est que cette attitude soit reproduite de manière tout à fait inconsciente par une élite soi-disant éclairée; élite qui, dans les faits, se montre complètement irresponsable par rapport aux individus qui constituent la main-d'œuvre qu'elle exploite.

Ainsi je signerai. Je signerai parce que j'aime beaucoup les bélugas. Et je ferai cet effort, simplement parce que je ne peux plus supporter le mensonge que recouvre cette expression largement utilisée, et qui s'appelle «l'autonomie de l'art»; ou plutôt, cet anachronisme, quand on sait qu'il se maintient entièrement, au Québec, par le travail «autonome» de milliers d'artistes qui vivent présentement une «crise de la main d'œuvre».[41]

Figure 5.

Parole d'artiste. Vernissage de l'exposition solo *L'Arbitrarium*, Musée d'art de Joliette, 1998.
Photo : archives du Musée.

[22] «Carnet d'Ulysse No.2. La pratique de l'art ou le complexe d'Ulysse», *Art Le Sabord, No.55*, hiver 2000, p. 40-41.

[23] Cette distinction est apportée par Jean-François Lyotard (1978) dans *Discours, figures*. Paris : Klincksieck.

[24] «Le mémoire et la thèse sont des *communications de type technique et scientifique*, dans lesquelles la langue est utilisée dans le seul but de communiquer des informations de la façon la plus efficace qui soit [...] le *ton* général du document doit rester *impersonnel et objectif* [...] on utilisera le «nous» de politesse plutôt que le «je». De plus, on veillera à éliminer de son texte toute trace d'émotivité, de familiarité, de sensationnalisme, etc.». Chantal Bouthat (1993), *Guide de présentation des mémoires et thèses*, Montréal : Université du Québec à Montréal, p. 2. On aura compris qu'en ce qui concerne le champ artistique, ces conventions sont non seulement inapplicables mais malvenues, puisque le travail de l'artiste consiste à assumer publiquement une singularité manifeste — sinon une subjectivité radicale — quitte à en développer l'argumentaire dans un but communicationnel. C'est ici que la rationalité devra intervenir. Pour les besoins de la théorie artistique, il s'agira moins d'adopter un ton pseudo-scientifique que de démontrer le rationnel qui sous-tend les décisions et les postures prises par l'artiste, tout comme de présentifier les enjeux et problématiques en exploration, soit ce que j'entends par le «micropolitique». Ce qui m'intéresse particulièrement dans la parole d'artiste, c'est justement l'articulation inusitée qu'elle nous montre entre le Réel de l'œuvre, l'Imaginaire que le praticien consent à nous révéler et le Symbolique qui le justifie. C'est en fait cette parole qui a le plus marqué mes années de formation et d'apprentissage, comme elle continue de me nourrir encore aujourd'hui. En arts visuels, cette parole se transmet le plus souvent oralement, très rarement par la voie de l'écriture; et sans doute cette situation contribue à notre étonnement lorsque nous en prenons connaissance. Mais là se situe le savoir réel de l'artiste et ce qu'il transmet à ses étudiants ou au public qu'il rencontre (*fig. 5*). En arts visuels et sur la scène publique, l'écriture de ce savoir est encore à l'étape embryonnaire.

[25] Du moins est-ce ma posture d'artiste et de peintre. Voir à ce sujet le feuillet de salle *De l'idée : enchaînements, glissements et condensations* (1999), titre d'une exposition solo «hors mur» que j'ai montée la même année en collaboration avec Eric Devlin et Robert Poulin au 307 rue Sainte-Catherine Ouest, à Montréal. Là a été présentée pour la première fois l'installation murale *La vie court... Mes intensités sont immobiles* (*fig. 6*). Sur le plan symbolique, cette exposition s'intéressait aux processus de création artistique. L'installation de l'ensemble des œuvres suggérait une déambulation dans l'imaginaire, nomade lui-même, du créateur. C'était le premier événement sous le *Sceau d'Ulysse* (1996-2000), une figure plastique symbolisant *Le complexe d'Ulysse*, et qui a accompagné les diverses manifestations publiques de ma recherche-création, dont notamment, les présents *Carnets* (*fig. 21*).

[26] C'est à partir de la *Shoah* que le psychanalyste Gérard Wajcman (1998) réfléchit sur «l'objet» de l'art : «Tout ce vers quoi les œuvres qui orientent l'art du siècle semblent le plus formellement et le plus obstinément tendues, c'est : inscrire le manque au cœur absolu de l'œuvre; le vide, l'absence, les montrer; montrer le trou. Donc, plutôt que de venir comme ce qui le bouche, ce trou, elles semblent n'avoir en vue que de l'exhiber, voire de le creuser elles-mêmes. Qu'on tourne ça dans tous les sens qu'on voudra, qu'on lui donne tous les visages qu'on voudra, on verra que c'est ce qui anime, je crois, l'art tout entier, et que c'est ce qui le désigne comme moderne : il vise le réel, et dans le réel ce qu'il y a de plus réel, c'est-à-dire le manque, le trou, l'absence. Qu'on appelle ça horreurs de guerre, ou affranchissement «du monde des objets», ou outrage des ans, ou fins de l'art, ou corps affectés, ou illusions perdues, ou souvenirs d'enfance, ou etc., etc. Je l'ai dit, tout l'art se frotte à l'absence, et on dira de l'art qu'il est moderne quand il le montre. Il y aurait donc deux sortes d'art, mais distribuées cette fois en art

qui bouche et en art qui troue. Et pour conclure brutalement, je dirais que Freud fut le théoricien de l'art qui bouche. Lacan a été, est, et sera de plus en plus celui de l'art qui troue (*L'objet du siècle*, Paris : Verdier, p. 167). Ici, l'auteur oppose la théorie du manque lacanienne à la théorie freudienne de la sublimation. Pour ma part, en tant qu'artiste, je considère que ces deux processus sont en constante dialectique dans la création qui est — comme nous le verrons plus loin — aussi création «politique» par la nature publique de l'activité artistique. La résultante en est ce que j'ai nommé déjà une «résolution tendue» et un «vraiment songe» (*L'Arbitrarium… ou le sexe des abeilles*, p. 2).

[27] Appelons cela, à la suite de Jean-François Lyotard (1993), une «moralité postmoderne» : «Les premières expositions publiques s'ouvrent au début du XVIIIème siècle. Les canons musicaux, visuels, littéraires, plus ou moins arrêtés par la poétique classique ou chrétienne, légitimaient des œuvres destinées à émouvoir la société de cour et la communauté des fidèles, l'une et l'autre formées à ces canons. Ceux-ci définissaient des *manières* fondées sur telle ou telle conception du beau idéal (qui étaient aussi celles du bien). Au contraire, le nouveau public des expositions et des salons est un inconnu en matière de goût. Il vient juger des œuvres sans avoir été éduqué à plier son plaisir à des règles. Il croit peu aux idéalités. Si donc il y a des conditions du plaisir procuré par l'art, elles ne sont pas des règles *a priori* qui norment le goût; elles ne peuvent qu'être des régularités à extraire d'une multiplicité de jugements donnés en liberté» (*Moralités postmodernes*, Paris : Galilée, p. 202). Ainsi, l'artiste actuel œuvre dans une démocratie culturelle effective, mais nécessairement inachevée. Comme l'artiste est libre de proposer ses propres canons esthétiques, le public est libre d'y adhérer ou non. En somme, une œuvre acquiert une grande part de sa légitimité par consensus : soit un consensus obtenu dans une communauté de chercheurs, soit, ou aussi — ce qui est encore mieux selon mes propres critères — un consensus obtenu dans une communauté plus vaste, qu'on a l'habitude d'appeler «le grand public». Bref, l'artiste propose, le public dispose.

[28] «Nous attendons d'une œuvre d'art une sorte de «nécessité», et nous la critiquons lorsque celle-ci est indiscernable. Elle peut manquer pour plusieurs raisons différentes; ce qui nous amène à contester à une œuvre sa prétention artistique, ce sont notamment trois motifs : elle n'est *que personnelle*; elle n'est *que témoignage ou document*; elle n'est *qu'amateurisme maladroit*, et *rien* d'autre». Rainer Rochlitz, *Subversion et subvention*, p. 153. On peut trouver d'autres critères à ajouter à cette liste en les comparant aux œuvres littéraires : «Of the several varieties of inferior poetry, we shall concern ourselves with three : the sentimental, the rhetorical, and the purely didactic. All three are perhaps unduly dignified by the name of poetry». Laurence Perrine (1973), *Sound and sense*. New York : H.B.J., p. 243. Ces multiples critères sont autant de pièges tendus au prétendant à l'art et en quelque sorte, autant d'épreuves que notre *Ulysse* aura à subir et surmonter. Comment faire pour que ce qui est montré au public soit perçu comme un art «véritable»? «Nécessaire»? «Supérieur»? Bien que la formation artistique fournisse à l'aspirant certains points de repère, ceux-ci s'avèreront par la suite changeants selon le contexte de travail et en constante évolution selon les mœurs d'une époque. Jusqu'à quel point un artiste arrive-t-il à imposer ses propres critères, à «baliser» le domaine? Jusqu'à quel point l'œuvre est-elle «risquée» et «courageuse»?

[29] J'ai développé cette idée dans «Par venir : le sujet artiste et l'idée de stratégie culturelle» (1999), une articulation texte-image (trois peintures tirées de l'exposition *Prolifical space — Espace proliférique*, Toronto : Edward Day Gallery, 1998), in *Possibles, Vol. 23, No 4*, automne 1999, p. 112-121 et p. 135-136 (*fig. 3, fig. 7*). L'art comme pratique et champ d'expérience et le rôle du désir dans l'expérience artistique y sont posés clairement pour la première fois dans mes écrits. Ma réflexion s'articulait autour de cette question : «En poursuivant des stratégies, suis-je machiavélique dans la pratique?»

[30] J'avais trouvé cette formule pendant l'organisation d'un événement tenu à la Galerie Verticale Art Contemporain en 1996, où je posais la nécessité d'étudier la pratique de l'art dans son ensemble (création, diffusion, action communautaire, parole publique, etc.); voir à ce sujet mon texte d'introduction au numéro thématique «Œuvres, Manœuvres, Hors-d'œuvre. Le printemps de la Verticale», dans *Art Le Sabord, No. 42*, hiver 1996, p. 4. En 1997, Jean-Philippe Uzel faisait de son côté le constat suivant : «Malgré les pétitions de principe régulièrement renouvelées, les études en art se distribuent encore largement selon un partage fondateur entre une sociologie de l'art, qui s'intéresse essentiellement au contexte de production, de diffusion et de réception des objets d'art, et une histoire de l'art qui se concentre sur l'analyse interne des œuvres. Ce court-circuit entre l'objet et son contexte social, loin d'être propre aux études en art, renvoie à une position épistémologique de la modernité depuis le XVIIème siècle. Celle-ci, comme l'a montré Bruno Latour, s'est construite sur un discours, celui de la séparation des sujets et des objets, des mots et des choses, de la culture et de la nature. Cette volonté de purification a eu pour conséquence l'oubli des mixtes, des hybrides, des «quasi-objets» qui mêlent inextricablement des motivations sociales et scientifiques» («Pour une sociologie de l'indice», *Sociologie de l'art, No. 10*, p. 25). Or à mon sens, la meilleure manière d'appréhender cette relation «objet-sujet» est d'investiguer le monde imaginaire et symbolique de l'artiste et, également, ses agencements micropolitiques, ce que cette recherche tente de faire.

[31] «Un point de départ possible pour cette quête est la conviction que notre rapport au réel suppose une construction. Que ce soit dans les sciences physiques, ou *a fortiori* dans les sciences humaines, l'idée d'une réalité qui s'impose comme donnée n'est plus recevable [...] Reconnaître la complexité, trouver les outils pour la décrire, et relire dans ce contexte nouveau les relations changeantes de l'homme avec la nature et de l'homme avec lui-même, voilà les problèmes cruciaux de notre temps». Ilya Prigogine (1990), «La lecture du complexe», in *Le complexe de Léonard ou la Société de création*, Paris : Le Nouvel Observateur, p . 62.

[32] À entendre comme «glissement», c'est-à-dire dans les deux sens du terme. De nombreuses recherches en psychologie de l'art et de l'esthétique ont démontré «l'influence de la complexité et de la nouveauté sur la préférence esthétique et l'intérêt perceptif [...] Les patterns les plus homogènes sont jugés les plus agréables, alors que l'intérêt se manifeste davantage pour une diversité plus grande. Le *temps d'exploration* ou sa fréquence est une variable importante [...] L'intérêt manifesté par le temps d'exploration double pratiquement sur les figures les plus complexes». Robert Francès *et al.* (1979), *Psychologie de l'art et de l'esthétique*, Paris : P.U.F., p. 65. C'est donc dire que le meilleur art s'adresse d'abord à l'intelligence du public et qu'il interpelle en lui le *Ulysse* explorateur.

[33] Je tiens cette expression du psychiatre et psychanalyste Félix Guattari (1979), *in L'inconscient machinique*, Paris : Encres. L'inconscient étant machinique, il est forcément politique, «reflétant les luttes, les désirs réels des hommes et des femmes» (*ibid.*, p. 22) et produisant de ce fait des «micro-politiques» (*sic*) : «La subjectivité dont il est ici question n'a rien à faire avec une Parole qui habitait le monde, ou avec un formalisme transcendantal, une symbolique, qui l'animerait pour l'éternité. Ni archétypique, ni structural, ni systémique, l'inconscient, tel que je le conçois, procède d'un créationnisme machinique. C'est en cela qu'il est radicalement athée» (*ibid.*, p. 162). Avec Gilles Deleuze (1980), Guattari consacrera éventuellement un chapitre entier à ce concept et en modifiera la terminologie («Micropolitique et segmentarité», in *Mille plateaux*, Paris : Minuit, p. 253-284). En février 2000, Le Magasin, Centre national d'art contemporain de Grenoble, explorait aussi ce concept avec l'exposition d'art contemporain *Micropolitiques*. Les commissaires Paul Ardenne et Christine Macel s'intéres-saient aux «formes d'art dont l'approche des questions politiques privilégie en premier lieu micro-agencements, micro-actions ou actions locales — tout ce qui dérange ou agit au plus près de l'individu sans souci de faire valoir slogans, utopies ou injonctions à engagement» (texte tiré

du communiqué électronique : www.magasin-cnac.org/fr/expos/past/past.htm). Des œuvres de Joseph Beuys, Daniel Buren, Félix Gonzalez-Torres, Robert Filliou, Gordon Matta-Clark, Jacques de la Villeglé, entre autres, y figuraient.

[34] À ce propos, Yves Michaud (1998) brosse un tableau très juste des divers débats ayant secoué la scène de l'art contemporain dans les vingt dernières années, soit depuis que j'ai moi-même commencé ma pratique artistique. *La crise de l'art contemporain*, Paris : P.U.F.

[35] Là-dessus, je recommande une lecture attentive de l'ouvrage de Charles Taylor (1998), *Les sources du Moi. La formation de l'identité moderne*, Montréal : Boréal. C'est à notre inconscient moral que Taylor réfléchit. L'image des «sources» qu'il utilise indique que de très nombreuses et anciennes doctrines cohabitent dans le Moi moderne et qu'il n'est nul besoin de sacrifier l'une pour l'autre : chacune de ces sources constituerait un bien moral dont on peut faire aujourd'hui un usage créateur. Entre ce qu'il appelle «la raison désengagée» et «l'expressivisme romantique», existerait-il un moyen terme? «Il est impossible de vivre en fonction d'un seul de ces deux modes, mais ils ne peuvent pas non plus être associés ou ramenés à une synthèse. La vie humaine se passe irréductiblement à plusieurs niveaux. L'épiphanique et la réalité ordinaire mais indispensable ne peuvent jamais concorder de façon parfaite, et nous sommes condamnés à vivre à plusieurs niveaux — à moins de subir l'appauvrissement du refoulement [...] La reconnaissance du fait que nous vivons à plusieurs niveaux doit se gagner contre les prétentions du moi unifié, contrôleur ou expressif. Et cela entraîne un virage réflexif, qui rend plus intense notre sentiment de l'intériorité et de la profondeur, dont nous avons observé la progression tout au long de la période moderne» (*ibid.*, p. 599). Cette image des «sources» m'a accompagnée tout au long de cette recherche, tant dans la peinture que dans l'écriture. Dans mon imaginaire, pister l'inconscient, c'est aussi faire remonter à la surface «toutes les eaux souterraines».

[36] Ceci dans un contexte de pluralité et de démocratie effective. «L'homme de culture doit produire des crises là où il n'y en a pas. Il y a production de crise dans la découverte scientifique (qu'il s'agisse de sciences naturelles ou humaines), là où le savant découvre un *nouveau paradigme* et pose les conditions de ce qu'on a appelé une révolution scientifique. Toute révolution scientifique décide que les principes qui auparavant représentaient le centre d'un savoir (en en définissant la périphérie) doivent être ou bien changés ou bien structurés d'une façon différente. Il y a production de crise dans tout discours créateur, qu'il s'agisse d'un poème, d'un film ou d'une réflexion métaphysique, parce que à travers ces discours on instaure une façon «autre» de voir le monde — le discours créateur parlerait-il d'une fleur, comme le voulait Mallarmé [...] Demandez qu'on produise, toujours et encore, des critiques et donc des crises. Dans le sens de jugement, soupçon, inquiétude, interprétation, querelle». Umberto Eco (1990), «Je ne résous pas les crises, je les instaure», in *Le complexe de Léonard ou la Société de création*, p. 59.

[37] «La parole désigne la réalité humaine telle qu'elle se fait jour dans l'expression. Non plus fonction psychologique (le *langage*), ni réalité sociale (la *langue*), mais affirmation de la personne, d'ordre moral et métaphysique». Georges Gusdorf (1971), *La parole*, Paris : P.U.F., p. 5. «La Parole est constituante de la matière de l'être-au-monde. Elle est avènement. Elle est inaugurale, préalable à toute pensée. Mais elle ne peut se construire et se saisir qu'au travers du mouvement de la création et de la pensée, c'est-à-dire comme poésie, comme verbe [...] Il ne s'agit pas d'*un art de la parole* où la parole serait prise comme otage du discours culturel, il ne s'agit pas non plus d'une réduction de la parole au verbe. Il s'agit de quelque chose qui est de l'ordre d'un acte». Guy Lafargue (1998), «Expression et parole», in *Cahiers de l'art cru*, No. 26, p. 129. Sur la fonction de la parole dans le processus analytique, comme mode de déplacement, d'exploration et de découverte : Jean Imbeault (1997), *Mouvements*, Paris : Gallimard. Comme on peut le voir à partir de ces trois références, le sujet philosophique, le sujet créateur et le sujet psychanalytique sont des *Ulysse* en puissance, en raison de l'expérience pratique qui y est décrite.

[38] «Alors que les systèmes juridiques qualifient les sujets de droit, selon des normes universelles, les disciplines caractérisent, classifient, spécialisent; elles distribuent le long d'une échelle, répartissent autour d'une norme, hiérarchisent les individus les uns par rapport aux autres et, à la limite, disqualifient et invalident. De toute façon, dans l'espace et pendant le temps où elles exercent leur contrôle et font jouer les dissymétries de leur pouvoir, elles effectuent une mise en suspens, jamais totale, mais jamais annulée non plus, du droit. Aussi régulière et institutionnelle qu'elle soit, la discipline, dans son mécanisme, est un «contre-droit». Michel Foucault (1975), *Surveiller et punir*, Paris : Gallimard, p. 224. La sociologie, la philosophie, l'histoire de l'art, la psychologie, la muséologie, la psychanalyse etc. sont autant de disciplines s'intéressant à l'art; tantôt pour le valoriser, tantôt pour le dénigrer. La plupart du temps, la discipline instrumentalise l'art et l'utilise pour s'autolégitimer. On ne peut pas être un praticien engagé en art sans être affecté avec le temps par les pratiques qui méprisent ce que l'on fait, d'autant plus quand tout ce que l'on fait est, à toutes fins pratiques, «gratuit»; ou, pour employer la toute dernière trouvaille bureaucratique, «sans filet de sécurité sociale». J'y reviendrai.

[39] A ce sujet, nul n'a mieux résumé mon état d'esprit que Rochlitz : «Toutes les tentatives pour restituer à l'art l'autorité culturelle et cultuelle qu'il avait à certaines époques ont échoué. Plus récemment, une esthétisation hédoniste a envahi l'ensemble des sphères sociales, des vitrines et des emballages aux médias et à la publicité, aux bureaux, aux stades et à la politique. Entre le sacré désespérément revitalisé et l'hédonisme généralisé, reste-t-il une place à une logique, à une nécessité interne de l'art, à la fois profane et distincte du principe du plaisir, exigeante sans prétendre à la vérité absolue, gratuite du point de vue des obligations sociales et pourtant susceptible d'être l'enjeu de critiques rigoureuses?» (*Subversion et subvention*, p. 17). La nécessité d'un nouveau contrat social entre les artistes, les médiateurs et le public est ici implicite, défi que Rochlitz se pose en tant qu'esthéticien européen. Car si le champ artistique est menacé de disparition aujourd'hui, qu'en est-il de sa propre sphère d'activité, comme de toutes les pratiques qui étudient, enseignent, critiquent l'art et homologuent les œuvres? Pour ce qui concerne le Québec, si j'utilise l'image du *Titanic*, ce n'est pas par hasard. Il n'y a pas que le champ artistique qui soit menacé de disparition à l'heure actuelle, mais bien tout le champ des sciences sociales et humaines. Au Québec actuellement, «un maigre 12% des subventions totales réservées à la recherche universitaire est consacré aux secteurs relevant des sciences sociales ou humaines», constate Normand Thériault (2002) dans «Point sur ... l'Université» (*Le Devoir*, 13-14 avril, p. H1). Si pour certains, il s'agit d'un fatal changement de paradigme post-moderne, pour ma part, il s'agit plutôt d'un symptôme : celui d'une société en déclin, qui n'a plus les moyens de maintenir sa culture vivante — et distincte — autrement qu'en exploitant de manière abusive sa matière première, et j'ai nommé les créateurs. Je ne parle pas ici de complot, ni de malveillance, ni même de négligence. Je parle plutôt d'impasse réelle et d'impuissance collective à résoudre un certain nombre de problèmes politiques et économiques d'ordre structurel qui ont marqué ma vie adulte.

[40] Je n'en ferai pas la recension ici, mais réfère de nouveau le lecteur à Rainer Rochlitz (*Subversion et subvention*) qui en dresse un portrait convaincant en partant de ces trois prémisses : face à l'art contemporain, la critique aurait renoncé à toute évaluation, le public à toute compréhension et l'esthétique à toute légitimation.

[41] Je fais référence ici au MAL, ou «Mouvement pour les Arts et les Lettres», qui émerge à cette époque pour faire pression en faveur d'une amélioration de la condition socio-économique des artistes. Pour la première fois dans l'histoire du Québec, une organisation politique rassemble l'ensemble des disciplines artistiques. En principe, l'artiste professionnel est considéré comme «travailleur autonome» sur le plan fiscal. Or, moins de 10% des artistes en arts visuels vivent de leur création. Une étude récente réalisée pour le compte du RAAV (Regroupement des Artistes en Arts Visuels du Québec) démontre que plus de 70% de ces «professionnels» se déclarent salariés, 20% combinent ce statut avec le travail autonome et plus de la moitié se déclarent salariés uniquement. En fait, pour survivre les artistes doivent, pour la très grande majorité, mener deux carrières de front. Source : RAAV (2001), «La face cachée des artistes en arts visuels», *Bloc-notes, RAAV, No. 76*, novembre, p. 4. Quant à l'étude dont il est question : Guy Bellavance, Léon Bernier et Benoît Laplante (2000), *Les conditions de pratique des artistes en arts visuels*, Montréal : INRS Urbanisation, Culture et Société. Cette crise de la «main-d'œuvre» est une autre problématique que j'explorerai un peu plus loin et que j'ai formulée en ces termes : *L'Odyssée, ou le désir des lamentations.*

Figure 6.

La vie court... Mes intensités sont immobiles (1999).
Installation murale : une peinture-livre en sept fragments assemblés
(170 x 139 cm) et cinq peintures circulaires (200 x 235 cm).
Acrylique, papiers choisis, photographie et techniques mixtes sur toile.
Vue partielle de l'installation pour l'exposition solo *Paroles ailées*.
Trois-Rivières : Galerie d'art du Parc, Festival International de la Poésie, 2000.
Collection de l'artiste. Photo : Marie Duhaime.

L'homme en colère [42]

L'artiste en Ulysse. L'art de la formule. L'Odyssée ou le désir de retour. Le regard d'Homère. Odysseia. L'endurant Ulysse. Désir et angoisse. La vie comme fleuve. Les intensités immobiles. Les rivages d'Hadès ou la conduite schizoïde. Régression et retour. Le jeu et la magie. L'oracle. Une mer splendide. Le gai savoir. Esthétique kaléidoscopique. L'éthique du désir. La folie de l'art ou le mythe de Van Gogh. Le rusé Ulysse. Pub et performance. Don et demande. Le manège de l'artiste. L'im / posture. La pointe de l'art. L'espace de l'art. Génératrice. Ça. Le bruit du désir. L'Ébranleur de Terre. La marche du crabe. Tomber sous le sens. De la justesse. Through failles, fails and fault. Art, esthétique et existence. La guerre de Troie. De la répression. De la douleur. De la beauté arrachée. Le nom de mon désir. L'oiseau. L'art médecine. L'autisme.

3.1 Le nom de mon désir

L'art a ses règles. La première, c'est qu'il est affaire de désir... un désir «à faire». Nous l'oublions trop souvent, transportés que nous sommes, parfois de manière fulgurante, dans les mondes qu'il invente pour nous. Nous l'oublions lorsque, l'étudiant, l'analysant, le comparant et le jugeant, nous rationalisons l'expérience qu'il nous procure afin de mieux saisir notre propre identité : nos goûts, nos besoins, nos états affectifs ou la qualité de notre vie. Derrière l'œuvre, il y a toujours un être et son désir, et cela, l'artiste ne veut pas qu'on l'oublie. L'œuvre porte son désir comme elle porte son nom, car l'*Odyssée*, c'est Ulysse lui-même.

...

Nous sommes en 1,400 avant J.-C. Un homme s'appelle *Odysseus*, ce qui signifie en grec : «l'homme en colère». Roi d'Ithaque, on le dit descendant d'Hermès, le Messager des Dieux, et de Sisyphe, *Se-Sophos*, le «très sage» [43], condamné à pousser une pierre au faîte d'une colline jusqu'à la fin des temps. Un oracle prévient Odysseus : «Si tu te rends à Troie, tu ne reviendras pas avant vingt ans et tu reviendras seul et pauvre» (étrange, cette voix me semble familière...). [44] Odysseus se déguise donc en paysan et simule la folie auprès d'Agamemnon, mais son stratagème échoue. Reconnu comme sain d'esprit, il est forcé de joindre l'expédition. La guerre de Troie est décrite par Homère dans *Iliade*. Odysseus la mènera pendant dix ans, jusqu'à ce qu'il trouve le moyen d'y mettre un terme grâce au cheval de la légende : une fabuleuse idée, une véritable œuvre d'art... qui permettra aux Grecs de mettre la ville à feu et à sang et d'asseoir enfin leur supériorité maritime et commerciale sur la Méditerranée orientale. [45] Grâce à sa machine de guerre, Odysseus deviendra pour tous les Grecs «l'illustre» et «le rusé rejeton de Zeus» [46].

Après l'*Iliade*, Homère débute un nouveau poème par ces paroles de Zeus : «Muse, dis-moi le héros aux mille expédients, qui tant erra [...] Combien en son cœur il éprouva de tourments sur la mer, quand il luttait pour sa vie et le retour de ses compagnons! Mais il ne put les sauver malgré son désir : leur aveuglement les perdit...». L'aède poursuit : «En ce temps-là, tous ceux qui avaient échappé au brusque trépas étaient en leur logis, sauvés de la bataille et de la mer. Seul, Ulysse désirait encore son retour et sa femme»[47]. Ainsi, Odysseus le mortel, roi et héros de guerre, est-il réputé jusqu'à l'assemblée des dieux. Même le Grand Assembleur des Nues (*fig. 10*) compatit à son triste sort. Cette fois, le poète nous décrira la guerre d'un homme seul : un Odysseus «magnanime», au «cœur abattu»; un héros fatigué d'errer sous les Pléiades et dont le seul désir est de rentrer en Ithaque. Désir de retour, qui fait de «l'homme en colère» celui qui refuse la mort et qui se bat pour que «le fils de Cronos veuille que sa fin soit ignorée». Sous la plume du poète, Odysseus devient *Odysseia* : «Odyssée». Notre *Ulysse* est une traduction latine reprise et transformée par les poètes La Fontaine et Racine.[48] Ce qu'il importe de retenir pour le moment, c'est qu'à l'origine, *Ulysse* et *Odyssée* ne sont qu'une seule et même chose.

Pour qui ne le sait pas, Homère signifie «celui qui ne voit pas»[49]. C'est qu'après avoir lui-même beaucoup voyagé, l'aède devient progressivement aveugle. De ses déplacements parmi les îles, de ses souvenirs de navigateur et de ses observations de géographe, nous conservons des visions à la fois savantes et enchanteresses. Mais Homère, ce grand artiste, que voit-il encore? Que le nom de l'homme est son voyage même... Et que ce voyage est un long et pénible retour vers «la terre aimée de ses pères». La renommée d'Ulysse, celle qui débordera les frontières de la Grèce pendant près de trois mille ans, vient de ce qu'il sera «endurant» : qu'il aura su se maintenir dans son désir.

3.2 Au Pays des Ombres

Ne cherchez pas le désir chez l'enfant schizophrène. Il a besoin de sa retraite et ne peut en sortir qu'au prix de son propre anéantissement. Ses yeux sont parfois comme de grands trous noirs... des yeux de mort, parce qu'exister comme sujet prend justement cette signification. Nous sommes sur les rivages d'Hadès[50] et toute tentative de notre part pour le rejoindre au Pays des Ombres soulèvera une angoisse incommensurable. Des rituels obsessifs, des manies, des ritournelles, des mouvements répétitifs qui semblent sans but et sans fin nous effraient. Ils ne sont pourtant que les armatures d'une maison de verre.[51]

Les agirs de ce grand absent nous font voir une part de nous même, avec nos rituels et nos obsessions, notre besoin et nos façons de nous retirer du monde comme de le construire à notre propre manière. C'est pourquoi la maladie mentale nous dérange profondément. Par ces comportements extrêmes nous réalisons, souvent très abruptement, que nous sommes bien des sujets, différents les uns des autres par la simple présence de nos désirs, infiniment changeants et volatiles, et qui font de notre vie une mouvance sans fin. «L'homme ne se baigne jamais deux fois dans le même fleuve», disait Héraclite.[52] En réalité, nous adoptons une suite infinie de postures, fragiles et éphémères, plutôt que les «positions» que le vivre ensemble nous commande.

Il arrive au public de s'étonner que des œuvres changent, qu'un style ou une manière se transforment. Lorsque *Odyssée* veut dire *Ulysse*, il ne faut pas s'en surprendre. *La vie court... Mes intensités sont immobiles* (*fig. 6*).[53] J'aurai fixé dans une œuvre certains des aspects éphémères de l'existence. Mais nous y trouverons toujours des lignes de force, une branche d'olivier à laquelle s'accrocher. Parce qu'il faut savoir... se maintenir dans son désir.[54]

Peut-être faut-il fréquenter la mort pour mieux la refuser? La déesse Circé[55] envoie Ulysse chez Hadès et lui fait cette recommandation : «Détourne-toi et regarde le cours du fleuve. Alors viendront en foule les âmes des défunts [...] À ton appel viendra le devin, chef de peuples, qui te dira ta route, la longueur du chemin, et comment tu accompliras ton retour sur la mer poissonneuse»[56].

Accomplir son retour... Il y a de ces moments où je deviens schizoïde, où j'ai l'air catatonique sans m'en rendre compte, jusqu'à ce que mes proches me fassent remarquer que je suis «absente». Parfois, je rencontre ma mère qui, effrayée, me demande : «Mon enfant, comment es-tu venue vivante sous cette brume ténébreuse? Il est difficile à des mortels de contempler ce monde»[57]. C'est qu'en abordant l'île d'Hadès, j'éprouve mes parois de verre. Je brasse ma cage. Je discute avec les morts. Je rencontre mes héros. Je revis d'anciens deuils et pleure sur des nouveaux... Je revois mes anciens compagnons et les interroge. Et, avec Tirésias, j'essaie d'entrevoir l'avenir.[58] Comment dire, à ceux qui m'aiment et souffrent de mon absence? En imaginant mes recommencements, je refais mes forces et prépare l'œuvre qui portera mon retour... mon désir et mon nom.

Je resterai dans l'île jusqu'à ce que «la peur blême» me saisisse. Là, j'ordonnerai à mes compagnons de s'embarquer et de dénouer les amarres. Une excellente brise nous poussera à nouveau.[59] Je dirai : «Regarde ma chérie, Aurore aux Doigts de Rose (*fig. 19*) qui naît à chaque matin...».[60] C'est après avoir frôlé la mort que Nietzsche a écrit *Le gai savoir*.[61]

3.3 Un délire organisé

On aime encore voir en l'artiste une sorte de «fou» ou, à tout le moins, d'être asocial. Disons que c'est une image qui se vend bien et qui permet également de ne pas remettre trop de programmes en question. Il est vrai que des schizophrènes, il y en a eu en art; et Van Gogh semble avoir marqué pour l'éternité l'imaginaire du monde; à mon grand désespoir d'ailleurs, car pour le grand public, le mythe est tenace.[62] Il est vrai aussi que certains artistes préfèrent se déguiser et simuler la folie pour éviter la guerre... Mais pourrait-on qualifier Dali ou Warhol de fous? Ou au contraire, d'être superbement intelligents, parfaitement lucides dans leur manière de jouer les schizophrènes : pleins de manies et d'obsessions il est vrai, certainement de grands solitaires, mais aussi des êtres intenses qui ont transformé leur vie même en Cheval de Troie. Ils furent de fins politiciens et des champions du marketing. Est-ce que ce ne sont pas les surréalistes qui ont les premiers compris l'importance de la publicité et qui en ont fait un art?[63] De rusés Ulysse, qui nous montrent que l'art est toujours un délire organisé. Car Ulysse est un homme parmi les hommes : «Il retenait derrière ses dents son vrai langage et toujours méditait en son cœur quelque dessein profitable».[64] L'être contre la mort est aussi un fin stratège. Signe qu'il est des plus adapté à la civilisation.

Le désir est ce qui engendre le premier mouvement de l'homme vers l'Autre, un refus de l'isolement, la différence entre l'animal et l'humain. Car le désir n'est pas le besoin. Nous le percevons déjà chez l'enfant de quatre mois, à la simple façon dont il nous regarde. Aussi une œuvre est-elle sociable dès qu'elle est montrée. A la fois demande et don, c'est une main qui «donnande». Elle remet, attend, indique, quémande... Une main «tendue», par un sujet artiste qui a esquissé ce geste plus que minimal, entre la recherche d'amour, d'appréciation et d'intégration à la communauté des hommes et l'autorité que lui confère une certaine indépendance d'esprit; entre cet acte d'humilité qu'est le sacrifice aux dieux, et l'acte de provocation qu'est la visite au Pays des Ombres.[65]

Aurait-on oublié que dans une société de libre marché, la création n'est que très rarement payante? Que le temps des mécènes, des princes et des Églises semble à jamais révolu? Pourquoi en ce cas faire œuvre, fabriquer, montrer du désir? Geste pathétique? Égocentrique? Excentrique? Geste d'un romantisme révolu? Cela dépend de chacun et de ses armatures. Mais c'est en tous les cas le mouvement d'un sujet *décentré*,[66] au cœur de lui-même, mais poussé vers les autres (*fig. 8*). Un centre qui se déplace vers d'autres centres, comme ces capsules de manège qui tournoient dans le ciel. Mûes par des forces contraires, centripètes et centrifuges, elles sont poussées vers la périphérie pour revenir immanquablement vers le centre, dans un mouvement inéluctable et incessant. Voyez ces manèges la nuit, comme ils nous font la saison belle, en permettant aux adultes de revenir en enfance en toute impunité; éprouvez le sentiment du risque, le vertige, les petites morts que leur mouvement procure. Du dedans vers le dehors, du dehors vers le dedans, leur énergie se diffuse dans un mouvement circulaire; mais la lumière qui en émane va dans toutes les directions. L'art est cet espace où mon Ithaque, les Cyclades et les Pléiades s'alignent pour effectuer leur ballet cosmique (*fig. 6*).[67]

3.4 Tomber sous le sens

Au contraire du geste machinal et obsessif du schizophrène dans sa prison de verre, l'acte de langage est d'abord un acte désirant; en cela, l'art ne fait pas exception, même si, à l'occasion, il nous semble pécher par son mutisme. En ce cas, la formule «Ça ne me dit rien»[68] tombe souvent comme un couperet. L'œuvre s'est faite simple et discrète. C'est que parfois, il n'y a rien comme le silence pour imposer sa voix. Il suffit de pouvoir soutenir le regard. L'acteur le sait bien, lui qui travaille sa présence. Les bâtisseurs de cathédrales l'ont aussi compris; rien ne vaut la nef d'une église médiévale pour nous faire saisir pleinement leur notion du sacré et de la grandeur divine. La même conviction anime les artistes. Le désir produit son bruit de toutes façons, c'est par lui que toute chose s'exprime, c'est lui qui donne à tout objet ou toute idée sa forme et sa couleur... Et ce bruit, on ne l'entend pas. On le ressent (*fig. 4*).

J'ai subi tant d'épreuves! Nul besoin d'invoquer Poséidon, *l'Ébranleur de Terre, dieu de la Mer aux Mille Bruits* (*fig. 13*).[69] De toutes façons, il a juré ma perte. Il suffit de s'accrocher à son désir comme aux restes de son radeau. Le ressac fera le reste.

...

Pas de désir, pas de création. Pas de désir, pas d'art. L'art se fait toujours à petits pas... Le peintre Hantaï disait : «Des petits pas, non en droite ligne, mais plutôt de côté, à la manière du crabe»[70]. Rien de systématique, sinon la recherche systématique des effets du désir (*fig. 9*, *fig. 11*, *fig. 14*).

Que les effets d'art prennent parfois l'allure d'une contestation, cela tombe sous le sens. De toute façon, quoi qu'il fasse, l'artiste s'efforce toujours de «tomber» sous le sens, d'en précipiter la chute et de faire ainsi que l'effet soit juste. Observons-nous bien : tous nos désirs fuient les contrôles, quels qu'ils soient.[71] Et derrière les portes closes, au cœur de l'intime, nous savons que de petits comme de grands drames se jouent continuellement. L'acte artistique les rend simplement visibles et tangibles. L'art ouvre toute grande la porte de la comédie humaine, *Through failles, fails and fault* (*fig. 7*).[72] Il nous cause parfois le même choc, de la même manière, en fait, que le bulletin de nouvelles m'annonçant tel suicide de vedette, tel meurtre parricide, tel fait saugrenu, telle catastrophe. La différence, c'est qu'il le fait non seulement de manière esthétique, mais surtout de manière artistique. Avec style, par son travail de la forme. Avec acuité, par sa portée signifiante. Avec des effets recherchés et justes.[73] Parce que ce «délire» est organisé avec la plus grande discipline et que cette intelligence du matériau confère à l'œuvre sa présence, son mystère, la force de son impact. L'obsession du détail chez l'artiste est ce *Reste critique*[74] qui fait d'une chose apparemment folle l'œuvre d'un sain d'esprit et qui, par le fait même, nous séduit. Puisque cette folie «pourrait» être la nôtre, puisque nous «aurions pu» aussi atteindre à cette perfection, puisqu'il y a bien un «nous» possible.[75]

La question de l'heure en esthétique est la suivante : «Quand y a-t-il art?» La grande réponse de l'heure est : «Lorsque des objets ont été réalisés dans une vocation esthétique»[76]. Lorsque *Odysseia* veut dire *Odysseus*, c'est la réponse la plus cynique qu'un esthéticien puisse fournir. Quand y a-t-il art? Quand l'horrible et la misère prennent de la grandeur sous la plume, le pinceau ou la caméra; quand l'intelligence domine sur la banalité du mal; quand l'imagination s'impose comme seule issue possible; quand une image ou un scénario arrivent à concilier pour moi les faits les plus contradictoires et à les rendre plausibles; qu'ils réussissent à me faire aimer un pédophile, pleurer sur un paranoïaque, apprécier un concept pour lui-même, m'enthousiasmer pour le jaune citron ou les matières gluantes, je suis en présence de l'art. «Il y a art» quand une expérience inattendue arrive; «il y a art» quand un ébranlement se produit; «il y a art» lorsque notre raison s'active et qu'on a l'impression de voir pour la première fois quelque chose qu'on a déjà vu; «il y a art» quand ces phénomènes ont été imaginés et créés de toute pièce. Et pour réussir cet exploit, il faut que l'artiste soit passé par sa propre vie et que son désir en ait gardé la trace. Le but de l'art n'est pas l'esthétique. Le but de l'art est la qualité de l'existence : comment être et exister dans le milieu extérieur des circonstances. Entre les deux notions, il y a un abîme.

Il n'est pas étonnant que les artistes se méfient de la beauté. On a tellement peur que «beauté» rime avec «insignifiance»! Surtout lorsqu'on est jeune et qu'on veut être pris au sérieux comme artiste. Le jeune Odysseus est un homme en colère. Tant de choses ridicules se disent sur l'art! Pendant dix ans, il mènera la guerre aux idées reçues, aux préjugés, à la bêtise. Il participera au siège de l'«Acropole sacrée». Il réussira quelques exploits. Il pensera au Cheval de Troie. On célébrera sa ruse et ses mille expédients. Il souhaitera rentrer chez lui et savourer la paix nouvellement acquise. Dans l'accomplissement de son retour, Odysseus éprouvera jusqu'à l'os cette vérité de Paul Éluard : «Ah! Le dur désir de durer!»... Son voyage deviendra une suite de rites initiatiques par lesquels il découvrira, lentement, sûrement, ce qu'est la vraie beauté. Il acquerra la conviction profonde que la beauté n'est jamais, ne peut pas être in / signifiante.[77] Il se dira : «Rien n'est plus difficile que de trouver la vie belle à mesure que l'on vieillit dans la conscience des choses». On n'oublie jamais le Pays des Ombres. Aussi, chacune de ses œuvres sera de la beauté arrachée[78] et ce n'est qu'à ce prix qu'elles porteront son nom. Odysseus deviendra *Odysseia*, et l'œuvre, le nom de mon désir.

Three sisters and their space stories
Acrylique sur toile libre
122 cm x 91 cm, 1998.

En méditant dans mon jardin, je me demandais récemment : est-ce ma beauté qui prend de l'âge ou mon âge qui prend de la beauté? Une mouette s'est posée devant moi et s'est envolée aussitôt.[79]

...

Parfois, le public présente tous les signes de l'autisme. Les normes, les lois édictées par d'autres, les conditionnements culturels, les petits manuels du bon usage de l'esthétique et tout ce qu'on cherche à me vendre à grand renfort de publicité sont autant d'armatures fragiles en face de l'art.[80] En sortir voudrait-il dire mourir? Dans la maison de verre règne une flore luxuriante où la vie finit par reprendre ses droits. C'est toujours la tension entre la chaleur interne et le froid extérieur qui fait craquer les cadres.

Up and down, through failles, fails and fault
Acrylique sur toile libre
122 cm x 91 cm, 1998.
Collection Jean-Claude Baudinet, Montréal.

To be in travail — Génératrice   Figure 8.
Acrylique sur toile libre
122 cm x 91 cm, 1998.
Collection Prescott-Shymansky, Calgary.

Figure 7.

Par venir : le sujet artiste et l'idée de stratégie culturelle.
Articulation texte-image avec trois peintures tirées du corpus
Prolifical space — Espace proliférique (1998).
Projet réalisé pour la revue *Possibles, Vol. 23, No. 4,* automne 1998, p. 112-121 et p. 135-136.
Photos : Pierre Charrier.

[42] «Carnet d'Ulysse No.3. L'homme en colère», *Art Le Sabord, No. 56*, printemps 2000, p. 54-56.

[43] Pour la clarté de mon exposé, mais aussi, pour faire ressortir toute la poésie de la langue grecque, je soulignerai à partir d'ici «l'épithète», ou formule visant à qualifier un nom de personnage mythique ou de dieu, par des majuscules. Ainsi par exemple, Zeus sera «le Grand Assembleur des Nues». Il en sera de même pour les lieux mythiques évoqués, tels «le Pays des Ombres». Les guillemets souligneront par ailleurs certaines expressions employées par Homère pour qualifier son héros. Plus loin, nous verrons que certaines épithètes homériques furent aussi utilisées comme titres pour mes œuvres récentes.

[44] Quiconque annonce à son entourage qu'il fera carrière en art reçoit la même prédiction...

[45] Pour cette introduction au mythe d'Ulysse : Robert Graves (1967), *Les mythes grecs, tome 2*, Paris : Fayard, p. 274-283.

[46] D'après Homère. Selon le contexte, le héros sera aussi «le divin Ulysse», «Ulysse aux mille expédients», «au grand cœur», «le prudent», «l'avisé», «le grand destructeur de villes», «sans peur et sans reproche», «Ulysse l'endurant», «qui a tant souffert» etc. La répétition de ces épithètes tout au long de l'*Odyssée* est l'un des traits qui frappe le plus le néophyte au contact de l'œuvre. J'utiliserai régulièrement ce type de formule tout au long des carnets, de façon à maintenir présente la métaphore homérique dans l'imaginaire du lecteur. Comme on peut le constater, ce que nous appelons aujourd'hui «l'art de la formule» ne date pas d'hier. Il a toujours le même pouvoir imaginaire, mais aussi, le même pouvoir de rétention mnémonique, ce qui en fait d'ailleurs l'arme favorite du publicitaire. A l'époque, ce type de formule permettait aux aèdes de mémoriser les poèmes en marquant des pauses et en spécifiant des thèmes : cf. Monique Trédé-Boulmer et Suzanne Saïd (1990), *La littérature grecque d'Homère à Aristote*, Paris : P.U.F.

[47] Homère, *Odyssée*, Chant I : 1-14 (traduction, notes et index de Médéric Dufour et Jeanne Raison (1965), Paris : Garnier-Flammarion, p. 17). Après avoir exploré de nombreuses versions de l'*Odyssée*, mon choix s'est fixé sur cette traduction, principalement pour le style coulant et la beauté de la prose; tandis qu'un autre ouvrage, notes et traduction de Victor Bérard (1999), une référence incontournable en études homériques, m'est apparue sèche et aride compte tenu de mon projet artistique. Cependant, elle fut une source précieuse d'informations (Paris : Gallimard). Pour la suite de la recherche, ne pouvant référer au texte grec, j'adopterai une convention commune en études grecques soit : les numéros du chant et des vers, et la page en ce qui concerne la traduction par Dufour et Raison (*ibid.*). Par exemple ici : *Od.*, Chant I : 1-14 (p. 17).

[48] En latin : *Ulixes*; en français : *Ulysse*. D'après Edith Hamilton (1997), *La mythologie. Ses dieux, ses héros, ses légendes*, Paris : Marabout, p. 259. Les Grecs, de même que les Anglais, utilisent toujours le *Odysseus* d'origine.

[49] Source : Madame Dacier (1651-1722), *La vie d'Homère*. Texte reproduit par le Centre d'études homériques de l'université de Grenoble sur le site web *Homerica* : www.ellug.ugrenoble3.fr/homerica/homere/vies.html.

[50] À l'origine, une épithète signifiant «l'Invisible» : Hadès est le dieu des morts et souverain d'un royaume souterrain, «les Enfers», où sont enfermées les ombres des êtres humains morts ainsi que certaines créatures mythologiques comme les Titans. Cf. Michael Grant et John Hazel, *Dictionnaire de la mythologie*, p. 163.

[51] Pour ce passage, je me suis inspirée de ma première formation et de mes nombreuses années de travail à titre de psycho-éducatrice et de consultante clinique. Il est évident que cette expérience a profondément marqué mon travail artistique tout autant que la présente recherche — tant du point de vue du cadre théorique que des processus de création impliqués.

[52] 576-480 av. J.-C. Père de la cosmologie et de la thèse du mobilisme universel : rien n'est stable, les choses et les êtres sont sans cesse menacés de dislocation. Elizabeth Clément *et al.*, *Pratique de la philosophie de A à Z*, p. 153. Le thème du mobilisme est central dans mon travail artistique, comme il le fut pour Homère avec l'*Odyssée*.

[53] Installation murale (*fig. 6*) présentée dans l'exposition solo *De l'idée : enchaînements, glissements et condensations* (1999, voir le feuillet de salle); aussi, à la Galerie d'art du Parc, exposition solo *Paroles ailées*, dans le cadre du Festival International de la Poésie, Trois-Rivières, 2000; et à la Bibliothèque nationale du Québec, exposition solo *Paroles ailées*, Montréal, 2001. Sur un mur, une peinture prend la forme d'un livre dont les pages s'animent d'une eau qui court et ruisselle (idée de la vie comme fleuve); sur un autre mur, des peintures circulaires dont la distribution évoque à la fois des îles (les Cyclades) et des étoiles (les Pléiades). Chacune contient comme dans un écrin un petit souvenir, sous la forme d'un médaillon photographique : une fleur, un paysage, un feu d'artifices etc. Ici, le récit de vie est un périple et les souvenirs, des îlots d'intensité comme autant de moments d'éternité. Cette œuvre précédait les *Carnets* actuels et la présente recherche et m'ont aidée à en préciser la plastique : ainsi les *Carnets d'Ulysse* sont une écriture «en fleuve», marquée par de larges pauses dans le temps, chaque «îlot» ayant été «abordé» (et publié) séparément; et convoquant tout un monde de références et de significations. Ces significations, soit les notes et citations ajoutées dans l'après-coup, sont présentées ici comme autant de «médaillons», ou captures photographiques de mon imaginaire et de ma symbolique.

[54] Ceci n'est accessible à la compréhension que si l'on considère la création comme un espace de jeu, où l'objet joue un rôle transitionnel. Cet espace de jeu, ou espace potentiel de la création, serait «l'aire intermédiaire d'*expérience* à laquelle contribuent simultanément la réalité intérieure et la vie extérieure. Cette aire n'est pas contestée, car on ne lui demande rien d'autre sinon d'exister en tant que lieu de repos pour l'individu engagé dans cette tâche humaine interminable qui consiste à maintenir, à la fois séparées et reliées l'une à l'autre, réalité intérieure et réalité extérieure». D. W. Winnicott (1975), *Jeu et réalité. L'espace potentiel*, Paris : Gallimard, p. 9. Les bordures molles, pure peinture, pure plastique devrais-je préciser, des *Intensités immobiles* symbolisaient justement cet espace transitionnel entre l'intérieur et l'extérieur. L'art agit dans mon cas comme cette membrane de la cellule qui régularise les échanges entre le noyau et le milieu ambiant. Une autre représentation de ce type d'expérience, celle du sujet dans sa relation avec son environnement, est fournie par l'œuvre *To be in travail — Génératrice* (*fig. 8*).

[55] «La plus belle et la plus dangereuse des magiciennes. Elle transformait en animal tout homme qui l'approchait. Seule sa raison restait à celui-ci : il comprenait ce qui lui était arrivé». Edith Hamilton, *La mythologie. Ses dieux, ses héros, ses légendes*, p. 272.

[56] *Od.*, Chant X : 522-566 (p. 156). Dans son essai sur «l'imagination de la matière», Gaston Bachelard (1942) a montré comment la figure du fleuve est chargée symboliquement et à quel point elle appelle la rêverie, les réminiscences et la méditation (*L'eau et les rêves*, Paris : José Corti). D'où son importante, et toujours actuelle, charge poétique, d'autant plus lorsqu'on vit dans un pays de fleuves, de lacs et de rivières (*fig. 9, fig. 11, fig. 13, fig. 14, fig. 17, fig. 19, fig. 24*).

[57] *Od.*, Chant XI : 98-141 (p. 162). C'est dans sa descente aux Enfers qu'Ulysse apprend la mort de sa mère.

[58] Grand devin thébain aveugle. Une légende raconte que sa mère se baignait souvent avec Athéna dans les sources. Un jour, le jeune Tirésias vit la déesse nue; celle-ci lui couvrit les yeux et le frappa de cécité. Pour consoler sa mère, Athéna purifia les oreilles du jeune homme pour qu'il puisse «comprendre le langage des oiseaux»; elle lui accorda le don de prophétie et le privilège de vivre sept générations. Cf. Michael Grant et John Hazel, *Dictionnaire de la mythologie*, p. 354. Notre civilisation a produit quantité de Tirésias, comme autant de relais de conscience, mais ils sont retenus au Pays des Ombres. Pour les consulter, il faut défier les dieux de sa propre génération et oser la descente aux Enfers...

[59] *Od.*, Chant XI : 615-640 (p. 174).

[60] «Aurore au Trône d'Or s'enveloppa d'un long voile éclatant de blancheur, fin et gracieux, se passa autour des hanches une belle ceinture d'or et se mit sur la tête un voile tombant». *Od.*, Chant X : 522-566 (p. 156). «Le soleil se leva, quittant la mer splendide, et vint au firmament de bronze éclairer les dieux immortels, et les mortels, par toute la terre qui donne le blé». *Od.*, Chant III : 1-13 (p. 41). Cette image a donné lieu à une peinture, *Aurore aux Doigts de Rose* (*fig. 19*). L'une des particularités de cette œuvre, c'est que le ciel a une plasticité telle — par sa densité de matière — qu'il se confond à la terre. D'autre part, l'avant-plan du tableau, soit la partie terrestre, a une légèreté et une évanescence telles que, littéralement, «le monde est sens dessus dessous». Par là, je voulais rendre matérielle la présence de la divinité, plus forte encore que la terre sous nos pieds, ce qui en fait un objet plus complexe qu'il n'y paraît au départ. En effet, l'image est très intrigante pour le spectateur, en même temps qu'elle renvoie à une expérience familière : celle d'observer attentivement et intensément le levant ou le couchant, ce qui lui donnerait un «poids» affectif.

[61] «S'éloigner des choses jusqu'à ce que nous ne les voyions plus qu'en partie et qu'il nous faille y ajouter beaucoup par nous-mêmes *pour être à même de les voir encore* — ou bien contempler les choses d'un angle tel qu'on n'en voit plus qu'en coupe — ou encore les regarder à travers du verre de couleur ou sous la lumière du couchant — ou bien leur donner une surface et une peau qui n'a pas une transparence complète : tout cela il nous faut l'apprendre des artistes et, pour le reste, être plus sages qu'eux». Friedrich Nietzsche (1993), *Le gai savoir*, Paris : Poche, p. 301. Si Nietzsche s'inspire des artistes pour son écriture, celle-ci à son tour m'aura aidée à penser la structure formelle des présents carnets. On pourrait qualifier l'esthétique du *Gai savoir* de «kaléidoscopique», chaque mouvance donnant un nouvel arrêt sur image, autonome dans sa forme et sa dominante colorée, cependant que la qualité expressive de la parole et la cohérence de la pensée lui confèrent son unité générale. Bref, *La vie court...* mais les *intensités* sont *immobiles*. J'ai déjà développé cette thématique lors d'une communication à la Société canadienne d'esthétique (*L'espace proliférique ou la vision kaléidoscopique*, Université Laval, avril 2001; document inédit). D'autre part, pour répondre à Nietzsche — qui considère que les artistes ne sont pas suffisamment «sages» (!), j'ai décidé pour les besoins de la recherche d'utiliser les notes infrapaginales comme autant de scolies, faisant dans l'après-coup de ce qui a d'abord été un *gai savoir* — et ce, si le lecteur le désire — une philologie, à la limite un «traité» de logique artistique. Pour ce faire, je me suis inspirée de Spinoza, dont la méthode consiste toujours à donner la clé de son langage codé (ce qu'il appelle les «explications»). De cette manière, une éthique du désir peut produire, par une «transmutation réflexive» et «dans une joie véritable», une politique démocratique. En effet pour Spinoza, la liberté, qui est l'autonomie interne, appelle la liberté d'autrui, c'est-à-dire sa rationalité et l'autonomie de son existence. Cf. Spinoza (1978), *Traité de l'autorité politique*, Paris : Gallimard; et Spinoza (1999) *Éthique*, Paris : Seuil.

[62] À ce sujet, voir Marc Tardieu (1997), *Van Gogh, l'envers d'un mythe*, Paris : Le chef-d'œuvre inconnu.

[63] Pour comprendre cette relation, on peut se demander ce qu'est un publicitaire? Écoutons là-dessus Jacques Bouchard (1978) : «Un publicitaire ne fait pas d'éthos à froid. Un peu comme le cheval du laitier connaît sa tournée... le publicitaire parvient, presque malgré lui (après quelques années de métier), à flairer ce qui marche et ne marche pas. *Il pratique le dangereux métier de généraliser des normes et des valeurs* : les exceptions ne lui ont jamais rien appris et il les ignore. La publicité, comme «la politique, est un art qui ne s'occupe que de moyenne», pour paraphraser Lawrence Durell. La publicité «sans comportement» et strictement informative serait-elle utopique? Ou bien toute communication pour être efficace doit-elle contenir une certaine décharge d'éléments émotifs, *comme les utilise si bien la propagande?* D'un être émotif à un autre être émotif, quel serait le plus court chemin entre deux points, sinon l'émotion

devenue comportement?» (*Les 36 cordes sensibles des Québécois*, Montréal : Héritage, p. 19). D'où le plaisir que nous avons à regarder évoluer les «personnages» que furent Dali et Warhol. Ulysse est doté de la *charis*, il ne faut pas l'oublier. *Charis* que tout le champ artistique de la performance continue d'explorer.

- [64] *Od.*, Chant XIII : 217-260 (p.193).

- [65] Le peintre Jean Dubuffet (1986) formule le problème en termes plus pragmatistes : «Voici comment se définit la position ambigüe de l'artiste. Si sa production n'est pas empreinte d'un caractère personnel très fortement marqué (ce qui implique une position individualiste, et par conséquent forcément antisociale et donc subversive), elle n'est de nul apport. Si cependant cette humeur individualiste est poussée au point de refuser toute communication au public, si cette humeur s'exaspère jusqu'à ne plus désirer que l'œuvre produite soit mise sous les yeux de quiconque, ou même à la faire si secrète et si chiffrée, qu'elle se dérobe à tout regard, son caractère de subversion alors disparaît; elle devient comme une détonation qui, produite dans le vide, n'émet plus aucun son. L'artiste se trouve par là sollicité par deux aspirations contradictoires, tourner le dos au public et lui faire front». *Asphyxiante culture*, Paris : Minuit, p. 58.

- [66] «Je fais la part des mille circonstances qui enveloppent la volonté humaine et qui ont elles-mêmes leurs causes légitimes; elles sont une circonférence dans laquelle est enfermée la volonté; mais cette circonférence est mouvante, vivante, tournoyante, et change tous les jours, toutes les minutes, toutes les secondes son cercle et son centre (*fig. 6, fig. 8*). Ainsi, entraînées par elle, toutes les volontés humaines qui y sont cloîtrées varient à chaque instant leur jeu réciproque, et c'est ce qui constitue la liberté». Baudelaire (1995), *Conseils aux jeunes littérateurs*, Paris : Mille et une nuits.

- [67] J'ai fait ici jouer des images que j'ai moi-même abondamment traitées dans mon travail, notamment en photographie et dans les *Photo-peintures*, pratique qui remonte aux années 80 et qui a depuis alimenté ma peinture. Les thèmes cosmiques — les étoiles, le ciel dans toutes ses manifestations colorées, les feux d'artifice, les manèges, toutes sortes de lumières dans la nuit ou scintillant sur l'eau par exemple — ont toujours captivé mon regard et représenté pour moi «le» poétique et «le» merveilleux. Certaines de ces *Photo-peintures* sont reproduites dans la monographie d'Antoine Blanchette (1995), *Prescott Passeport 94-95*, Paris : Fragments; elles ont aussi été montrées dans l'exposition *L'Arbitrarium* (1998). Également, des photomontages ont été présentés dans l'exposition *De l'idée : enchaînements, glissements et condensations* (1999). Accompagnant mes peintures, ils visaient à rendre perceptible le passage du concret à l'abstrait, soit d'une forme naturelle à sa sensation picturale. Ils permettaient aussi une entrée de traverse dans mes «pensées de peintre», soit mon imaginaire et mes manières de travailler. Dans l'écriture de ces carnets-ci, j'ai tenté de faire revivre ce travail de l'image par les mots, pour faire de la lecture une expérience visuelle et, le plus possible, sensuelle. Ainsi dans ce paragraphe se trace une ligne de fuite, du théorique vers le poétique et le pictural.

- [68] Un psychanalyste dirait que, de toutes façons, le «Ça», en tant que siège des pulsions, ne «dit» jamais rien, si l'on s'en tient à la définition des trois instances psychiques freudiennes, le Ça, le Moi et le Surmoi.

- [69] Frère de Zeus (*fig. 10*), dieu principal des mers, des sources et des cours d'eau, également associé aux tremblements de terre. Il symbolise la puissance de la tempête et des flots en fureur (*fig. 13*). Contrairement aux «Vieillards de la mer», Phorcys, Protée (*fig. 11*) ou Nérée qui étaient des divinités pacifiques, Poséidon — une divinité plus tardive dans l'histoire des mythes grecs — est irascible, vindicatif et dangereux. Ulysse s'attirera la colère de Poséidon en aveuglant l'un de ses fils, le Cyclope Polyphème, ce monstre «sans loi». Ainsi le retour d'Ulysse en Ithaque sera considérablement retardé et il y perdra tous ses compagnons. Cf. Michael Grant et John Hazel, *Dictionnaire de la mythologie*, p. 299-301.

[70] ««La marche du crabe» est celle de l'accompagnement de soi-même. Elle permet d'assumer le «retard volontaire, l'insondable bêtise» d'une pensée non encore advenue [...] Elle arpente en tous sens un «territoire muet» [...] Le parcours interruptif d'un chemin qui se construit lui-même». Propos recueillis par Anne Baldassari (1992), *Simon Hantaï*, Paris : Centre Georges Pompidou, p. 18. De Hantaï, j'ai retenu cette reconnaissance de la toile comme tissu, fibre, filet; une surface malléable, susceptible de recevoir et de conserver l'empreinte de toutes sortes de manipulations; la toile est moins ici un «tableau» qu'un «objet» à la forte présence matérielle et à la grande puissance d'évocation. Ainsi chez moi, la dimension même de la toile et sa suspension suggèrent davantage le drap, l'enveloppe, la tapisserie ou la draperie qu'une «fenêtre sur le monde» (*fig. 26, fig. 30*). Mais contrairement à Hantaï, je refuserai de systématiser mon geste en appliquant la peinture; au contraire, il sera toujours poussé à sa plus extrême «volubilité», exploré comme véhicule de signifiance et abandonné à mon désir. Dans *L'étoilement. Conversation avec Hantaï*, Georges Didi-Huberman (1998) analyse le travail d'Hantaï selon les trois registres lacaniens : le Réel de l'œuvre, l'Imaginaire convoqué, le Symbolique qui s'y inscrit de lui-même par son rapport au langage (Paris : Minuit). C'est toute la structure signifiante d'une œuvre dite «abstraite» qui est ici mise en évidence; exercice difficile certes, mais très riche d'enseignements.

[71] Pour Freud (1967), le désir est, purement et simplement, ce qui s'oppose à la réalité (*L'interprétation des rêves*, Paris : P.U.F.).

[72] Peinture présentée dans l'exposition solo *Prolifical space — Espace proliférique*, Edward Day Gallery, Toronto, 1998 (*fig. 3, fig. 6*), cf. *Possibles, Vol. 23, No. 4*, automne 1999, p. 135-136. L'expression «tomber sous le sens» évoque la sensation de «chute», mouvement qui est exploré dans cette œuvre, aussi bien physiquement, par la matière-image, qu'en tant que ressort dramatique : le sentiment de la «chute» est aussi un affect puissant. Sous cet aspect, l'œuvre violente le spectateur en suscitant une certaine angoisse. Cette atmosphère est renforcée par le contraste des violets, des jaunes et des verts stridents, à priori incompatibles : cette palette glauque, qui combine de manière étrange des couleurs chaudes et froides, contribue à l'inquiétude provoquée par le tableau.

[73] «L'étude du glissement de la pensée, d'une école à l'autre, nous amenait à comparer les qualités plastiques : volumes, lignes, mouvements, matières, etc., etc., et nous arrivions encore une fois à la conclusion que seul un surplus gratuit de justesse pouvait révéler l'exacte attitude du désir». Paul-Émile Borduas (1990), «Projections libérantes», in *Refus global et autres écrits*. Montréal : L'Hexagone, p. 112. Dans ce texte, Borduas relate ses années d'enseignement à l'École du meuble.

[74] Titre d'une œuvre sur papier, dans le corpus *De l'idée : enchaînements, glissements et condensations* (1999). Un ensemble en apparence désordonné de petites marques noires obtenues par décalque réitère cette énigme pour le spectateur : est-ce de l'art? Or si l'on pense à l'art du point de vue du créateur, il est d'abord et avant tout processus, construction attentive et minutieuse : «Art is born *in* attention. Its midwife is detail. Art may seem to spring from pain, but perhaps that is because pain serves to focus our attention onto details [...] Art may seem to involve broad strokes, grand schemes, great plans. But it is the attention to detail that stays with us; the singular image is what hunts us and becomes art». Julia Cameron (1992), *The artist's way*, New York : Penguin, p. 21.

[75] «Entre ces hommes de classes sociales, de conditions de races, d'époques différentes, *un champ commun imaginaire est possible* et, en fait, il existe des champs imaginaires communs. Ils sont communs, c'est-à-dire que les rapports de projection-identification peuvent y être multiformes [...] Ainsi, une œuvre d'art échappe à sa propre sociologie, mais renvoie en même temps à la sociologie. L'œuvre d'Homère s'évade de la Grèce archaïque, non pas dans le ciel des essences esthétiques, mais pour se réincarner, se métamorphoser à travers les siècles et les civilisations en s'inscrivant dans les champs communs imaginaires». Edgar Morin (1975), *L'esprit du temps*, Paris : Grasset, p. 96. Bref : il n'est d'art que de culture, et de la culture l'art pointe.

[76] Nelson Goodman (1992), *Manières de faire des mondes*, Paris : Jacqueline Chambon, p. 89. Ici, l'art se définirait indépendamment de toute notion de «qualité». Depuis le début du siècle, avec les travaux de Marcel Duchamp notamment — qui fait de l'art un concept autodéclaratif et, par conséquent, un acte «souverain» — l'art et l'esthétique appartiendraient à des catégories distinctes, le champ d'une pratique ne recouvrant plus le champ de l'autre. Cependant dans mon esprit, cette spécialisation des pratiques a aussi provoqué une rupture dans la communication entre les experts et contribue en bout de ligne à diminuer la portée sociale de l'art. Au siècle suivant, mes circonstances sont différentes (finira-t-on un jour par tourner la page sur l'épisode de l'urinoir?). Pour les raisons que j'ai évoquées dans le carnet précédent, une plus grande solidarité et un meilleur dialogue sont nécessaires à mon avis entre les divers champs d'intervention en art. L'un des problèmes que je tente ici de mettre en évidence, qui est le problème d'une artiste de ma génération, c'est que l'énoncé de Goodman (que je fais jouer dans le texte comme une rumeur et une autre mode) semble réduire l'art à une certaine production d'artefacts dont il resterait à décrire les attributs. Dans cette optique, l'art serait également tout ce qui est «reconnu» comme art, homologué comme tel et, à la limite, basé sur la réputation de l'artiste. Quelles sont les conséquences d'une telle prémisse pour l'artiste actuel, dont l'art n'a peut-être pas encore été «consacré» selon les catégories existantes? Quelles en sont aussi les conséquences sociales, si même les spécialistes se désengagent face aux producteurs artistiques qui leur sont contemporains? S'ils renoncent à analyser les enjeux et la portée signifiante des œuvres? S'il est vrai que «Du / champ» a contribué à faire de l'art un champ autonome, nous devons admettre qu'il adoptait du même coup une posture nihiliste, qui est pour moi aujourd'hui une forme d'abdication face au reste du milieu artistique. Ne resteront plus d'ailleurs pour lui que les parties d'échec une fois son *statement* artistique posé. Pour l'artiste actuel, parce qu'il en reste (!), l'un des problèmes les plus cruciaux est de trouver des manières de se distancier de l'industrie culturelle et de l'art de masse; et la seule alternative est de travailler à partir des postulats de qualité et de signifiance, qui me semblent évacués ici. En fait, le problème se poserait peut-être plutôt en ces termes du point de vue artistique : «*Comment* y-a-t-il *effet* d'art?», qui est un problème d'ordre qualitatif et qui, s'il englobe l'esthétique, le déborde aussi largement. À cela, j'essaie d'apporter mes propres réponses comme chaque artiste tente de le faire; et les postures varieront inévitablement avec l'expérience de vie et la maturation des idées. Pour sa part, Laurence Perrine (1973) affirme : «Poetry takes all life as its province. Its primary concern is not with beauty, not with philosophical truth, not with persuasion, but with experience [...] Poetry as a whole is concerned with all kinds of experience — beautiful or ugly, strange or common, noble or ignoble, actual or imaginary [...] We find some value in all intense living. To be intensely alive is the opposite of being dead. To be dull, to be bored, to be imperceptive is in one sense to be dead. Poetry comes to us bringing life and therefore pleasure. Moreover, art focuses and so organizes experience as to give us a better understanding of it. And to understand life is partly to be a master of it». *Sound and sense*, p. 9. Ici, l'auteur insiste justement sur la dimension existentielle de l'art — sa relation avec la vie contemporaine — et sur la qualité de l'expérience qu'il peut procurer. Donald Judd (1991) rejoint également mon point de vue de praticienne : «La qualité, qui unit tout à la fois la pensée, l'ampleur de vision, le dessein, le travail, la constance et l'expérience, tous éléments que l'on peut appréhender, est pratiquement la définition même de l'art». *Écrits 1963-1990*, p. 143; cité par Rainer Rochlitz (1994), *L'art contemporain en question*, Paris : Jeu de Paume, p. 145.

[77] «I therefore feel justified in speaking of the repression of beauty. It demonstrates that we are here today engaged in a profound question, not only regarding the arts, psychology, and the theory of aesthetics, but as I intend to show, regarding the world we live in and the condition of its soul and ours [...] Discussions of beauty during most of this century have been perverted by the totalitarian appropriation of the subject too often neglected by the humanist and existential concern for democratic social improvement. The political right took over fields left unfilled by the political left. If we do not boldly open this question, it remains not only repressed, and worse : subject to totalitarian misuse». James Hillman (1991), «The repression of beauty», in *Tema Celeste*, mai 1991, p. 58. L'auteur analyse des œuvres de Francis Bacon, Ross Bleckner, Louise Bourgeois, Anselm Kiefer et Joan Mitchell, entre autres. Loin d'être abandonnée chez ces artistes, la «beauté» se redéfinirait en fonction de problèmes contemporains qui ne sont pas, comme le précise l'auteur, ceux d'il y a cinquante ans. Une nouvelle signifiance lui est attribuée, en fonction d'enjeux sociaux différents. La même année, des historiens de l'art réévalueront l'héritage moderniste selon de nouveaux paradigmes. On assistera à une relecture et un mouvement de reconstruction du modernisme, qui aborde l'art des années 45-64 d'une manière tout à fait surprenante (cf. par exemple, une révision des idées reçues à propos de certains cas de figure tels Jean McEwen, Jackson Pollock, Andy Warhol, etc.; in Serge Guilbault *et al* (1991), *Reconstructing modernism : Art in New York, Paris and Montréal*, Cambridge / London : M.I.T.). En 1995, le Musée Guggenheim présente de son côté une vaste rétrospective de Ross Bleckner qui, concernant son travail de l'image-matière, qu'on pourrait qualifier de mi-abstrait, mi-figuratif, se situe lui-même ainsi : «Thus the great artistic battles are always those that are waged with the self, and they find their fruition in the disparity between things. Power and powerlesness, the cultural and the social, excitation and boredom : instead of providing clear emblems, such dichotomies emphasize the problematic». Cité dans : Lisa Dennison *et al.* (1995), *Ross Bleckner*, catalogue de l'exposition, New York : Solomon R. Guggenheim Museum, p. 36. À sa suite, je dirais que le fait de se maintenir dans une ambivalence de l'image désigne justement le problématique et donne une figure à la difficulté d'être un *self*. Cette figure peut être empreinte de beauté, simplement par les ouvertures qu'elle crée dans l'imaginaire du public, inévitablement confronté à cette difficulté inhérente à la vie. Comment figurer le réel tel qu'il n'est pas seulement vu mais aussi «vécu» et, surtout, comment constituer une image forte et prégnante, tel est le problème du peintre et, plus largement, le problème de la picturalité.

[78] Si pour certains cette notion apparaît d'un romantisme désuet, elle ne l'est en aucun cas pour qui rencontre sa souffrance. En cela, peut-être faut-il se demander ce que signifie réellement l'expression «être éclairé»... La pratique clinique le démontre, l'idée d'une «beauté arrachée» sera toujours d'actualité. Nous pourrions parler ici d'une appropriation de son histoire par le sujet, nécessairement douloureuse, qui lui permettra dans le vécu de passer à autre chose et de s'élever au-dessus de sa condition souffrante. Sans la possibilité de la «transcendance» — puisque c'est bien ce dont il s'agit ici — aucun champ de l'intervention sociale, aucune science du comportement ni aucune thérapie ne tiendraient la route. Sous cet aspect, l'art, dans la vie du créateur, est une activité profondément *clinique* : autosoignante. «La littérature est une santé [...] On n'écrit pas avec ses névroses (...) Aussi l'écrivain n'est-il pas malade, mais plutôt médecin, médecin de soi-même et du monde». Gilles Deleuze, cité par Camille Dumoulié, *Le désir*, p. 181. Une importante exposition internationale, réunissant art moderne et contemporain, a été consacrée à cette problématique récemment : *L'art médecine*. Cf. Thierry Davila et Maurice Fréchuret (1999), catalogue de l'exposition, Musée Picasso, Antibes : Réunion des Musées nationaux.

- [79] Pour le marin grec, la mouette est un heureux présage, signe que la terre est proche. Homère fera souvent jouer cette figure dans l'*Odyssée*. Nous verrons plus loin comment la «connaissance des oiseaux» est essentielle à l'oracle, comme au poète.

- [80] «Attendu que l'art n'est pas un dogme, attendu qu'il n'existe pas une Régie gouvernementale de la qualité, attendu qu'il n'y a pas de date de péremption ou de garantie de satisfaction rattachées à un tableau, attendu que, en matière d'art, bien peu de gens font autorité; voyez-vous une autre façon pour apprendre à apprécier l'art que de s'y plonger? Partialement? Intimement? Dermatologiquement?» Jean McEwen, in Gaston Roberge *et al* (1995), *Autour de Jean McEwen*, Québec : Le Loup de Gouttière, p. 10.

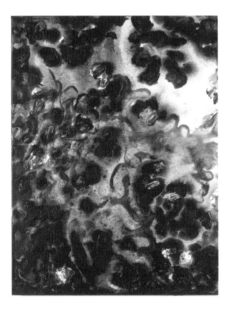

Figure 9.

Le Grand Fleuve Okéanos.
Variations (2000-2001).
Sélection de six sur douze petits tableaux.
Acrylique sur toile. 51 x 41 cm.
Collections privées : Québec, Ontario, Côte du Rhône (France).
Photos : Édith Martin.

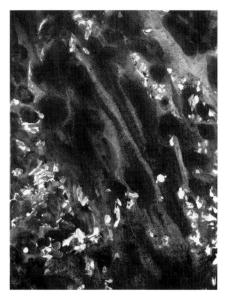

L'Odyssée, ou le désir des lamentations[81]

Lamentations. Mille pensées. L'identité artistique. Art et spectacle. Le terrain politique. Résistance et survivance. La relation des épreuves. Le Milieu. Rêves de justice. La joie de la joie de créer. Machine culturelle et raison instrumentale. D'un vrai Ulysse. L'esthétisation du politique. De la raison d'État. La soumission de l'art. L'artiste mécène. Micropolitiques. Alternatives et liberté. L'art comme initiative privée. Les clauses orphelines. Le mythe de l'autonomie. Ulysse en mendiant. L'art ambulatoire. De l'errance. De la carrière. Quête et conquête. L'art du paradoxe. La Loi des Mille Lieux. Les limites de la liberté. L'engagement. De la quête héroïque. Les malades de l'«Art». L'art comme conduite. L'exigence artistique. La politique du geste. Du sublime. Paroles ailées. La rencontre. La reconnaissance.

4.1 Quand le complexe d'Ulysse se manifeste

Imaginez deux amis artistes faisant la conversation. De quoi parlent des artistes entre eux? Un peu de la vie quotidienne : des nouvelles concernant la famille, les amours, la santé... Puis, un peu de la production : les dernières œuvres ou la dernière exposition, le nouveau projet, les découvertes, l'enthousiasme face aux thèmes émergents, le dernier truc technique etc. Enfin, dans la conversation artistique, invariablement, inéluctablement, viennent... les «lamentations».

Dans l'*Odyssée*, il arrive régulièrement à Ulysse «d'éprouver le désir des lamentations»[82]. Cela, lorsqu'il met en perspective son désir, celui de rentrer en Ithaque et la réalité à laquelle il est confronté. Comment accomplir son retour? «J'agitais mille pensées en mon cœur... Mon esprit prévoyait des malheurs»[83].

Chez l'artiste, les lamentations concernent toujours *Le beau milieu*, pour citer Raymond Cloutier[84]: les processus et les critères de sélection, la politique de telle ou telle galerie, le dernier concours et ses résultats, l'indifférence de la critique, l'insuffisance de la critique, le ridicule de telle critique, la politique éditoriale de tel magazine, l'absence de cachet, le coût exorbitant de tels matériaux, l'impossibilité de décrocher une subvention et le pourquoi, la constitution des jurys, la collusion, les conflits d'intérêt ou le chantage, le manque flagrant d'éthique, le manque flagrant de professionnalisme, l'absence d'équipement, l'absence de compréhension des pouvoirs publics, l'absence de marché, l'absence de public, l'absence d'éducation artistique etc.

Certaines de ces carences sont circonstancielles. La plupart sont structurelles.[85] Mais à relire les textes de très nombreux artistes, notamment à partir du XXème siècle, soit quand l'art commence à se professionnaliser,[86] les conditions socio-économiques de la pratique artistique sont régulièrement dénoncées[87] en même temps que, et cela est intéressant dans une perspective complexe, considérées comme un facteur d'émulation, de dépassement de soi, de transcendance.

«Le désir des lamentations» est l'indice d'un état des choses artistiques : à partir du moment où un talent est confirmé, si la création est difficile, c'est principalement à cause des conditions de la pratique. En art comme pour toute autre pratique, il faut passer du rêve à la réalité, de l'utopie à la concrétisation matérielle. Le sujet artiste — soit, cet individu qui assume socialement une identité d'artiste — est nécessairement confronté au problème de l'inscription sociale de son œuvre. Très tôt, le jeune artiste aura non seulement à décider de ce qu'il veut faire et de la manière dont il veut le faire, mais également, des moyens qu'il doit prendre pour que son œuvre soit vue et reconnue. A cela, tout artiste *résiste*. Il ne veut pas appartenir à la «société du spectacle» de Guy Debord...[88] Or, toutes les productions artistiques sont, en quelque sorte, en compétition avec la société du spectacle. Et tôt ou tard, il faut s'attaquer au problème de leur diffusion. Cependant, cette résistance est très significative. Elle nous montre le complexe d'Ulysse en pleine opération.

Au début, la diffusion apparaîtra allant de soi, d'autant plus si l'artiste s'est formé à l'université. Il commencera à se situer à partir de son premier réseau d'appartenance. Mais il réalisera bien vite que celui-ci n'est pas suffisant pour la poursuite de sa carrière et qu'absolument rien ne l'a préparé à ça. Une partie de cette inexpérience est partagée par l'ensemble des jeunes arrivant sur le marché du travail. Nous savons ce que signifie le passage de la théorie à la pratique et ce dans n'importe quel domaine. Et en quelque sorte, il y a une expérience qui doit absolument se développer sur le terrain, y compris l'expérience politique. C'est celle-ci qui est sans doute la plus difficile à acquérir et à intégrer. Elle ne peut se développer qu'à partir des obstacles qu'elle rencontre avec, pour chaque moment de crise, des conciliations temporaires et, par essence, insatisfaisantes. La situation d'un jeune artiste n'est pas différente de celle des autres jeunes, sinon sur un point : l'identification projective à l'œuvre est telle qu'un jugement posé sur elle est un jugement posé sur lui-même, sur son *être*. Progressivement, il arrivera à se protéger de ces effets du regard extérieur sur ce qu'il perçoit être son identité grâce, précisément, à son expérience politique.

Dans le complexe d'Ulysse, il y a un processus que j'appelle le «devenir-artiste». Un processus de développement, de l'œuvre comme du trajet artistique, long et coûteux... financièrement et affectivement.[89] De la capacité individuelle à observer, à s'adapter, à se transformer, dépendra la survivance du désir de se maintenir dans des valeurs artistiques. Mais aussi, de la capacité à se faire guerrier; à combattre, pour que le retour s'accomplisse... «Et Ulysse fit à Alcinoos la relation de ses épreuves :«Je vais te raconter le retour aux mille traverses, que Zeus m'impose»[90].

4.2 La Loi du Milieu[91]

La machine culturelle tourne. Les finissants sont nombreux, le bestiaire artistique augmente sans cesse et c'est dans la logique du Capital, non seulement de renouveler les stocks, mais de les distribuer... Il faut bien trouver des manières de gérer la masse, soit, le «milieu». Dans un petit pays comme le nôtre, la démocratisation de l'enseignement a favorisé une augmentation de l'offre artistique sans que la demande suive.[92] Le marché potentiel de l'art, tel qu'il existe, est saturé; il est impossible au Québec actuel de soutenir tous ses artistes «professionnels» et ceci en dépit de leur augmentation démographique, de leur demande croissante de services et de la qualité effective de leur production.[93]

Depuis la nuit des temps, nous disons qu'en art, «il y a beaucoup d'appelés mais peu d'élus». Cependant, je soutiens que dans une société développée comme la nôtre, cette conception fataliste accommode fort bien la raison instrumentale. Tout est question de volonté politique. On pourrait par exemple adopter un jour une véritable politique «artistique» et non pas une politique «culturelle»[94]. Pour cela, il faudrait que les artistes créent une masse critique suffisante. Dans notre petite histoire, les artistes n'ont réussi que très rarement à créer la force de revendication nécessaire et ils n'ont été que très rarement soutenus par le reste du «milieu»[95]. Peut-être parce que la pire chose qu'on puisse faire pour l'art, c'est d'esthétiser le politique. En politique, les gestes symboliques existent, mais ne sont jamais d'une très grande efficacité; ils appartiennent au spectacle. Le jour où les artistes comprendront qu'ils sont aussi des contribuables, qu'ils ont aussi des droits en tant que citoyens, alors, peut-être, les choses pourront-elles changer.[96]

Une étude économique qui prendrait en compte toutes les composantes du système des arts actuel nous réserverait certainement quelques surprises. Elle arriverait probablement à ce constat : la production artistique se déplace tranquillement d'une économie de biens à une économie de services... culturels. La poussée de l'État va dans le sens de l'industrialisation de la culture.

En raison de l'insuffisance actuelle des investissements privés (marchands, collectionneurs, mécénat d'entreprise), la dépendance des artistes aux institutions publiques est de plus en plus grande. Ce faisant, la pratique artistique est de plus en plus assujettie à la raison d'État. Les artistes sont poussés actuellement à produire du «sur mesure». L'idée de la vitrine culturelle et ce que j'appelle la «logique du tourniquet» ou le clientélisme dans nos centres de diffusion en sont des symptômes. Des artistes protesteront ici : «Oui, mais on me donne du travail!». Moi, cette situation m'inquiète tout de même... Je ne veux pas qu'on me *donne* du travail artistique; je veux être soutenue dans *mon* travail de création artistique. Et cela, il n'y a pas que les subventions qui puissent le faire.[97]

À défaut de pouvoir compter sur des possibilités diversifiées de financement, le premier mécène de l'art au Québec, c'est l'artiste. Et à part quelques rares exceptions, ce système produit des artistes comme on fabrique des mouchoirs : jetables après usage. Pour la commodité.[98] Et je ne peux m'empêcher de voir parfois les pratiques installatoires comme une forme de virage ambulatoire culturel. C'est plus qu'une mode, c'est une tendance lourde. Mais se questionne-t-on sur la raison d'État qui s'y manifeste?[99] Et ce à l'échelle occidentale. Qu'on n'oublie jamais ceci : la plus grande part des expositions que nous voyons ont d'abord été des projets «soumis».[100]

...

Ainsi, pour que son art existe, notre *Ulysse* devra non seulement prendre en charge sa production, mais aussi, obligatoirement, sa diffusion. A moins d'être tombé dedans quand il était petit — j'entends par là d'être issu d'un milieu aisé et de disposer déjà de quelques bonnes ficelles — l'artiste sera tenu d'assumer une posture marchande. Dans le meilleur des cas, il trouvera rapidement des intervenants qui le soutiendront et feront ce travail pour lui. La situation la plus fréquente est qu'il trouvera ici et là, au fur et à mesure, des alliés qui lui apporteront un soutien temporaire. Dans le pire des cas, il sera constamment isolé et désespéré que personne ne s'intéresse à ce qu'il fait. Mais peu importe : tous, à divers stades de leur carrière, éprouveront à un moment ou l'autre le désir des lamentations. Une petite enquête auprès de nos «Prix Borduas» serait à ce titre très significative. Misère assurée au Québec, même après trente ou quarante ans de pratique... On a beau avoir de l'expérience, l'*Odyssée* est pénible, très pénible.[101]

4.3 Quête et conquête

Ce que l'artiste fait avec ces problèmes concerne le micropolitique. Chacun trouve des solutions, organise sa vie en fonction de ces solutions. La plupart du temps, celles-ci sont temporaires et circonstanciées. Convaincre une petite compagnie de loger l'atelier par exemple, exposer dans un loft ou dans son appartement, récupérer des matériaux, emprunter les équipements universitaires sous un prête-nom... c'est garder sa liberté de création et l'affirmer.

Je dirais que ces agencements micropolitiques constituent un ensemble d'alternatives plutôt que des solutions puisque en définitive, dans la pratique, on cherche toujours le moindre mal. Qu'est-ce qu'un artiste veut faire? Il veut créer! Et ce dans les meilleures conditions possibles. Il lui faut pour cela trouver du temps, de l'argent, un lieu, des matériaux, des équipements et lui consacrer le maximum d'énergie possible. On n'a pas assez de toute une vie pour faire l'art qu'on désire faire... Aussi l'art est-il, fondamentalement, «initiative»; de surcroît, initiative «privée».

Dans les faits, l'artiste est un petit entrepreneur qui n'a pas droit cependant aux programmes de démarrage d'entreprise. La loi dit «travailleur autonome», condition partagée, il faut l'admettre, par un nombre grandissant de citoyens. La machine roule, elle en produit du «professionnel»... à ne plus savoir quoi en faire. Les «clauses orphelines» sont une réponse affreuse à ce phénomène. En art, il y en a beaucoup, des clauses orphelines; et ce depuis longtemps. Tel centre offre de bons cachets, l'autre pas. Telle galerie municipale n'a pas de budget pour les cachets. Telle autre n'offre pas de cachet, mais prend un profit sur les ventes — qu'elle ne fera jamais. Telle société d'État emprunte des œuvres, mais ne paye pas de droits d'auteur parce que ça fait de la publicité à l'artiste. Etc.

La dimension micropolitique de la pratique artistique est tout à fait perceptible dans le parcours professionnel ou le cheminement de carrière. Le «curriculum vitæ» de l'artiste est non seulement le tracé de son parcours signifiant — les corpus, les titres des œuvres, bref, ses réalisations — mais aussi une véritable cartographie de ses agencements micropolitiques : lieux de diffusion, couverture médiatique etc. «Le désir n'a pas d'objet, dit Deleuze. Le désir coule dans des agencements». Dans l'état actuel de la pratique de l'art, dans sa réalité sociologique plutôt que telle qu'elle est fantasmée par la majorité des gens, on peut dire qu'en art, il n'y a pas de hasard, ou si peu. Rares sont les artistes qui diront «J'ai eu de la chance»... sauf dans la société du spectacle, connue pour les «brûler» vite, ses artistes. Nous devons envisager le micropolitique comme l'ensemble des décisions prises par l'artiste pour que l'œuvre non seulement se réalise, mais aussi, existe socialement : qu'elle devienne publique, et ce dans le contexte d'une industrie culturelle prégnante.[102] L'*Odyssée* artistique est une suite de quêtes et de conquêtes, de petites victoires individuelles sur quantité d'impératifs catégoriques.[103]

Paradoxe du complexe d'Ulysse. C'est grâce à ces prises de conscience, lentes et douloureuses, que l'œuvre s'affermit et prend de la maturité... en se distanciant de la Loi du Milieu. Dans ses *Lettres à un jeune poète*, Rainer Maria Rilke écrit : «Vous regardez en dehors. Descendez en vous-même. Car celui qui crée doit être pour lui-même un univers... Laissez, tranquille et grave, votre croissance suivre sa propre loi»[104]. Pour accomplir son retour, il faut instaurer une autre loi : la Loi des Mille Lieux. Il faut trouver ses propres manières de créer, de montrer. Il faut trouver des alternatives si l'on veut demeurer libre. Le désir d'art, c'est aussi le désir d'être libre. Les «Mille Lieux» sont ceux que j'explore, les repères géographiques de mon *Odyssée*. Ce sont aussi mes «Mille Lieux» intimes, ceux qui nourrissent l'imaginaire du public (*fig. 3, fig. 6, fig. 9, fig. 20*). Pour préserver cet idéal de liberté, jusqu'où est-on prêt à aller? En définitive, cette limite, c'est l'œuvre qui la montre.[105]

4.4 L'éthique de la résistance

Lorsqu'un artiste hésite à employer le mot «carrière» le concernant, *le complexe d'Ulysse* parle. C'est qu'il est venu à l'art pour des raisons qu'il juge existentielles; pour la signifiance que donne à sa vie le fait de poser des gestes de nature artistique.[106] Il sait que cette entreprise sera difficile, mais il a envers l'art un idéal élevé. Cet idéal est d'ordre moral : le choix de vivre et de promouvoir des valeurs artistiques n'aurait, selon cet idéal moral, rien à voir avec l'idée marchande que véhicule le mot «carrière».

L'existence d'une telle résistance à la terminologie socio-économique indique que cette réalité de la pratique artistique est bel et bien, intimement, une source de conflit. Elle l'est en fait de manière permanente. De plus, cette résistance nous montre d'emblée le sujet artiste comme sujet *moral*, rend tangible la dimension éthique de son engagement dans la sphère artistique.

De la même manière, nous entendrons des artistes dire : «Moi, je ne fais pas de politique». J'espère avoir suffisamment démontré qu'il est matériellement impossible de faire de l'art sans faire de politique. Il est possible que l'artiste veuille se distancier de la chose politique qu'il considère probablement vulgaire ou hypocrite. Cela montre une posture morale décisive : la signifiance qu'il accorde à l'œuvre, au-delà du politique. Cependant, c'est oublier que l'art est toujours la marque d'une liberté individuelle en action, que là réside véritablement la nature politique de l'acte artistique.[107] Et cet acte sera d'autant plus significatif politiquement qu'il aura rencontré d'obstacles sur son parcours. Ici, encore une fois, je reprendrai les mots d'Éluard... «Ah! Le dur désir de durer!»... ce qui sous-entend tout ce qu'il faut de persistance pour mener l'œuvre à sa présence achevée dans l'espace public. «Là le temps ne peut servir de mesure, nulle année ne compte, dix ans ne sont rien», dit encore Rilke.[108] L'exigence artistique est, d'abord et avant tout, une exigence éthique.[109]

4.5 Paroles ailées[110]

Un geste artistique est toujours politique dans la mesure où l'artiste travaille l'espace public, l'occupe, y délimite un territoire et entre en relation avec le public par ce biais. Un artiste est un interlocuteur, au moyen d'une œuvre. Par là, il transmet des valeurs : ses propres valeurs, ce qu'il considère bon, juste, respectable, nécessaire. C'est véritablement dans cette rencontre entre l'artiste et le public que s'incarnent des valeurs et que se mesure l'authenticité de l'œuvre. Cela, même l'expert a besoin de le vérifier. Il sait que l'esthétique n'est pas suffisante ici pour juger de la qualité d'un artiste. Il aura besoin pour ce faire d'évaluer la congruence de l'artiste à son œuvre, d'évaluer la signifiance que prend l'œuvre dans la vie de celui-ci et qui est à *mille lieues* de sa «signification»[111]. *La gravité des mots* du sujet artiste touche toujours le public. Par elle, l'œuvre prend une résonance nouvelle... Au-delà du spectacle. Au-delà du mythe (*fig. 5*).

Ulysse se présente au roi Alcinoos et à ses sujets, réunis dans la grande salle du palais. Il lance ces paroles ailées : «Je suis Ulysse, fils de Laërte; par mes ruses j'intéresse tous les hommes et ma gloire atteint le ciel. Maintenant, je vais te raconter... le retour aux mille traverses»[112].

[81] «Carnet d'Ulysse no.4. L'Odyssée, ou le désir des lamentations», *Art Le Sabord*, *No. 57*, automne 2000, p. 40-42.

[82] J'ai été très frappée par cette formule d'Homère, manière subtile d'évoquer cet état ou l'adulte éprouve le besoin irrépressible de pleurer comme un enfant. Ulysse nous apparaît ainsi à certains moments comme un être fragile, reconnaissant son impuissance et son désespoir. En permettant au «cœur viril» d'exprimer son chagrin, Homère rend son héros plus attachant, mais aussi beaucoup plus complexe.

[83] *Od.*, Chant X : 309-394 (p. 151-152).

[84] Raymond Cloutier (1999), *Le beau milieu*, Montréal : Lanctôt. Acteur et écrivain, l'auteur dénonce, entre autres, la politique de surproduction des théâtres institutionnels et les conditions de travail des comédiens. En 2001, le chroniqueur de théâtre Hervé Guay reprend son argument, selon lequel au Québec en théâtre, par le système de subventions en place, «il est plus facile de produire que de diffuser», d'où «l'effet d'emballement». «Un nouvel auteur est-il vraiment servi quand sa création se retrouve deux ou trois semaines devant un public avant de se retrouver aux oubliettes?» «Diffuser, c'est trop dur», *Le Devoir*, 5 septembre, p. B7. Or nous le verrons, cette surproduction se retrouve dans tous les domaines artistiques : édition, danse, musique, et bien entendu, arts visuels.

[85] Est-il nécessaire de rappeler toutes les études et commissions consultatives ayant porté sur ces questions, ne serait-ce qu'au Québec et ce dans les vingt dernières années? On n'a qu'à feuilleter le célèbre rapport Arpin ((1991), *Une politique de la culture et des arts*, Québec : Le Groupe-conseil sur la politique culturelle du Québec), ou encore, le rapport Cardinal ((1995), *Étude sur les arts visuels*, Québec : Rapport commandé par le ministère de la Culture et des Communications au Groupe-conseil) pour constater que, quelques commissions de la culture plus tard, les conditions de la pratique artistique sont à peu près inchangées et que, du point de vue des arts visuels, la situation s'est même détériorée : «On peut supposer que l'absence de priorité manifeste dans ce Rapport (Cardinal) a été un indice du manque de priorités du milieu lui-même face aux questions soulevées. Le champ des arts visuels est actuellement le plus fragile parmi les autres domaines de création artistique; la diffusion des œuvres, à l'intérieur et à l'extérieur, est faible et les artistes du Québec sont en général peu diffusés et peu connus sur la scène canadienne». Rose-Marie Arbour (1999), *L'art qui nous est contemporain*, Montréal : Artextes, p. 114. Avec les danseurs, les artistes visuels sont actuellement les plus pauvres de toute la colonie artistique, toutes sources de revenus confondues. Déjà, au moment où je réfléchissais à la possibilité de devenir artiste, Michel Ragon (1971) posait une question pour laquelle je n'ai pas cessé de chercher des réponses depuis : *L'art : Pour quoi faire?* (Bruxelles : Casterman). S'il est une question qui se pose régulièrement à l'artiste, tant de la part d'experts que du grand public, c'est bien celle-ci. Quand la raison économique domine toutes les sphères de l'existence, on constate en effet qu'il n'y a absolument aucune «raison raisonnable» de faire de l'art.

[86] J'aurais dû préciser : «[...] en ce qui concerne le Québec». Ici, la tradition artistique n'a évidemment rien à voir avec celle «des vieux pays». D'ailleurs, une bonne partie des maux de tête artistiques sont directement reliés à cette très jeune culture; ce qu'on a tendance à oublier, sinon à nier, ce qui a des effets beaucoup plus pervers. «Nos élites, qui ont les leviers de la diffusion culturelle en main, se pavanent et se gargarisent alors que les artistes crèvent de faim, que la population baigne dans l'indifférence et que le cirque médiatique fait ses choux gras avec le potinage culturel [...] L'art, qui devait être l'antidote à l'imbécillité et à l'insensibilité, et la culture, ce ferment de toute vraie civilisation [...] ne sont plus maintenant qu'un divertissement pour initiés, un faire-valoir pour tous les petits pouvoirs en place». Raymond Cloutier,

Le beau milieu, p. 136. Hervé Guay (2001) ajoute : «À la sélection «naturelle» qui prévaut actuellement, il est permis de suggérer un peu plus de largeur de vue. La question demande, au surplus, une inventivité qui vise sans cesse à élargir le cercle. «La démocratisation de la culture, a écrit avec justesse Lise Bissonnette, est un rêve de justice». Au préalable, la justice suppose que chacun ait la chance de se faire entendre convenablement» (*Diffuser, c'est trop dur*, p. B7). Moi je demande : «Qui paye le prix pour ce rêve de «justice culturelle»?»

[87] «Ah! La joie de créer dans la joie de créer dans la joie de créer dans la joie de créer. La création est une médiocratie gouvernée par des rêveurs. Il n'y a rien de pire. Au prix des vitamines et de l'homéopathie, les artistes ont intérêt à avoir une santé de fer. Mais qu'est-ce que vous voulez : un chef-d'œuvre a bien plus de prix s'il a été sorti du chaos à travers une pile de factures impayées. L'art est magie. Le quotidien des artistes est donc auréolé de beauté, de poésie et de chants de sirènes, toutes drogues douteuses». Hélène Pedneault (1992), *Pour en finir avec l'excellence*, Montréal : Boréal, p. 169. Je souligne au passage la métaphore homérique utilisée par Pedneault. Nous verrons dans la suite qu'elle revient régulièrement dans le discours des artistes (*fig. 17*).

[88] Cf. Guy Debord (1996), *La société du spectacle*, Paris : Gallimard; aussi, «Dossier : Guy Debord et l'aventure situationniste», *Magazine littéraire, No. 399*, juin 2001; Anselm Jappe (2001), *Guy Debord*, Paris : Denoël; Marie Claire Lanctôt Bélanger (2001), «La pensée détournée. Pourquoi Guy Debord aujourd'hui?», *Le Devoir*, 29-30 septembre, p. D8.

[89] «Moi artiste, je travaille à faire vivre l'art», ai-je écrit plus haut. C'était un autre glissement. Et maintenant, en voici l'enchaînement (ce que j'ai appris dans le milieu du théâtre) : la moyenne canadienne des revenus des artistes en arts visuels provenant directement de leur travail était, selon Statistiques Canada, de 9000$ / an en 1999, et un artiste sur deux tirait de sa pratique moins de 3,500$ / an. J'ai régulièrement des appels de jeunes aspirants artistes qui me demandent des conseils pour réussir leur carrière. Que dois-je leur dire? Pour ma part, je peux affirmer avoir consacré en moyenne 15,000$ / an depuis plus de quinze ans à financer mon art (atelier, matériaux, représentation, etc.) et ce en multipliant les activités. Même si j'ai eu plusieurs bourses dans ma carrière, j'ai dû la plupart du temps être une femme à tout faire pour, à tout le moins, financer mon art; pourtant, j'ai une pratique relativement économique en comparaison de la sculpture ou de la photographie par exemple. Ajoutons à cela la prétention internationaliste de nos institutions qui poussent la barre toujours plus haut en ce qui concerne l'investissement financier nécessaire pour les productions et ce sans nécessairement avoir les moyens de les financer. Montréal n'est pas New York, ni Paris, ni Hong Kong; les fortunes privées qui supportent les artistes, les galeries et les musées à l'étranger sont à peu près inexistantes ici. Non pas qu'il n'y ait pas de richesse, mais la tradition de collectionneur et de mécénat artistique n'existe à peu près pas au Canada et ce particulièrement chez les francophones (cela, j'ai pu le vérifier lorsque j'étais représentée par Elca London, au début des années 90, dont la clientèle était majoritairement anglophone). Et que dire des artistes qui travaillent en région? Dès lors, je le répète : «Qui paye?» C'est une question tabou pour nos élites, aussi je n'ai pas pu trouver de réponse à cette question, du moins pour le Québec. Mon impression, basée sur mon expérience, est la suivante. Soit ce sont les artistes travailleurs autonomes, soit il y a derrière l'artiste un mécénat quelconque et rarissime, soit ce sont les professeurs en art avec des budgets de recherche universitaire, ce qui est déjà une situation un peu plus confortable d'un point de vue strictement financier. Quand aux bourses et au marché de l'art, j'y viendrai un peu plus loin.

[90] *Od.*, Chant IX : 9-49 (p. 128).

[91] Outre l'étude déjà nommée, Guy Bellavance, Léon Bernier et Benoît Laplante (2000), *Les conditions de pratique des artistes en arts visuels*; et l'ouvrage d'Yves Michaud (1998), *La crise de l'art contemporain*, je suggère quelques autres lectures «inspirantes» : Guy Bellavance *et al.* (2000), *Monde et réseaux de l'art*, Montréal : Liber; Léon Bernier, Isabelle Perrault (1985), *L'artiste et l'œuvre à faire*, Québec : IQRC; François Colbert *et al.* (1997), *Textes choisis : politiques culturelles, 22ème conférence annuelle sur la théorie sociale, la politique et les arts*, Montréal : H.E.C.; Francine Couture *et al* (1995), «Créer à vif», *Possibles*, Vol. 19, No. 3, été 1995; Marie-Charlotte De Koninck, Pierre Landry *et al.* (1999), *Déclics. Art et société. Le Québec des années 1960 et 1970*, catalogue de l'exposition, Québec / Montréal : Musée de la civilisation / Musée d'art contemporain de Montréal / Fides; Raymonde Moulin (1997), *L'artiste, l'institution, et le marché*, Paris : Flammarion; et du même auteur (2000), *Le marché de l'art*, Paris : Flammarion.

[92] Pour certains, les programmes artistiques sont de formidables vaches à lait pour les universités, subventionnées au nombre d'étudiants inscrits (à ce sujet, voir le dossier «L'enseignement du cinéma», in *24 images, No. 109*, hiver 2002, p. 12-27); pour d'autres au contraire, la formation d'un étudiant en art coûterait plus cher que dans d'autres disciplines. On peut quand même se poser la question : si tant de programmes professionnels sont contingentés dans de nombreux domaines, pourquoi faire miroiter à autant d'étudiants la possibilité de faire carrière en art? Et pourquoi n'y a-t-il aucun cours qui prépare concrètement l'étudiant aux réalités de la dite «carrière»? Nos institutions académiques, à ce chapitre, se montrent à mon avis totalement irresponsables face à leur clientèle. À chaque individu l'odieux de porter seul cette situation sur ses épaules, une fois lâché dans un monde qui ressemble fort à celui d'Homère. D'autre part, cette surproduction d'artistes aurait aussi pour effet de standardiser la production artistique; certes, on fabrique de bons techniciens, susceptibles de satisfaire à une certaine demande actuelle — la demande industrielle tout autant que la demande institutionnelle, dans laquelle j'inclus les programmes du 1% de même que les centres d'artistes consolidés depuis une vingtaine d'années. Il suffit d'avoir fait partie de jurys à quelques reprises pour se rendre compte qu'il existe bien, maintenant, un art de masse — le «produit culturel» — extrêmement sensible, comme on peut s'en douter, aux phénomènes de mode. On se prend parfois à chercher dans la masse de soumissions l'originalité, la marginalité, la force singulière d'une signature et la pertinence. Lorsqu'on est un professionnel inscrit dans son milieu depuis plusieurs années, on se retrouve sur une multitude de listes d'envois et l'effet d'uniformisation et d'artificialisation des pratiques, comme la nécessité médiatique de les rendre toujours plus spectaculaires, y devient avec l'expérience clairement perceptible. Un bon artiste mettrait-il plus de temps et d'énergie qu'il y a quarante ans pour se démarquer et faire la différence? Quoi qu'il en soit, il est certain qu'il devra attendre que bon nombre se découragent et abandonnent; et à feuilleter les revues d'art québécoises des vingt dernières années, ce phénomène d'élimination rousseauiste est également très clairement perceptible. Bref, non seulement il lui faudra être un Ulysse aux Mille Ruses, mais aussi et surtout, «l'endurant» et «le patient» Ulysse. Et pour y parvenir, il lui faudra, soit s'exiler, soit développer une très grande polyvalence comme une très grande force morale. C'est d'ailleurs à ces *Ulysse* qu'on remettra le prix Borduas... dont l'un, à la trajectoire exemplaire, s'est appelé justement «Ulysse» Comtois (cf. Manon Blanchette (1998), *Ulysse Comtois 1952-1982*, catalogue de l'exposition, Montréal : Musée d'art contemporain de Montréal; Claire Gravel (1989), «Ulysse Comtois : désobéir», *Le Devoir*, 4 mars, p. C11; et Bernard Lamarche (1999), «Ulysse Comtois n'est plus», *Le Devoir*, 13 juillet, p. B8).

[93] «Et personne, de tout ce beau monde, n'est en mesure de négocier quoi que ce soit, si ce n'est une augmentation symbolique. Il y aura toujours quelqu'un d'autre pour le remplacer s'il a trop d'appétit. Suivra un long purgatoire d'où il ne reviendra que la tête basse et à moindre cachet». Raymond Cloutier, *Le beau milieu*, p. 33. Cette forme de chantage est non-explicite, mais pratique courante. L'artiste n'a à peu près aucun pouvoir de négociation et, faute d'avoir vécu d'autres types d'expérience professionnelle, très souvent, il ne s'imagine même pas que la situation pourrait être différente. C'est d'ailleurs de cette manière que l'exploitation des artistes s'érige en système et ce à tous les stades d'évolution de leur carrière et à tous les niveaux d'organisation.

[94] Dans les vingt dernières années, on a vu arriver des politiques natalistes, des politiques d'équité salariale, des politiques d'intégration des minorités visibles etc. à partir d'une prise de conscience collective de situations d'injustice. Face à la situation des artistes en général, le CALQ (Conseil des Arts et des Lettres du Québec) a une portée très limitée, étant distinct du ministère de la Culture et des Communications, et c'est précisément là où le bât blesse présentement. En fait, plusieurs ministères sont concernés (impôts sur le revenu, industrie et commerce, éducation, tourisme, normes du travail, etc.) et devraient mener une action concertée. Pour cela, il faut un Premier ministre qui considère qu'il y a, effectivement, un problème structurel suffisamment grave pour qu'on mobilise le Conseil des ministres. Pour ma part, j'ai déjà entendu de la bouche du Premier ministre actuel (Monsieur Bernard Landry) qu'en «situation de libre marché, il est normal que les artistes aient de la misère». Bref... Je suis une américaine avec des aspirations françaises.

[95] Les revendications pour une amélioration des conditions de la pratique artistique sont en général perçues comme corporatistes et le plus souvent dénigrées, tant par de nombreux fonctionnaires et gestionnaires culturels en place que par les autres corps de profession œuvrant dans le domaine artistique. Déjà en 1969, Donald Judd faisait cette critique acerbe du «beau milieu» américain, modèle que notre société a très certainement importé : «Un nombre relativement restreint d'artistes plasticiens, eux-mêmes peu soutenus, supportent par leur travail une vaste superstructure de musées, de conservateurs, de départements d'art, d'enseignants, de critiques, quelques historiens de l'art, quelques architectes, des financiers, un peu d'art commercial etc. L'art contemporain n'est qu'un alibi pour leur activité et pour l'énorme enjeu financier. Toutefois peu de gens se sentent assez concernés pour aider la création d'œuvres d'art contemporain [...] Les artistes pourraient peut-être prélever un impôt sur ceux qui vivent de l'art, comme les professeurs d'art d'Albert Shanker». Donald Judd (1991), «Quelques griefs», in *Écrits, 1963-1990*, Paris : Daniel Lelong, p. 39. Pour ma part, j'ai toujours pensé qu'il devrait à tout le moins y avoir création d'un fonds de solidarité et d'une caisse de retraite pour les artistes : va pour travailler comme un «déchaîné» toute sa vie, mais à soixante ans, un artiste dont la contribution est reconnue sur le plan national devrait pouvoir compter sur un minimum de sécurité de revenu. D'autre part, le statut de «travailleur autonome» cache une autre réalité, nouvelle celle-là, et qui concerne spécifiquement le Conseil du trésor et le ministère du Travail. Josée Blanchette (2002) résume en ces termes : «De 15,5% à 25% de la main-d'œuvre québécoise [...] assume les coûts de ses vacances [...], de la maladie occasionnelle ou accidentelle, des congés parentaux et des assurances tous risques, encaisse des salaires qui n'ont souvent pas bronché depuis dix, quinze ou vingt ans, affiche un silence poli devant les abus de certains employeurs qui les tiennent par les couilles. Le silence est l'un des rares privilèges qui restent aux autonomes et aux contractuels; on les musele avec l'insécurité tout en leur tendant le nanane de la liberté». En fait, Blanchette, qui s'appuie sur l'ouvrage de Jean-Sébastien Marsan (2001), *Devenir son propre patron? Mythes et réalités du nouveau travail autonome* (Montréal : Écosociété), n'hésite pas à parler «d'esclaves auto-gérés»

(«Le mythe de la liberté», *Le Devoir*, 5 avril, p. B1). Quel est le lien avec la pratique artistique, qui de tous temps me dira-t-on, fut précaire? C'est que l'absence actuelle de toute règlementation en ce domaine permet à l'industrie culturelle comme à la plupart des institutions artistiques de se soustraire à toute forme de responsabilité et de charge sociale face aux artistes et ce en prétendant «défendre» la création contemporaine. Je rêve de créer une «banque nationale» de récits des horreurs à ce chapitre, mais il faudrait pouvoir, individuellement et collectivement, briser le mur du silence actuel qui est un signe tangible d'aliénation. Lorsque la honte est à ce point intégrée, par où commencer?

• [96] «En tout cas, je le répète, c'est le système tout entier qu'il faut *contester*». Antoni Tàpies (1974), *La pratique de l'art*, Paris : Gallimard, p. 205. Pour certains, il n'est plus possible de penser en terme de «système», qui serait un discours de gauche passéiste. Ce faisant, on risque fort de démissionner complètement. Aussi bien voter pour — après la fin de Dieu et la fin de l'art — la fin de la démocratie. Il ne nous restera plus par la suite qu'à liquider l'amour (nous sommes d'ailleurs bien partis, à voir le sort qu'on réserve aux enfants et aux personnes âgées par exemple).

• [97] Ici, c'est la notion de «travailleur culturel», nouvelle dans le discours des artistes — principalement ceux qui tirent leurs revenus stables des centres d'artistes — que je remets en question. Pour moi qui ai travaillé assez longtemps en milieu carcéral, cette notion est un symptôme évident d'institutionnalisation. Quant aux bourses, qui visent «sur papier» à donner une certaine liberté de création, on pourrait les comparer à l'effet placebo des pilules en sucre si on prend en considération les conditions de l'ensemble du milieu artistique. Sans vouloir les discréditer ni souhaiter leur abolition, il faut admettre cette réalité que, même chez les meilleurs artistes, les bourses n'arrivent qu'occasionnellement dans une carrière et, très souvent, servent à «rem / bourser» une partie des dettes accumulées depuis plusieurs années. De plus, si certains croient que les artistes dits «internationaux» obtiennent automatiquement des bourses, cela est faux, parce qu'eux-mêmes se bousculent aux portes des «Bourses A». En fait, mieux un artiste gravit les échelons de la qualification à travers les divers paliers de bourses, plus en général ses coûts de production augmentent et plus ses chances d'en obtenir une à des échelons plus élevés se raréfient. C'est là le principe de l'entonnoir qui fut si «durement» décrit par Pierre Bourdieu (1979), dans *La distinction. Critique sociale du jugement*. Paris : Minuit. En 1999-2000, le CALQ aurait remis 957 bourses sur plus de 3000 demandes. Pour ce qui concerne spécifiquement les arts visuels, 24% seulement des demandes ont été acceptées. L'âge moyen des boursiers était de 35 ans, et 68% venaient de la région de Montréal. 57% des bourses furent attribuées à des artistes de la relève (moins de dix ans de carrière), contre 43% pour *tous* les autres niveaux d'âge. En clair, cela signifie que si l'on donne sa chance au «coureur» en début de carrière, on l'abandonne progressivement avec les années, s'il ne l'a pas déjà fait de lui-même (cf. Stéphane Baillargeon (2002), «Le CALQ aide de plus en plus d'artistes», *Le Devoir*, 24 janvier, p. B8). Comme pour toute enquête statistique, ces chiffres ne reflètent certainement qu'une vision très parcellaire de la réalité et, distribués par le CALQ, constituent aussi une stratégie de défense des pratiques étatiques face aux critiques potentielles. Combien d'artistes fatigués de remplir des demandes de bourse cessent de le faire? Combien sont-ils réellement (certainement plus de 3000 si l'on en juge par le nombre de finissants en art qui sortent chaque année de nos cégeps et universités, sans compter les autodidactes). Quelles pratiques, quelles tendances esthétiques sont favorisées au détriment des autres? Jusqu'à quel point les critères de diffusion et de visibilité médiatique jouent-ils? Jusqu'à quel point leur lieu de pratique intervient-il? Qui sont les jurys, qui les nomment et comment, et quels sont les critères réels de sélection? Cela, la dernière commission de la culture a montré qu'il est impossible de le savoir. Après des années de stagnation, les budgets du CALQ auraient commencé à augmenter dans les années 90; cependant, le Mouvement pour les Arts et les Lettres du Québec considère que ces budgets sont nettement insuffisants face aux besoins réels — *puisque les artistes sont toujours pauvres*. Or c'est d'un ensemble de mesures diversifiées dont le milieu a besoin, et la principale critique qu'on puisse faire à ce mouvement est justement de maintenir une vision de l'art «sous perfusion étatique» comme le fait remarquer Baillargeon. Quelques millions de plus dans un «organisme-débarras» pour le gouvernement ne règlent en rien les problèmes structurels auxquels le praticien est confronté quotidiennement. Pour soutenir réellement la création sans qu'elle soit à ce point dépendante de la générosité — toujours médiatisée et opportuniste — de l'État, toutes sortes de mesures ont déjà été évoquées, dans diverses commissions par le passé, telles les déductions fiscales pour l'achat d'œuvres d'art par exemple; ce qui aurait eu pour effet d'opérer une réelle, et profonde, démocratisation culturelle. Rien n'a été fait en ce sens, et on a assisté dans les années 80 et 90 à une véritable hécatombe des galeries d'art contemporain à Montréal — une ville «internationale», clame-t-on... pendant que quantité de médecins ou autres professionnels se faisaient arnaquer par de prétendus galeristes qui exploitaient leur manque de culture artistique, ruinant leur confiance et leur réelle ouverture d'esprit. Les galeries privées qui se consacrent à l'art contemporain sont pourtant les seules, dans tout le milieu, à soutenir des artistes dans le long terme et à encourir de véritables risques financiers; elles devraient normalement prendre le relais des centres d'artistes, laissant à ceux-ci le soin de présenter la relève. Or ce n'est plus le cas aujourd'hui. Nombre d'artistes en mi-carrière se bousculent aux portes des centres d'artistes et des centres d'exposition; et ceux-ci, par souci de bien faire au point de vue médiatique, sont tout fiers de les accueillir... de temps en temps : une ou deux locomotives donnent de la crédibilité aux centres pour le reste de l'année. Alors qu'ils ont mis des années à développer leur art et mériter leur réputation, les artistes en mi-carrière et les artistes *senior* font aujourd'hui les frais de cette absence gouvernementale de vue à long terme. Si le «développement durable» existe pour le tourisme et l'agriculture, pourquoi n'existe-t-il pas en art?

[98] «Les artistes eux-mêmes et pas seulement le public, sont modifiés par la valorisation de la publicité à laquelle travaille la propagande culturelle. Ils sont eux aussi conduits à penser que la publicité prévaut sur le contenu de l'œuvre. Et ils sont conduits à subordonner, non plus la publicité à la nature de l'œuvre une fois celle-ci faite, mais l'œuvre elle-même au moment de la faire, à la publicité à laquelle elle se prêtera à donner lieu». Jean Dubuffet, *Asphyxiante culture*, p. 30. Ce faisant, ils collaborent inconsciemment à leur instrumentalisation. C'est le lot de la plupart des jeunes artistes; et je considère que c'est normal. Mais c'est d'autant plus suspect comme attitude à mesure qu'un artiste avance en âge et que sa pratique est considérée comme «mature».

[99] Déjà en 1987, Rober Racine, l'un des artistes québécois les plus respectés de ma génération, faisait le constat suivant : «Mon propos n'est pas ici d'entreprendre une histoire de l'éphémère via ses héros ni de dresser l'illusoire historique d'un genre qui serait celui d'œuvres passagères à jamais disparues. Non. Je souhaite simplement m'adresser à chaque personne tentée ou intéressée par cette démarche légitime et quelque part tragique, qu'est la réalisation d'une image flouée : l'installation. Mener une réflexion vue et sentie de l'intérieur; penser qu'un être puisse avoir pour seule œuvre celle d'avoir fait et défait publiquement sa création. Dans ces conditions, extrêmes, on est en droit de se demander pourquoi, au sein d'une société dite civilisée, un artiste lucide, poursuivant un dessin louable et n'ayant bien souvent que peu de moyens d'actions véritables décide d'investir temps et argent dans une telle forme d'art, c'est-à-dire de créer et présenter, le temps de quelques semaines une œuvre qui dès le départ se *sait vouée* à la destruction. Ainsi, par l'installation, l'œuvre d'art devient un manuscrit qui jamais ne sera édité. Pire : il sera effacé. Il redeviendra page blanche. Que faut-il faire devant une œuvre qui, *faute d'espace*, doit disparaître? [...]

Lorsque l'artiste aura annulé son travail à satiété, le spectateur et le musée / galerie iront voir d'un autre côté. Ils voudront voir, consciemment ou non, comment un autre fait pour disparaître avec efficacité. On encourage l'oubli et encouragé, cet oubli se recrée constamment, et ce, de toutes les manières inimaginables. Une collectivité qui encourage, tacitement, un artiste à créer une œuvre qu'il devra obligatoirement détruire dénote sinon un relâchement du moins un pas vers la vacuité. L'apathie quasi générale n'est pas étonnante en ce cas; on passe son temps à détruire sa propre création. Comment peut-on espérer avoir une identité et une culture qui nous soient propres? L'installation [...] ne sera jamais une œuvre vigilante et près de nous [...] Dans une telle perspective le monde imaginaire de l'artiste n'est pas essoufflé, mais pire : on ne cesse de lui couper le souffle». «Créer à rebours vers le récit», *Parachute, No. 48*, automne 1987, p. 33-35. On connaît la suite. Rober Racine se consacrera aux *Pages-miroir*, puis à la littérature.

[100] «Tout comme le mot «public» ne semble pas convenir au musée, le mot «commande» semble encore plus étranger à l'idéologie muséale. Sous-entendu qu'un artiste qui y expose ne saurait en aucun cas répondre à un ordre. Du moins c'est ce que l'on croit généralement et surtout, ce que l'idéologie dominante entretient! [...] Il serait plus juste d'ailleurs de parler de liberté surveillée sous commandement implicite». Daniel Buren (1998), *A force de descendre dans la rue, l'art peut-il enfin y monter?*, Paris : Sens et Tonka, p. 21. À mesure que l'on gravit les échelons de la reconnaissance professionnelle institutionnelle et ce à travers les divers programmes de subvention — de «bourse de projet», à «Bourse B» à «Bourse A» par exemple — les bourses sont attribuées en fonction des possibilités de diffusion des œuvres et de visibilité pour l'artiste, plutôt que de leur création. De sorte que l'artiste est poussé à créer «pour un lieu» et que l'importance du lieu aura une influence certaine dans l'attribution de la bourse; lieu qui, par ailleurs, est lui-même déjà hautement surveillé par le ministère au chapitre de la fréquentation et des sources d'autofinancement; lieu qui est également en compétition féroce avec les autres pour ses propres subventions, d'où l'importance de la couverture médiatique et de la pressurisation vers le spectaculaire. Cela peut sembler invraisemblable aujourd'hui pour un jeune artiste, mais j'ai connu à mes débuts des jurys qui faisaient le tour des ateliers de façon à prendre contact directement avec l'œuvre, l'artiste, ses projets; à ce moment, on favorisait réellement la création plutôt que la diffusion. Aujourd'hui, on procède à l'envers, tout simplement parce que les artistes, arrivés en haut de la pyramide, sont encore trop nombreux. Le principe d'«autonomie de l'art» est par conséquent une notion absolument archaïque dans la pratique. Et, quelque part, de très nombreux artistes sont devenus, sans le savoir, de bons petits soldats : rien ne m'irrite plus par exemple que la pratique *généralisée* des «appels de projets», des «soumissions aux expositions thématiques», aux festivals de l'art «sur le trottoir» ou aux festivals «de la Culture». Je rêve d'une étude sociologique qui viserait à cerner ce que les artistes ont réellement envie de faire, indépendamment des impératifs actuels de la diffusion. Gageons qu'on privilégierait une pratique de l'intime plutôt que du grand déploiement, des pratiques modestes comme le dessin, la peinture, le modelage, plutôt que l'installation, de plus en plus coûteuse... Il faudrait peut-être, pour ce faire, étudier de manière attentive l'ensemble des demandes de bourse «refusées». Quoi qu'il en soit, l'institutionnalisation de l'art est à ce point prégnante au Québec qu'il m'apparaît difficile aujourd'hui d'envisager un retour du pendule. D'un autre côté, l'auto-production d'une exposition par un artiste, comme la recherche de nouveaux marchés, est irrecevable, quand elle n'est pas tout simplement méprisée, au même titre que le livre à compte d'auteur dans le milieu littéraire. La seule manière d'y remédier serait à mon avis l'injection, par différents incitatifs fiscaux, de fonds privés, qui donneraient plus d'indépendance à la création; du moins, qui procureraient une variété d'alternatives à la perfusion étatique et permettraient de contrebalancer les effets pervers du système.

[101] «Et l'on veut tellement travailler, survivre dans notre moyen d'expression, qu'il vaut mieux accepter tout ce qui passe. En grugeant à gauche et surtout à droite, on finit par se faire à l'idée que l'épuisement, la pauvreté, le mépris sont le lot normal des artistes même s'ils pratiquent l'art le plus populaire au Québec et que cet art fait si bien vivre tant de monde autour du plateau». Raymond Cloutier, *Le beau milieu*, p. 33. Le mot-clé est ici : aliénation de toute une classe de producteurs dits «culturels». La preuve en est que ce sujet est absolument tabou — particulièrement dans les chaires universitaires et dans la fonction publique — et que ceux qui osent en parler sont irrémédiablement perçus comme des «idéalistes», des «frustrés» ou des victimes «normales» du «désenchantement». D'où le silence des artistes, qui ont trop peur de se faire dire que leur œuvre est «nulle» de toute façon. J'ai pour ma part travaillé dans les centres d'artistes, les galeries municipales, les centres d'exposition régionaux, les galeries privées et même au musée. Je l'ai fait aussi à plusieurs reprises en France et aux États-Unis. Mon constat est le suivant : pour ce qui concerne les arts visuels du moins, plus les critères de professionnalisme sont élevés, plus on gravit les échelons de la reconnaissance institutionnelle, plus forcément la production coûte cher et plus les cachets sont bas, quand ils ne sont pas tout simplement inexistants. On appelle cela «travailler pour l'honneur». Je donne ici un exemple et c'est le ministère de la Culture et des Communications que j'interpelle pour son absence de cohérence : pourquoi ai-je reçu un cachet de 500$ pour une exposition solo d'une durée de trois mois, au Musée d'art de Joliette en 1998, ayant été vue par plus de 3000 personnes et comprenant une rencontre du public; et un cachet de 1200$ dans un centre d'artistes de Kingston en 2002, pour une exposition de trois semaines ayant reçu au plus trois cents visiteurs? Pourquoi ai-je reçu récemment un cachet de 400$ dollars pour une exposition en trio dans un autre centre d'artistes, la Galerie Verticale Art Contemporain, d'une durée elle aussi de trois semaines, alors que tout au plus vingt personnes assistaient au vernissage et que le public rejoint sera probablement de deux cents visiteurs? Pourquoi la Maison des Arts de Laval, un centre d'exposition désormais «accrédité» par le ministère, dans la deuxième plus grande ville du Québec, m'invite-t-elle à présenter une rétrospective de dix années de travail sans avoir de cachet pour moi, mais se disant capable de trouver 1000$ pour un commissaire? Pourquoi la Galerie d'art d'Outremont, l'une des villes les plus riches sur le territoire de Montréal (c'était avant les fusions), n'a-t-elle toujours pas de cachet pour les artistes? Ni, non plus, la Bibliothèque nationale du Québec? Je souligne que ces lieux sont réservés à des «professionnels» et qu'on ne veut certainement pas y présenter des «amateurs». Si je pousse la logique jusqu'au bout — à supposer qu'il y en ait une — je devrais faire le tour des centres d'artistes *à perpétuité* pour être payée décemment; lieux dont le grand public ignore à peu près l'existence. Or, ce grand public, il est extrêmement important à mes yeux et je désire le rejoindre. Ajoutons que toute exposition se produit avec un minimum de frais : des frais de dossier visuel, d'encadrement et de transport par exemple, et, très souvent, des frais de séjour. Une bonne exposition ne se monte pas en une heure! Comme le souligne Donald Judd (1991) et, encore une fois, c'est le système américain que je mets en évidence ici : «Les musées semblent toujours faire une faveur à l'artiste en montrant son travail. C'est déjà un honneur de travailler dans cette entreprise, on ne va pas en plus demander une augmentation... Les musées voudraient qu'on leur fasse don des œuvres, ou les payent à bas prix, parce qu'après tout c'est vous qui êtes demandeur. Il n'y a pratiquement jamais le moindre soutien ni la moindre manifestation d'intérêt pour la création des œuvres. Lorsqu'un objectif est avancé, c'est toujours la pédagogie, l'éducation du public. Les musées sont du *show business* payé par les artistes et les marchands. Les musées traitent les artistes avec condescendance, les isolent et les neutralisent» (*Écrits, 1963-1990*, p. 40). Connaissant de nombreux artistes *senior*, je peux dire que cette condescendance est extrêmement difficile à vivre lorsqu'on est rendu en principe au maximum de son art et au niveau de reconnaissance le plus élevé. Ici, le «roi» Ulysse est, encore une fois, transformé en mendiant.

[102] «L'accessibilité à la culture est inscrite dans le premier article de la Constitution française. Ici, c'est encore un loisir pour petit-bourgeois initié, une sortie divertissante pour meubler la conversation, un désennui, un passe-temps. Pas étonnant que le discours soit plus industriel qu'éducationnel» (Raymond Cloutier, *Le beau milieu*, p. 134). Josette Féral posait déjà très clairement le problème en 1990, chiffres à l'appui, dans son essai d'économie politique du théâtre : *La culture contre l'art*, Montréal : Presses de l'UQAM.

[103] A la lumière de la situation que je viens de décrire et sur laquelle il y aurait encore beaucoup à dire, force est de constater que la quête artistique est définitivement une «quête héroïque», à la fois par ses conditions d'exercice dans le réel, à la fois comme construction imaginaire et symbolique. Il n'est pas un artiste qui ne se sente, dans la vie ordinaire, un héros de l'«Art»; et cette opinion est partagée par une très grande partie de la population, consciente des difficultés de la pratique, mais également, toujours fascinée par elle et préférant se laisser séduire par une belle histoire. Qu'est-ce qu'une quête héroïque? «La poursuite palpitante d'un but réel ou imaginaire constitue l'intrigue de bons nombre de contes. Ce but n'est pas toujours le plus intéressant de l'histoire et peut même sembler ennuyeux, voire insignifiant, mais il sert néanmoins à aiguillonner le voyageur en chemin. D'autres, comme par exemple le Graal, semblent hors de portée, mais servent de symboles attractifs. L'impulsion est quelquefois romantique, comme lorsque Culhwch entreprend de trouver la belle Olwen; intéressée, comme quand Geraint venge une offense; ou inspirée par un idéal et des visions d'un autre monde, dans le cas de Peredur, d'Owain et des Chevaliers de la Table Ronde. Quel que soit le but recherché, cette quête utilise une magie qui lui est propre, conduisant le héros par des chemins insoupçonnés, d'aventures en découvertes. En route, il se fait de nouveaux amis ou compagnons de voyage, apprend l'indispensable et entrevoit de nouvelles quêtes encore plus séduisantes» (Arthur Cotterell (1996), «La mythologie celtique» *in Encyclopédie de la mythologie*. Paris : Celiv, p. 156). Or s'il est vrai que la vie d'artiste fournit sa part de rêve, j'ai connu aussi un très grand nombre de contes artistiques qui ont très mal fini. Suicide, «burn-out», dépressions sévères, toxicomanie, pauvreté inacceptable malgré la notoriété, extrême solitude et dépérissement général de la personne, les malades de l'«Art» sont légion; mais ce conte-là, personne ne veut l'entendre. Et la clinicienne en moi se révolte, car de la prévention et de l'aide pour ces gens — qui ne sont pas syndiqués et n'ont pas d'employeur qui paye pour des programmes de soutien — il n'y en a aucune. À quand un «fonds de solidarité» pour les artistes? À quand une formation politique et des stages obligatoires dans les programmes d'éducation artistiques? À quand une «union» obligatoire pour tous les artistes professionnels? À quand des politiques décentes et uniformisées de cachets? À quand une politique des dons d'œuvres d'art qui ne fasse pas que l'affaire des professeurs en art? À quand une politique du «patrimoine intangible» qui permette à des artistes confirmés de mourir dans la dignité et le respect d'eux-mêmes? Sinon, à quand l'abolition de la dénomination «artiste professionnel» puisque celle-ci n'a aucun ancrage dans la réalité? Aucune corporation ni aucune déontologie dignes de ce nom?

[104] Rainer Maria Rilke (1990), *Lettres à un jeune poète*, Lausanne : Bibliothèque des Arts, p. 27-32.

[105] Ayant eu une pratique artistique très polyvalente, mon médium d'élection est toujours demeuré la peinture en raison, notamment, de l'autonomie et de la liberté de création qu'elle me permettait de conserver. Si la peinture peut être, comme je l'ai montré dans le premier carnet, *résistance* au langage et à l'interprétation, elle est aussi, par l'économie de ses moyens, *résistance* à une institutionnalisation de l'art, à une industrialisation et une mondialisation culturelle croissantes. Par exemple, mes toiles monumentales n'ont pas de châssis, ce qui veut dire que je les transporte moi-même, aussi bien ici qu'à l'étranger, et que leur coût d'entreposage est faible. Une exposition peut tenir toute entière dans un étui à skis et ce

depuis 1995 : ce qui ne manque pas d'impressionner comme d'amuser les techniciens et les coordonnateurs à chaque fois que la *Ulysse* débarque quelque part... Un système d'œillets et de baguettes me permet de les installer n'importe où, et leur permutabilité me permet d'en varier l'installation selon l'architecture du lieu (ce que les diverses variantes de l'exposition itinérante *Paroles ailées* (2000-2002) ont montré, cf. *fig. 20, fig. 26, fig. 27, fig. 30*). J'ai refusé depuis plusieurs années de faire semblant que j'étais riche, d'engloutir des sommes faramineuses afin de satisfaire les goûts luxueux d'une intelligentsia qui se fiche de mes conditions de travail; et il est fort possible qu'à cause de cette micropolitique, je paie le prix du point de vue de la dite «carrière». Mon pari artistique demeure celui-ci : créer les effets les plus saisissants et procurer au public une expérience esthétique marquante, avec très peu de moyens, qui sont les moyens réels d'une artiste vivant et travaillant de manière vraiment autonome au Québec.

[106] «[...] La plupart des actrices et des acteurs ont envahi la scène par besoin d'amour et, tant que la machine à vanité occultera la machine à créer du sens, le beau milieu pataugera dans la même vacuité». Raymond Cloutier, *Le beau milieu*, p. 130. Seul un artiste qui a participé à «la guerre de Troie» peut, malheureusement, arriver à ce constat.

[107] «La liberté n'est pas seulement l'un des nombreux problèmes et phénomènes du domaine politique proprement dit, comme la justice, le pouvoir ou l'égalité; la liberté, qui ne devient que rarement — dans les périodes de crise ou de révolution — le but direct de l'action politique est réellement la condition qui fait que des hommes vivent ensemble dans une organisation politique. Sans elle, la vie politique comme telle serait dépourvue de sens. La raison *d'être* de la politique est la liberté, et son champ d'expérience est l'action». Hannah Arendt (1972), *La crise de la culture*, Paris : Gallimard, p. 190.

[108] Rainer Maria Rilke, *Lettres à un jeune poète*, p. 45.

[109] «Résister donc, dans le champ du politique et dans le champ de l'artistique, telle serait l'urgence en cette fin de siècle! Cette nécessité n'implique pas la fondation et la mise en actes d'un programme *tout fait* (prêt à utiliser / à imposer), mais suppose une clairvoyance méthodologique, donc politique, propre à pointer des possibles en devenir, déjà là ou en instance d'apparaître au cœur des contradictions / fissures du réel établi. La réponse à un tel défi passe notamment par l'analyse de la diversité des postures résistantes [...]». Jean-Marc Lachaud (1998), «Critique, utopie et résistance», in Lydie Pearl *et al*, *Nouvelles études anthropologiques. Corps, art et société*, Paris : L'Harmattan, p. 320.

[110] Chez Homère, les «paroles ailées» sont des paroles senties, souvent au caractère solennel, prononcées publiquement. En d'autres termes, elles engagent socialement le sujet qui les prononce : elles s'envolent, s'élèvent, portent un message, comme les oiseaux pour l'oracle. Cette expression m'a frappée dès le début de ma lecture et est devenue progressivement un opérateur dans ma création actuelle, aussi bien visuelle que littéraire ou performative, jusqu'à devenir un concept : le titre et le contenu d'une exposition itinérante au Québec et en Ontario. En plus des manifestations publiques mentionnées précédemment, une version bilingue fut créée (à partir des traductions anglaises de l'*Odyssée* qu'on trouvera répertoriées dans la bibliographie) soit, *Paroles ailées — Wingèd words*, qui fut présentée à Kingston, Modern Fuel Gallery, à l'hiver 2002 (*fig. 20, fig. 27, fig. 30*).

[III] Liminaire qui accompagnait l'exposition itinérante *Paroles ailées* : «Les «paroles ailées» d'Homère sont celles qui «ont franchi la barrière de ses dents». Oserais-je le dire?... J'ai cherché la présence des dieux. Je l'ai pressentie dans les forces naturelles, celles auxquelles on ne peut rien. Je me suis souvenue de la petite en moi, grondée par le tonnerre, avalée par un lac aux eaux noires, blottie dans une grotte dans l'attente angoissée d'un monstre, saupoudrée de petites fraises dans un champ à la brume rose, prisonnière d'une branche, tourmentée par l'éventuelle irruption du Mont-Royal... Je me suis souvenue de m'être fâchée à cette remarque d'un professeur : «Le sublime est une construction de l'esprit». Le sublime est dans le corps, dans ces vertiges éprouvés au matin de la vie. Ce sont des intensités immobiles, qui font que l'art, c'est l'art et qu'Homère me comprend toujours. Puis j'ai pensé : «Too bad, Platon!» Voici ce que nous connaissons bien avant de savoir. La vie court... et l'avenir repose toujours sur les genoux des dieux.» (Cf. exposition solo itinérante *Paroles ailées*, communiqués, cartons d'invitation et feuillets de salle, Trois-Rivières / Montréal / Drummondville / Kingston / La Tuque : Galerie d'art du Parc et Maison de la culture de Trois-Rivières / Bibliothèque nationale du Québec / Maison de la culture de Drummondville / Modern Fuel Gallery, / Complexe culturel Félix-Leclerc, 2000-2002). Compte tenu de la situation peu reluisante que je viens de décrire, le lecteur pourrait s'étonner de l'immense décalage entre la réalité pratique à laquelle nous sommes tous confrontés en tant qu'artistes, mes opinions politiques, mes décisions micropolitiques, la vision artistique que je propose et le discours public que je tiens. Dans mon optique, il n'est pas nécessaire de «contaminer» mon art par toutes sortes de considérations qui dépassent infiniment son champ d'action. Je suis une citoyenne et j'ai toutes sortes de moyens autres pour exercer mon action politique, qui sont d'ailleurs beaucoup plus efficaces à mon avis. L'art demeure pour moi une nécessaire distanciation des contraintes matérielles, une possibilité de transcender l'ordre ambiant et de déplacer le regard pour y trouver d'autres façons d'être et d'exister. L'une de ces manières est de débusquer «le sublime» et «le divin» là où je suis, à tous les moments de la vie quotidienne. J'y reviendrai.

[II2] *Od.*, Chant IX : 9-49 (p. 128). Pour ceux qui ont assisté au vernissage de *Paroles ailées* à la Bibliothèque nationale du Québec (automne 2001), c'est un peu ce que j'ai fait. Or le public fut extrêmement touché par mon témoignage. Nous étions aux lendemains des attaques terroristes contre le Pentagone et le World Trade Center et il m'était impossible de faire abstraction de ce contexte pour présenter mes œuvres, pour la plupart d'une grande charge poétique. Est-ce que la poésie avait *encore* un sens? Est-ce qu'on pourrait *encore* trouver de la beauté quelque part? J'expliquai comment et pourquoi j'avais décidé de peindre, du 12 au 13 septembre, *Le massacre des prétendants. Le 11 septembre 2001. In memoriam* (*fig. 18*), qui était une œuvre aux couleurs violentes, troublante, volontairement chaotique. Or, voici ce que plusieurs personnes m'ont répondu : «Plus que jamais... parce que, malgré l'horreur, il nous faut bien continuer à vivre», «On a besoin de comprendre», «On a besoin de choses vraies», «C'est aussi ce que je ressens»... Particulièrement dans ces circonstances, l'artiste devenait le témoin d'une expérience partagée du tragique. J'étais, dans l'instant même, une médiatrice et une accompagnatrice. De très nombreuses personnes m'ont félicitée et remerciée pour mon œuvre comme pour mon témoignage. Alors je terminerai ce chant sur cette dernière remarque. En près de vingt ans de «travaux publics», j'ai certainement été en contact avec plus de quinze mille individus, européens, américains et asiatiques; et ceci est un estimé très conservateur à mon avis. On peut dire que, un peu comme un politicien, «j'en ai serré des mains», quoique dans un but différent. Cette réalité, on l'escamote le plus souvent dans les études sur l'art, comme si les artistes vivaient au Pays des Ombres. Cette foule, cette «audience» devrais-je dire, rencontrée grâce à l'œuvre, a aussi sa connaissance et sa parole de vérité; et cet échange est extrêmement précieux pour l'artiste *vivant*. C'est même peut-être sa seule et véritable source de *revenu*. Et comme me dit un jour le peintre François-Xavier Marange : «Il suffit d'un seul... d'une seule vraie rencontre» (c'était à l'occasion du vernissage de son exposition à la Galerie Éric Devlin à Montréal, le 14 octobre 1998, cf. catalogue de l'exposition). Aussi, entre la position élitiste et la position populiste, j'ai opté depuis longtemps pour une position moyenne radicale. L'art, c'est d'abord une communauté vivante, dans laquelle je me retrouve et éprouve — aussi — des valeurs de solidarité, de compassion, de loyauté, de partage; où je peux rencontrer l'Autre et ses préoccupations véritables; où je reçois — aussi — de la sympathie, de l'attention et de l'écoute. Le prodige — l'enchantement devrais-je dire — est que cela arrive très souvent de la part de purs étrangers. Et s'il n'y avait pas eu tous ces gens qui m'ont «reconnue» autrement que professionnellement, qui ont attesté finalement de la signifiance de mon œuvre dans leur propre vie, je n'aurais probablement pas trouvé le courage... d'accomplir mon retour.

CHANT V

Le Grand Assembleur des Nues (2000).
Acrylique sur toile libre. 241 x 183 cm.
Collection de l'artiste.
Photo : Édith Martin.

Homère ou la logique de l'art[113]

Les âges obscurs. Les identités multiples. De la nation. Les temps héroïques. Le Grand Fleuve Océan. Les faiseurs de mythes. La méthode d'Homère et ses critères de validité. La politique des dieux. Les hommes et le divin. Naturel et surnaturel. Figures mythiques. Du destin. L'innommable et le fabuleux. Mythologia. Culture de masse et aliénation. Des monstres. Le devenir-héros contemporain. L'identité individuelle et collective. Quête identitaire et processus de formation historique. La crise. Identifications et mystifications. La connaissance des oiseaux. L'art de se perdre. La civilisation de la honte. L'immoralité d'Homère. La blessure de Platon. Le nom propre. Le désir de transcendance. Mémoire collective et figures d'héroïsme. De la naïveté. De l'inachèvement. Le héros post-révolutionnaire. Des enfants qui suivent. Le désir de mort. De la reconstruction. Transmission et reconnaissance. De la poétique politique. Le donné de l'art. Le péril. La liberté d'Homère. Le désir d'éthique. L'esprit des foules. La condition humaine ou le grand fleuve. De la logique artistique. Les chants anciens. Les titres vénérables. Faire école. Du lieu de l'art. La conduite et l'affect. La machine d'Homère : espace complexe et perspectives multiples. La quête d'Ulysse. L'inconscient selon Homère. Le risque artistique. De la force. L'art de la relation. Mille traverses. La mer des désirs. Les mouvances du Moi. Les bœufs sacrés. Le chant de la terre. De la survie.

> Regarder en face la chair du monde pour la faire voir. Œuvre-de-l'art.
> On pourrait nommer cela «l'œuvre clairvoyante».
> Gérard Wajcman.

5.1 Le difficile présent

Dans ce passé lointain que fut la civilisation mycénienne, les Grecs voient un paradis perdu, «L'Âge d'Or» qu'auraient vécu certains de leurs ancêtres. Or, ce mythe remonte à la période néolithique et pré-agricole, soit 2,500 ans avant l'arrivée d'Homère, et 5,300 ans avant aujourd'hui.[114] Le moins qu'on puisse dire, c'est qu'il a la vie dure. Pourquoi le mythe?

En ce qui concerne les hellènes, le présent est difficile. À l'époque d'Homère, il n'y a pas encore de civilisation grecque ni cette cité fabuleuse que sera Athènes pour l'imaginaire occidental.[115] Le peuple des Achéens est alors en pleine mutation, cherchant des voies pour que les rivalités cessent entre quantité de petits royaumes de régime féodal. Cette multiplicité de terres, disséminées sur la côte méditerranéenne et d'innombrables îles, a un seul liant géographique, Okéanos, le Grand Fleuve Océan... (fig. 9).[116] Et dans cette Grèce archaïque, les Achéens ont bien des identités à concilier; ils sont à la fois gens de mer et de terre, explorateurs et sédentaires, pirates et hommes d'honneur. Comment se représenter une nation lorsqu'elle se fonde sur de tels paradoxes? Il aura fallu une crise, la guerre de Troie, pour rapprocher les hommes, et des poètes pour célébrer cette victoire à la fois réelle et symbolique. Les productions artistiques de l'après-guerre témoigneront de cette réalité nouvelle et l'aventure restera gravée dans la mémoire du peuple comme une étape décisive de son «destin»[117].

Jusqu'à ce qu'Homère interroge l'Histoire… Et c'est au créateur que je m'intéresserai particulièrement ici, parce que son *Odyssée* m'apparaît comme un véritable traité de logique artistique. Si, en Occident, l'art est un désir, et les artistes, des pisteurs de l'inconscient,[118] il faudrait examiner d'un peu plus près comment ils procèdent, soit leur méthode; et pourquoi ils le font, soit leurs critères de validité.

5.2 Sur les genoux des dieux

Dans la Grèce archaïque, le monde est à deux étages. En bas vivent les mortels et en haut, les immortels. La terre est le théâtre des passions des hommes tandis que l'Olympe est celui des dieux. Cette organisation politique est décrite avec précision par Homère dans l'*Iliade*. Pendant que les hommes sont aux prises avec un grave conflit, la guerre de Troie, Zeus a lui-même bien des problèmes à exercer le pouvoir, à maintenir les Géants sous terre, à s'entendre avec ses frères et ses enfants sur la répartition des privilèges et à régler par le fait même quantité de chicanes de famille. Ce qui nous rend d'ailleurs les dieux grecs familiers et, somme toute, assez sympathiques, puisqu'ils se comportent à bien des égards comme «le commun des mortels»[119]. Dans le portrait que dresse Homère de sa société, se dessine une démocratie balbutiante : le monde des dieux est à l'image des hommes, la puissance, la magie et l'immortalité en plus (*fig. 10, fig. 13, fig. 16, fig. 19, fig. 28*).[120] C'est pourquoi il est coutume pour les Achéens de dire : «l'avenir repose sur les genoux des dieux». Quoi que l'homme fasse, il sera toujours confronté à son destin, au sort que les dieux lui réservent.[121]

Mais si Homère est respectueux des croyances de son peuple, il n'est pas prêt à tout prendre. Il fera dire à Zeus : «Ah! vraiment, de quels griefs les mortels ne chargent-ils pas les dieux! C'est de nous, à les entendre, que viennent leurs maux; mais c'est par leur démence qu'ils sont frappés plus que ne le voulait leur destin»[122]. Homère refuse le pathos sous-entendu dans la croyance populaire. Sa critique porte justement sur l'idée de «destin». Si à leur naissance, certains sorts sont jetés, les hommes doivent bien avoir quelque pouvoir sur leur destinée. Ses personnages seront des figures exemplaires par lesquels il indiquera des voies de résolution.[123] Achille sera «le divin Achille», Ulysse sera «le divin Ulysse». Le porcher d'Ulysse sera aussi «le divin porcher»… et il nous montrera comment. Le divin, de *dei*, signifie d'abord «lumière», «ce qui brille», «l'être céleste». Une essence divine sera ainsi attribuée à quiconque, peu importe son statut social, «brille par ses dons aimables». Les héros existent, nous dit Homère. Mais chacun est doté d'une personnalité propre, a une manière particulière de négocier avec le sort et de conjurer le destin.[124]

5.3 Figures mythiques [125]

S'il est une idée fondatrice de l'imaginaire occidental, c'est justement celle du «destin». Quand j'entends parler du destin — de l'homme, d'un peuple, [126] d'une entreprise ou d'une œuvre — je m'interroge sur la signification de cet usage. Quels sont les dieux qui décident de ce prétendu destin? Quels sont-ils, aujourd'hui? Dans mon monde à moi, les dieux sont la plupart du temps cachés. [127] Si je sens bien les forces qu'ils exercent, si je ressens dans ma vie les effets de leurs tractations et de leurs manipulations, je serais souvent bien en peine de dire à qui j'ai affaire. Aux forces naturelles que représentaient les centaines de divinités grecques, chacune ayant un nom, des fonctions spécifiques et des façons précises de se manifester, [128] se sont substituées des forces artificielles et sans nom, mais néanmoins bien concrètes et à la puissance fabuleuse. Les figures mythiques contemporaines sont plus souvent des figures de pouvoir que des éléments du réel; et la politique des dieux, bien moins transparente que du temps d'Homère. [129]

Dans les années cinquante, Roland Barthes se montrait particulièrement cynique face à ce phénomène. Sa position était que le recours au mythe était un instrument puissant aux mains de la classe dominante, une manière subtile de manipuler les consciences et d'exercer l'oppression, la particularité de la bourgeoisie étant qu'elle est «la seule à ne pas vouloir porter son véritable nom» [130]. Vingt ans plus tard, avec *Surveiller et punir*, Foucault démonterait une à une les pièces de l'horloge grand-père, analyserait jusqu'au dernier boulon le pouvoir de l'État français tel qu'il s'exerçait, de la monarchie jusqu'à nos jours. [131] Et je ne peux m'empêcher de me demander aujourd'hui, lorsque «le miracle technologique» est célébré, lorsque «la nouvelle économie du savoir» est brandie, lorsqu'une «nouvelle esthétique» est proclamée, «qui parle?», comme dirait Barthes. Qui est l'innommable? Quelle est cette classe qui universalise les problèmes et met tous les hommes dans le même tout indifférencié? «La bourgeoisie, disait-il, essentialise tout en destin» [132].

Fait remarquable, on a remplacé les termes «bourgeoisie» et «capitalisme», mots tabous s'il en est de nos jours, par ces figures obscures que sont le «néo-libéralisme» et la «mondialisation». Et dans le monde de l'art, on fait exactement la même chose. Ainsi, par exemple, l'art «contemporain» ne serait plus l'art portant les traits de la contemporanéité, mais bien une nouvelle catégorie artistique, qui serait distincte et supérieure en qualité... aux sous-classes ainsi créées, par un simple effet de discours. Lorsqu'une classe a décrété la mort des avant-gardes et que, du même souffle, elle soutient une telle affirmation, je suis en présence du fabuleux. «Qui parle?» Ou plutôt, ce qui est pire, «Quoi parle?». Quel est le monstre auquel j'ai affaire? Et quel sort me réserve-t-il? [133]

Figure II.

Figure mythique (1995). De la suite des *Carnets* (1990 — en cours).
Acrylique, graphite, papiers choisis sur Stonehenge. 76 x 56 cm.
Collection Ville de Laval.
Photo : Pierre Charrier.

Barthes s'en prenait pour sa part à la culture de masse. À nouveau, le monde se divisait en deux, les mortels et les immortels, les uns aliénant les autres. «L'opprimé n'a qu'une parole, celle de son émancipation, en faisant le monde, tandis que l'oppresseur, le conserve, en y répandant les mythes de l'Ordre»[134]. Il se montrait de cette manière un redoutable redresseur de tort. Cependant, et ce faisant, il déniait aux individus la possibilité de choisir leurs propres héros, d'élire pour eux-mêmes des figures de remplacement, d'exercer des choix pour conjurer le sort. Et malgré sa bonne volonté, son idéologie l'amenait à poser des jugements méprisants et culpabilisants — il soutenait par exemple que les mythes de la classe ouvrière sont des mythes pauvres et inoffensifs — et il faisait abstraction d'une donne fondamentale... En définitive, ne sommes-nous pas tous à la fois oppresseurs et opprimés? N'est-ce pas plutôt la machine de socialisation — ce que Marx appelait «le processus de reproduction de la vie sociale» — qui est, en elle-même, oppressante?

Il faudra un Américain, un homme pour qui la liberté individuelle est un fait de culture, pour nuancer ainsi : l'élection des héros, c'est une nécessité psychologique. C'est pourquoi le peuple éprouvera toujours la nécessité d'élire ses propres dieux et l'individu de devenir le héros de sa propre vie. Comme Homère, ils chercheront le divin... «en leur cœur». Voilà peut-être pourquoi Bergson affirmait que «l'existence des héros est un fait historique»[135].

5.4 L'art de la vie, ou la connaissance des oiseaux

C'est en effet avec les développements de la psychanalyse et de la psychologie américaines qu'apparaîtra dans les années soixante la notion d'identité, individuelle et collective, qui nous préoccupe tant aujourd'hui. Le père de ce concept est Erik H. Erikson[136] et son projet est de réviser et d'élargir la psychanalyse classique par l'apport des sciences sociales. Ce qu'il nommera éventuellement «la quête identitaire» et la «crise identitaire» deviendront une réalité pour nous, tout comme les diverses étapes marquant le développement de la personnalité, de l'enfance à l'âge adulte. Si l'adolescence devient le lieu d'une prise de conscience par l'individu de ses ressources personnelles et de son identité professionnelle, l'âge adulte sera consacré à la découverte du sens de sa contribution sociale. Il s'accompagnera donc d'une quête éthique et d'un sentiment de responsabilité face aux générations suivantes. Cependant, pour Erikson, le développement d'une identité individuelle ne se produit qu'en relation avec un contexte social déterminé. C'est un «processus de formation historique», au sens où Marx l'entendait. Le destin, le déterminisme d'un destin, sont des concepts socio-politiques; la quête identitaire sera justement cette manière singulière qu'a chaque individu de résoudre, pour commencer, la question de son statut social et de ses sources de légitimation; et plus tard, de fonder le sentiment de sa propre dignité, quelles que soient les conditions externes. C'est exactement ce que fera Homère, du lieu de l'art et avec des moyens artistiques.[137] C'est avec sa culture qu'il travaillera, mais avec son art qu'il s'en distanciera, pour se forger une identité, un nom. Et j'ajouterais, un *nom propre*.[138]

On aura reproché à Erikson une certaine forme de psychologie normative. Pourtant, ce qui est normalisé chez Erikson, c'est le principe de «la crise» comme facteur de développement humain. Son travail visait ainsi à mettre en valeur l'articulation du temps individuel sur le temps historique, l'histoire étant une réalité mouvante et complexe et l'identité n'étant «jamais fixe ni absolue», mais bien un «processus». Une crise individuelle devait toujours être mise en relation avec des signes de crise sociale.[139] Ce qu'il observait en clinique, c'était que le sentiment de la perte de l'identité, ou pire, le sentiment de n'avoir aucune identité, pouvait précipiter les gens dans des crises profondes et même parfois mettre la communauté en danger. Ce qui était à son avis le plus dommageable pour les jeunes, ce n'était pas qu'on leur propose des figures de héros, des modèles d'identification — quitte à ce que ceux-ci suscitent de l'opposition — mais, qu'on refuse d'exercer la responsabilité d'indiquer et d'expliquer des choix de valeurs.[140] Bref, tel un oracle, il fallait tenter de «reconnaître les signes», interpréter comme du temps d'Homère le comportement des oiseaux, qui seraient les mystifications personnelles aussi bien que sociales. La quête identitaire était en fait un processus de révision constant et un travail psychologiquement essentiel pour trouver son équilibre dans une réalité mouvante.[141] Le combat sur terre alternait avec l'aventure de mer, dans l'accomplissement du *retour* qui durerait... toute la vie. «Cela seul permet à l'individu de transcender son identité — de devenir vraiment un individu comme jamais il voudra l'être, tout en étant vraiment par-delà toute individualité»[142], écrivit-il au bout de vingt ans de recherches. Erik H. Erikson — Erik, fils d'Erik — avait mené lui-même une très longue quête pour se donner un nom propre et, par là, contribuer de manière originale à un projet social. Comme toutes les grandes idées, celle-ci fut récupérée et déformée. Le «culte de la personnalité» en est un exemple, l'idée du «self-made man» également, le développement d'une société «individualiste» aussi. Ce qu'on a jeté au passage, c'était l'idée de responsabilité générationnelle. Celle qui rebondit aujourd'hui à la figure des baby-boomers qui ont jeté leurs propres bébés... avec l'eau du bain.

Tout cela pour dire que c'est d'abord ce désir de transcendance, d'un devenir-individu par-delà toute individualité, qui mène au choix de se faire une «vie dans l'art». Les artistes diront : «C'est une nécessité». Conjurer le destin, telle est la première nécessité. Maintenir une quête est une autre nécessité. Le faire par l'art serait la troisième nécessité. Mais pourquoi? S'agirait-il, par ce moyen, non seulement de se faire un nom propre mais également de devenir soi-même, immortel? Le désir d'art n'est-il pas, fondamentalement, un désir d'immortalité? [143] Se faire un nom, et se faire un nom qui reste, est une réalité que nous devrions admettre lorsqu'il s'agit d'explorer l'inconscient artistique.

5.5 Devenir immortel

Mais revenons à Homère. À juste titre donc, l'idée du destin — de l'homme comme de son peuple — l'interpelle profondément. Son poème *Iliade* contribue en son temps à créer une mémoire collective et propose des modèles d'identification. Plus tard, à Athènes, certains exégètes lui reprocheront d'avoir idéalisé cette guerre, contesteront les différentes figures d'héroïsme qu'il met en scène. On soulignera entre autres — sans doute les premiers marxistes — que cette société, féodale, en était une de maîtres et d'esclaves, ce qui est juste. D'autres, comme Platon, à la recherche de la Raison, l'accuseront de «mystification» [144]. Ainsi, Homère aura-t-il bien fait son travail, non seulement en ce qui concerne la transmission, mais surtout en arrivant à formuler quelques enjeux socio-politiques. Par là, il deviendra «immortel», c'est-à-dire, un sujet dont la contribution à un processus de formation historique sera éventuellement reconnue.

Mais pour moi, l'intérêt de l'œuvre se situe bien en amont et aussi en aval. Si Homère contribue à donner une certaine forme à l'image que le peuple se donne de lui-même, il ne se limite pas à cette fonction. Une œuvre d'art, tout comme un concept d'ailleurs, n'est pas qu'un «miroir de la société», une imitation. C'est la mise en branle de toute une *poétique politique*, soit, une machine de socialisation qui trouve sa source dans une quête à la fois éthique et esthétique, qui intègre cette recherche dans son processus de création et s'affirme, une fois terminée, comme connaissance nouvelle. Barthes définissait ainsi le politique : comme l'ensemble des rapports humains dans leur structure réelle, sociale, dans leur pouvoir de fabrication du monde. [145] Homère fabrique un monde. Un monde poétique. Ce faisant, il rejoint le grand fleuve. [146]

Il a des préoccupations esthétiques, une œuvre à faire, une structure à élaborer. Ses matériaux puisent dans une tradition orale vieille de plusieurs siècles. Une nouvelle technologie apparaît, l'écriture, qu'il décide d'investir avec des préoccupations littéraires. Son premier poème est un assemblage de chants qui constituent autant d'épisodes dans une trame linéaire fixe; une machine, qui permettra aux aèdes d'apprendre les 15,000 vers par cœur, de les réciter et de transmettre l'Histoire; il s'agira donc du premier roman historique en Occident et d'un exploit médiatique.[147]

Mais surtout, et ce serait le travail en aval, celui qui ouvre le fleuve sur *Okéanos*, la mer des désirs (*fig. 9*): Homère ne refuse pas cette responsabilité, générationnelle, qui est de remettre en question les valeurs anciennes et d'en proposer de nouvelles. Il «s'engage», c'est-à-dire qu'il met en péril son nom, sa propre identité.[148] Ainsi, le poète ne se contente pas de faire l'éloge de la race achéenne; il insiste plutôt sur la dimension tragique de cette guerre pour ses protagonistes, d'un côté ou de l'autre des remparts.[149] Ce sont les hommes pris individuellement, avec leurs drames personnels, qui l'intéressent. Chacun des personnages a sa psychologie propre et, avec la précision analytique d'un clinicien, Homère décrit leurs pensées et leurs actions en les mettant toujours dans leur contexte, celui d'une guerre, et des conséquences terribles qu'elle peut avoir sur eux. Des vies sont brisées par quelque chose qu'Homère ne connaît pas à l'époque : la raison d'État, l'innommable. Il n'y a pas de concept qui puisse en rendre compte, simplement une intuition, puissante. Cette réalité constitue la trame fine du récit. Son génie est d'avoir pressenti ce qui deviendra plus tard le lieu d'une investigation intensive : le destin d'un homme serait-il irrémédiablement lié à son destin familial, à son destin national; et pas que l'affaire des dieux? Que signifie «la nation grecque»? Quelles sont les obligations des rois, de ceux qui gouvernent? Homère explore l'imaginaire de son peuple, tente de le comprendre, en dégage une profonde réflexion sur «la condition humaine», ou «l'humanité souffrante». En ce sens, cette épopée est non seulement notre première littérature;[150] elle est aussi la première étude psychologique ainsi que la première réflexion éthique. Avec l'*Iliade*, le poète définit une nouvelle fonction, la fonction artistique, et découvre le grand fleuve, ce domaine d'étude qu'on appelle aujourd'hui «les sciences humaines»[151].

L'investigation d'Homère aboutit à cette constatation : si tous les hommes ne sont pas égaux en statut — tous ne sont pas rois, tous ne sont pas maîtres, bref, tous ne sont pas de naissance libre — tous les hommes sont égaux devant la mort. Ils le sont donc en *droit*. Suivant cette logique, les héros d'Homère se retrouveront aussi chez de simples soldats. Telle est la poétique politique. Une forme de démocratie directe, non codée, non enchâssée dans la loi. Mais néanmoins exécutive. Et cette logique artistique, mise en œuvre et articulée méthodiquement, amène le public à penser : «Tiens! Et si l'ordre du monde tel qu'il m'est présenté n'était qu'un ensemble de mythes»?[152]

5.6 Explorer la mer... des chants anciens

Le récit d'Homère eut un succès considérable. L'écrit, relayé par la transmission orale, a rejoint tout le peuple. Qu'ils soient esclaves, mendiants ou maîtres, tous peuvent s'identifier à un personnage dans cette histoire. Au moment d'entreprendre l'*Odyssée*, Homère, alors très âgé, est le poète le plus respecté en Grèce. Il a beaucoup voyagé, récitant ses poèmes sur tout le territoire. Il finit par s'installer dans une petite île où il fonde une école. On vient de partout pour recevoir son enseignement.[153] Homère eut une belle carrière et il aurait pu s'arrêter là. Mais sa quête n'est pas terminée.

Sa réflexion sur la condition humaine se poursuivra avec l'histoire d'Ulysse. Homère s'exprime alors du lieu de l'art, soit du lieu de sa propre expérience d'artiste, détail important pour la compréhension de la suite de son œuvre et de toute œuvre de maturité artistique. En se centrant sur la biographie de son personnage, l'analyse de ses traits de caractère, son environnement familial et social, Homère explore la psyché humaine, sa part de rationnel et d'irrationnel, ce qui est de l'ordre de la conduite comme de l'affect.[154] Et s'il y a bien un fil conducteur, l'accomplissement du retour d'Ulysse en Ithaque, il y a une autre machine en branle, toute une systémique artistique, permise par sa connaissance et la maîtrise de ses moyens.[155] Cette fois, le récit a une composition beaucoup plus complexe, cinématographique à la limite, où le temps a perdu sa linéarité, où des espaces différents sont compossibles et présentés en simultanéité. L'artiste a imaginé une structure tripartite, qui fait du poème une machine à voyager dans le temps comme dans l'espace. Si Ulysse a son vaisseau, Homère a la littérature.

Avec l'*Odyssée*, le poète multiplie les perspectives[156] sur une notion encore anonyme : la quête identitaire. Souvenons-nous que *Odysseus* et *Odysseia* ont la même signification et que le peuple lui-même se cherche une identité. Télémaque, le fils d'Ulysse, sera ce jeune adulte en quête d'un père et de manières de faire pour prendre sa place dans l'Assemblée et au royaume d'Ithaque. Pénélope sera l'épouse qui tient le royaume sur ses épaules, résistant de toutes ses forces aux assauts des prétendants pour protéger l'intégrité du territoire et les biens d'Ulysse; et le vieux Laërte, celui qui, considérant son fils mort, aura abdiqué des affaires d'Ithaque dans la plus profonde tristesse. Certains dieux sont bons pour Ulysse, d'autres lui «veulent du mal». Zeus se rendra aux arguments d'Athéna, pour qui Ulysse est victime d'un sort par trop injuste et qui considère la conduite des prétendants comme inacceptable et intolérable.[157] Par la bouche d'Athéna, Homère explique en quoi la conduite des prétendants est immorale et leur sert plusieurs avertissements sur la vengeance à venir. La révolte est inévitable, dit Homère, lorsque l'homme est victime d'injustice; et parfaitement légitime. Ceci est la loi humaine. Homère vient de découvrir un universalisant.

Mais sans doute, le fait le plus significatif sur le plan artistique est que, tout en accordant une place aux dieux, Homère a l'intelligence de laisser planer un doute sur la véracité du récit, inscrivant dans l'œuvre même les éléments de sa critique, soit sa propre réflexion sur ce qu'il est en train de faire en tant qu'artiste. En effet, une très grande part des aventures fabuleuses d'Ulysse, celles qui ont marqué notre enfance et nous ont fait rêver, ne sont pas racontées par Homère mais bien par Ulysse lui-même.[158] C'est un homme d'expérience qui nous parle : «Où est la vérité, où est le mensonge?», semble nous dire Homère. «Qu'est-ce qu'un poète? Et qui est le vrai poète? Est-ce moi ou Ulysse, cet homme que j'essaie de comprendre?» Et moi je demande aujourd'hui, telle une Athéna : «Homère! Quelle vérité a franchi la barrière de tes dents?» Car c'est par ces questions, essentielles, existentielles en quelque sorte, qu'Homère est en fait le véritable père de la psychanalyse. Ceci en installant l'autoréflexion au cœur même de sa recherche et en affirmant : l'inconscient humain est une positivité, voyons comment il fonctionne.[159] Il faut, disaient les Anciens, «trouver les titres vénérables» et ceci au grand risque d'être «emporté par les Harpyes»...

5.7 Trouver… les titres vénérables

Je n'ai brossé ici qu'un fond, à grands traits schématiques.[160] Pourquoi Homère? Pourquoi Ulysse en artiste? Une ébauche vient toujours du passé, d'une mémoire archaïque. J'ai élu quelques héros, il y en a eu beaucoup d'autres... Il me faudra peindre encore, en suivant mon intuition. Circonscrire de nouvelles zones, constituer des champs, les élaborer par strates successives, opaques ou transparentes, spécifier des traits distinctifs par la touche et la couleur, prendre du recul régulièrement pour vérifier la composition d'ensemble, m'inquiéter de la lumière, multiplier les perspectives, ajouter du contraste, insister sur certains facteurs de tension, donner à l'ensemble une dynamique, une musicalité particulières. Il me faudra aussi travailler sur la véracité, aménager des espaces où le regard de l'Autre trouvera ses propres réponses et des méandres où il se perdra nécessairement. Des espaces poétiques. Mille traverses et des escales forcées, dans la mer des chants anciens.[161]

Vingt-quatre chants et quinze mille vers en un seul poème. Vingt-quatre tableaux et quinze mille touches en une seule peinture. Quatre cent dix désignations de personnages, mortels et immortels, de références géographiques, astronomiques, hydrologiques, démographiques, géologiques, zoologiques... Quatre cent dix images qui m'auront traversée en cours de réalisation. Pendant trois mois, six mois, un an, quinze ans. Pour faire quoi?[162] Être à la fois marin et terrien, explorateur et sédentaire, pirate et homme d'honneur... Être mère, maîtresse, fille, sœur, peintre, psycho-éducatrice, auteure, chorégraphe, metteure en scène, scénographe, photographe, ouvrière et administratrice... Être Ulysse, mais aussi Pénélope, Laërte et Télémaque, maître et esclave... Être adulte et réfléchir à ce qui compte vraiment, à ce qui constitue ma valeur et le sentiment de ma propre dignité. Être artiste et naviguer sur *Okéanos* (*fig. 9*), la mer des désirs;[163] explorer des îles, voir qui les habite et comment ils vivent, affronter des monstres, discuter avec les dieux, encourager mes compagnons... et, par ce moyen, découvrir ce qui pourrait aussi valoir pour l'Autre, *Pour la suite du monde*, disait Pierre Perrault, le cinéaste du grand fleuve.[164] Devenir immortelle? Si cela arrive, ce sera par une simple, mais belle affirmation, au principe de l'art : peu importe mon sort à ma naissance, je suis, et je serai toujours, un sujet libre. Pour autant que j'y travaille, dans la mouvance des jours et jusqu'au seuil de «la mort cruelle». Telle est la vérité profonde qu'Homère m'a transmise, à la fin de sa vie et par-delà les siècles.

Figure 12.

Temps de plantes ou le chant de la terre (1998).
Acrylique sur toile libre. 241 x 183 cm.
Collection du Bistro à Champlain, Sainte-Marguerite du Lac Masson.
Photo : Pierre Charrier.

Il est une autre vérité que, cette fois, la peinture seule m'a apprise. C'est que, en réalité, plus je me perds plus je me trouve. Et au terme de cet exercice, quand j'ai atteint la limite de ce que je pouvais faire avec une œuvre, je ne peux qu'arriver à la constatation suivante, la même que celle à laquelle sont arrivés Homère et Erikson avec leurs propres outils de recherche : l'identité, lorsqu'elle reste fixe alors que tout change autour d'elle, n'a que deux résultantes. Ou c'est la crise, ou c'est le massacre.

...

C'est bien avant Freud qu'Homère aura vu venir le *Malaise dans la civilisation*.[165] Même après de nombreuses lectures, la fin de l'*Odyssée* ne cesse de me troubler. Homère conclut qu'il n'y aurait que la foudre de Zeus pour ramener la paix dans le monde des hommes. Peut-être est-il vrai finalement que l'avenir repose sur les genoux des dieux; que sans leurs forces, le monde des hommes serait voué à l'autodestruction? Que me reste-t-il donc à faire sinon découvrir en moi... *le chant de la terre* (*fig. 2, fig. 4, fig. 12, fig. 15, fig. 19, fig. 27*).[166] Agrandir le poème jusqu'à la mer inlassable, maintenir le cap sur le Levant et le regard sur Hélios Hypérion, le Haut. Et surtout, ne pas manger ses bœufs sacrés.[167] C'est une question de survie, «au-delà de toute individualité», disait Erikson. Au-delà de l'art. Au-delà de l'homme lui-même.[168]

- [113] «Carnet d'Ulysse no.5. Homère ou la logique de l'art», *Art Le Sabord, No. 58*, hiver 2001, p. 42-47.

- [114] Robert Graves (1967), *Les mythes grecs, Tome I*, Paris : Fayard, p. 45.

- [115] Des lectures récentes me permettent d'apporter quelques précisions à ce passage. La période historique qui précède celle d'Homère est dite «des âges obscurs» ou «Moyen-Âge grec». Elle sépare la fin du monde mycénien de la naissance de la cité — ou *polis* — qu'Homère voit émerger au VIIIème siècle av. J.-C. Les Achéens furent les premières peuplades indo-européennes à s'établir en Grèce au début du XIème siècle av. J.-C. A l'origine, ce sont des peuples de pasteurs et de nomades qui ignorent tout de la mer et n'ont même pas de mots pour la désigner. Ils apprendront à maîtriser l'art de la navigation grâce aux Crétois et aux Égéens, de même qu'ils subiront leur influence sur les plans social, religieux et dans tous les domaines de la vie pratique (architecture, culture de la vigne et de l'olivier etc.). De ces premiers Grecs, Ulysse a conservé tous les traits. Pasteur, nomade, aventurier et explorateur, son imaginaire est pétri des histoires périlleuses rapportées par les marins Achéens, mais aussi, des peuples et traditions rencontrés pendant cette migration. D'autres bandes suivront les Achéens en Grèce : les Ioniens, les Éoliens et les Doriens, ce qui suscitera de nombreuses rivalités. Les Achéens étant d'abord divisés en tribus et en familles (*génos*), ils s'uniront pour conquérir Troie — guerre à laquelle Ulysse aurait participé — et deviendront ainsi maîtres de la Grèce. Cependant, vers la fin du VIIème siècle av. J.-C., ils seront envahis par les Doriens, verront leur civilisation détruite et migreront à nouveau, cherchant refuge par-delà les mers, vers l'Asie; ce qui marque la fin de la période de gloire mycénienne, mais aussi, un renouvellement en profondeur de la civilisation grecque grâce à l'apport dorien. Ce sont donc les temps héroïques des rois achéens que l'épopée d'Homère fait revivre, à une époque extrêmement trouble sur le plan social et politique. La Grèce est alors en totale redéfinition. Cf. Guy Rachet (1992), *Dictionnaire de la civilisation grecque*, Paris : Larousse; ainsi que Médéric Dufour et Jeanne Raison dans leur introduction à l'*Odyssée*.

- [116] Dans la mythologie primitive, Océan est un Titan, fils d'Ouranos et de Gaïa. *Okéanos* règne sur l'Océan, le fleuve mythique qui entoure la terre. Avec Thétys son épouse, il donne naissance à tous les dieux et toutes les nymphes des rivières, des lacs et des mers, y compris les trois mille Océanides (*fig. 9*). Ainsi, dans l'imaginaire grec de l'époque, toutes les eaux, eaux salées et eaux douces, naissent d'Océan — à l'encontre de nos connaissances géographiques actuelles. Sources : Michael Grant, John Hazel, *Dictionnaire de la mythologie*, p. 263; et Gaston Bachelard, *L'eau et les rêves*, p. 172-179.

- [117] Cf. M. I. Finley (1963), *The ancient Greeks*, New York : Pengouins; et C. M. Bowra (1990), *La Grèce antique*, Paris : France Loisirs.

- [118] Pour Arthur Cotterell (*Encyclopédie de la mythologie*), les Grecs anciens furent «les plus grands faiseurs de mythe de l'Europe». La puissance de la mythologie grecque résiderait dans son caractère collectif et rassembleur. En effet, le mythe possède sa propre autonomie, est une histoire connue du peuple depuis des temps immémoriaux, façonnée et refaçonnée sur plusieurs générations; et ce qui fascinera celui-ci, c'est la façon dont le conteur ou le dramaturge présentera l'intrigue, sa vision des motivations, de la culpabilité et de l'expiation par exemple. Ainsi, c'est à la manière d'actualiser le mythe qu'on s'intéressera, mais pour ce faire, l'artiste devra pouvoir saisir intuitivement l'état de la pensée de ses concitoyens sur ces questions, d'où mon concept de *pisteur de l'inconscient*.

- [119] «Comment ce peuple à la sensibilité si vive, si impétueux dans ses désirs, si exception-nellement doué pour la *douleur*, aurait-il supporté la vie si elle ne lui était apparue sous la forme de ses dieux, dans le rayonnement d'une gloire suprême? L'instinct qui a créé l'art, complément et accomplissement de l'existence, destiné à nous persuader à continuer à vivre, c'est le même instinct qui a donné naissance au monde olympien où la «volonté» hellénique s'aperçoit transfigurée comme en un miroir [...] Vivre à la claire lumière qui émane de ces dieux apparaît comme la seule chose désirable; et la *douleur* par excellence qu'éprouvent les héros d'Homère, c'est de quitter cette vie, surtout de la quitter trop tôt». Friedrich Nietzsche (1949), *La naissance de la tragédie*, Paris : Gallimard, p. 33.

[120] Cf. Jacques Dufresne (1994), *La démocratie athénienne*, Montréal : L'Agora.

[121] Cf. Jacqueline de Romilly (1992), *Pourquoi la Grèce*, Paris : De Fallois; et (1999), *Homère*, Paris : P.U.F.

[122] *Od.*, Chant I : 15-57 (p. 18).

[123] Il importe ici d'apporter une précision importante. La notion que les Grecs se firent du héros ne fut pas toujours celle d'un être surnaturel. Pour Homère, le «héros» est d'abord un homme fort, courageux, ou vénéré pour sa sagesse. Il peut être aussi le descendant d'une famille illustre qu'on honorera tout autant qu'un ancêtre défunt. Primitivement, le héros est donc un homme idéalisé. C'est plutôt le poète Hésiode, qualifié de «moraliste», qui généralisera l'idée du «surhomme» et fera du héros un demi-dieu; c'est-à-dire, à un degré hiérarchique intermédiaire entre les hommes et les Olympiens. Cf. Félix Guirand et Joël Schmidt (1996), *Mythes et mythologie*, Paris : Larousse.

[124] «Car le poète n'entend pas seulement faire le récit d'une action : il faut aussi que cette action soit conduite par des hommes vivants. C'est pourquoi il lui importe de peindre des caractères». Marcel Conche (1999), *Essais sur Homère*, Paris : P.U.F., p. 7.

[125] Titre d'une œuvre de 1995 figurant sur la jaquette du livre d'Antoine Blanchette (1995), *Prescott Passeport 94-95* (*fig. 11*). Il ne fait aucun doute pour moi à présent qu'elle était une intuition sur les recherches à venir, comme une image provenant de notre inconscient collectif. On voit une «langue de terre» s'avançant dans la mer et qui, telle un dieu primitif, peut prendre une apparence animale. Poisson, oiseau, ou crocodile, elle évoque l'insaisissable Protée, cet ancien dieu marin capable de prendre toutes les formes qu'Ulysse rencontrera au Chant IV, et qui sera souvent associé à l'art. Une peinture plus récente, *Le Grand Porteur* (*fig. 16*), reprend cette problématique. Les colonnes reliant le ciel et la terre pourraient être des affluents rejoignant la mer, ou des arbres à tête de cheval faisant le guet, ou encore des hippocampes observant l'horizon, tandis que le centre de l'image recrée une forêt et des marais miniatures. La terre nous apparaît de chair («la chair du monde»), tandis que le ciel prend une qualité minérale («un soleil de plomb», «le temps est lourd», etc.). Nous sommes dans un monde complètement onirique et irrationnel, absolument détaché de la vie pratique. *Le Grand Porteur* symbolise pour moi la part de rêve, cet Atlas «aux pernicieux conseils», qui s'active en chacun de nous. Depuis les tous débuts, la plupart de mes figures sont «protéiformes», de façon à demeurer à la fois intrigantes et insaisissables, à provoquer l'imagination et le transport imaginaire; ce qui est un opérateur très important dans toute peinture abstraite. En effet, le spectateur n'est pas convié à contempler la vision du peintre, qui est une conception classique de la peinture, mais bien, à expérimenter son propre regard, dans mon cas, au moyen de l'*association libre*. Molinari (1976) préférait d'ailleurs parler d'un «expérimentateur» de l'œuvre, plutôt que d'un «spectateur» (Guido Molinari, in Pierre Théberge éd., *Écrits sur l'art 1954-1975*. Ottawa : Galerie Nationale du Canada). Si Molinari a découvert toute une énergétique et une rythmique de la couleur, j'utiliserai pour ma part ces découvertes plastiques pour provoquer par une image complexe toute une dynamique, une mise en branle de l'inconscient. Ainsi, un peu comme Homère, je suis mythomane à mes heures (quel artiste ne l'est pas?) en montrant comment dans notre imaginaire, et bien malgré nous, les dieux se manifestent toujours dans la nature; ou plus exactement, comment nous pressentons le *surnaturel* dans la nature, encore aujourd'hui, malgré les pressions de la vie urbaine. Ici, le marcheur, le campeur, le pêcheur, le nageur, le cueilleur de champignons, l'observateur d'oiseaux, le chasseur de papillons et qui encore, sont appelés à se souvenir et à reconnaître le poète refoulé en eux la plupart du temps, vu les exigences de la vie pratique.

- [126] «C'est vrai que certains d'entre nous ont rêvé comme des malades; le Québec avait cette chose, ce destin, il serait un laboratoire pour un genre différent de société en Amérique du Nord, les Québécois seraient ces gens qui auraient réussi une révolution tranquille, sans sang versé, quelle merveille, ils ne seraient pas comme les autres, ils développeraient leur exceptionnelle fibre artistique au plus haut point [...] Nous étions si naïfs. Et, bien sûr, nous n'avons pas livré la marchandise, comment aurions-nous pu? L'expression «livrer la marchandise» n'avait pas cours dans ma jeunesse, le discours marchand n'était pas encore arrivé parmi nous. Naïfs. Et fiers». Paule Baillargeon (2002), comédienne et cinéaste, in «Que nous est-il arrivé, nous qui croyions être un peuple?», *Le Devoir*, 27-28 avril, p. B13.

- [127] «Qui pourrait de ses yeux voir un dieu aller et venir, si celui-ci ne le veut pas?», demande Homère. *Od.*, Chant X : 566-574 (p. 157).

- [128] «Rien ici ne rappelle l'ascétisme, la spiritualité ou le devoir; ce qui parle, c'est une existence luxuriante et même triomphante où tout le réel, bon ou mauvais, est divinisé». Nietzsche, *La naissance de la tragédie*, p. 33. C'est d'ailleurs l'un des traits de l'univers homérique qui m'a le plus interpellée : le naturel — de l'homme comme de l'environnement — est foncièrement «divin».

- [129] J'ai développé cette idée dans «La pratique de l'art ou le complexe d'Ulysse : de la création politique», *Inter 2000. L'espace traversé*. Colloque sur les pratiques interdisciplinaires en art. Communication. Montréal : Université Concordia; in *L'espace traversé*, Guy Laramée *et al.* Trois-Rivières : Éditions d'art Le Sabord, p. 102-115

- [130] Roland Barthes (1957), *Mythologies*, Paris : Seuil. Fait intéressant, sa démarche s'inscrit tout à fait dans la tradition philosophique créée par Platon (IVème siècle av. J.-C.). Platon reconnaissait la puissance des mythes et souhaitait mettre en garde ses disciples contre leur pouvoir de séduction. C'est d'ailleurs lui qui inventa le terme *mythologia* (Arthur Cotterell, *Encyclopédie de la mythologie*, p. 10) et qui fut l'un des premiers critiques d'Homère. S'il fallait que les poètes gouvernent la Cité!

- [131] Michel Foucault (1975), *Surveiller et punir*, Paris : Gallimard.

- [132] Roland Barthes, *Mythologies*, p. 226-227.

- [133] Ulysse raconte à Alcinoos : «C'est là-dedans que gîte Scylla aux aboiements terribles. Sa voix n'est pas plus forte que celle d'une chienne nouveau-née; c'est pourtant un monstre affreux [...] Elle a douze pieds, tous difformes; et six cous, d'une longueur singulière, et sur chacun une tête effroyable, à trois rangées de dents, serrées, multiples, pleines des ténèbres de la mort. Elle s'enfonce jusqu'à mi-corps dans le creux de la caverne; elle tend ses têtes hors du gouffre terrible, et de là elle pêche». *Od.*, Chant XII : 57-101 (p. 177). Quel artiste n'a pas vécu la même frayeur, à la veille de montrer son travail ou de monter sur scène?

- [134] Roland Barthes, *Mythologies*, p. 236-237.

- [135] «Si on reproche à la philosophie du XXème siècle d'ignorer l'héroïsme, ce grief ne peut s'adresser à Bergson : pour cet auteur, en chaque homme il y a la vie, une puissance d'héroïsme qui sommeille et que la loi, œuvre de raison, ne peut éveiller; que le sentiment comme émotion rayonne d'un individu et voilà que l'héroïsme se réveille en chacun à la vue du héros qu'un mouvement créateur anime». Source : site électronique de la revue *Philagora*. www.philagora.net/ph-prepa/heroisme2.htm.

- [136] Erik H. Erikson (1972), *Adolescence et crise. La quête de l'identité*. Paris : Flammarion. Lecture incontournable au programme de baccalauréat en psycho-éducation, dont le domaine d'action principal est la prévention et la rééducation auprès d'enfants et d'adolescents mésadaptés socio-affectifs. Par sa connaissance et son travail d'intégration des disciplines, Erikson est déjà un transdisciplinaire.

[137] Chez Homère, la seule notion de destin qui existe est celle des «Moires», que les Latins appelleront par la suite les «Parques». Les Moires sont les destinées individuelles et inéluctables de chaque homme; même les dieux s'inclinent devant elles. Encore une fois, c'est plutôt au poète Hésiode qu'on devra plus tard la divinisation des Moires; qui plus est, il en fera des divinités morales. Pour Homère, les Moires sont un concept abstrait, dont il constate simplement les effets; elles ne sont en rien personnifiées et ne sont surtout pas des divinités morales. Cf. Félix Guirand et Joël Schmidt, *Mythes et mythologies*, p. 217.

[138] «Le plus grand bien de l'homme homérique n'est pas la jouissance d'une conscience tranquille, c'est la jouissance de la *timê*, l'estime publique [...] Et la plus grande force morale que connaisse l'homme homérique n'est pas la crainte de Dieu, mais le respect de l'opinion publique, *aidôs*.» E. R. Dodds (1977), *Les Grecs et l'irrationnel*, Paris : Flammarion, p. 28. Dodds précise que la notion de culpabilité n'apparaît que dans une époque postérieure à Homère; il parle d'ailleurs de «morale hésiodique» pour qualifier cette nouvelle «civilisation de la culpabilité». Homère appartiendrait plutôt à une «civilisation de la honte», qui se caractérise par les pressions du conformisme social. Dans une telle société, tout ce qui expose un homme au mépris ou au ridicule, tout ce qui lui fait «perdre la face» paraît intolérable. De là l'importance de la réputation. Je reviendrai sur cette notion, la «honte» telle qu'elle opère dans la civilisation contemporaine, dans un carnet ultérieur, *La Mer aux Mille Bruits*.

[139] «Nous avons affaire à un processus «situé» *au cœur de l'individu* ainsi *qu'au cœur de la culture de sa communauté*, processus qui fonde, pratiquement, l'identité de ces deux identités». Erik H. Erikson, *Adolescence et crise. La quête de l'identité*, p. 18.

[140] «Si, à ceux qui quêtent une identité, Norman Brown préconise «Perdez-vous» et Timothy Leary «Sautez dehors», je voudrais suggérer que pour se perdre il faut d'abord s'être trouvé soi-même et que pour sauter dehors il faut avoir été dedans. Le danger de tout existentialisme qui choisit de rester jeune est d'esquiver toute responsabilité envers le processus générationnel et par là-même de préconiser une identité humaine avortée». *Ibid*, p. 40

[141] «En termes de psychologie, la formation de l'identité met en jeu un processus de réflexion et d'observations simultanées, processus actif à tous les niveaux de fonctionnement mental, par lequel l'individu se juge lui-même à la lumière de ce qu'il découvre être la façon dont les autres le jugent par comparaison avec eux-mêmes et par l'intermédiaire d'une typologie, à leurs yeux significatives; en même temps, il juge leur façon de juger, lui, à la lumière de sa façon personnelle de se voir lui-même, par comparaison avec eux et avec les types qui, à ses yeux, sont revêtus de prestige. Heureusement et nécessairement, ce processus est en majeure partie inconscient, à l'exception des cas où des conditions internes et des circonstances externes se combinent pour renforcer une conscience d'identité douloureuse ou exaltée». *Ibid*, p. 18-19. Pour ma part, cette conception de l'identité comme processus et mouvement relationnel s'exprime particulièrement dans l'œuvre *To be in travail — Génératrice (fig. 8)* qui, incidemment, fait partie d'un corpus d'œuvres intitulé *Prolifical space — Espace proliférique (fig. 3, fig. 7)* qui fut, en 1998, consacré à l'expérience du sujet créateur et à son espace de jeu.

[142] *Ibid*, p.40.

[143] «Nous devons rejeter, dit Aristote, la vieille règle de vie qui conseillait l'humilité et adjurait l'homme de penser en termes mortels; car l'homme a en lui-même une chose divine, l'intellect, et dans la mesure où il peut vivre à ce niveau de l'expérience, il peut vivre comme s'il n'était pas mortel», in E. R. Dodds, *Les Grecs et l'irrationnel*, p. 235.

[144] «Un art aussi bariolé et aussi complexe répugne, selon lui, aux esprits réfléchis, il risque de mettre le feu aux natures excitables et sensibles; ces raisons suffisent pour bannir de sa république idéale les poètes tragiques. De plus les artistes font partie selon lui des accessoires superflus de la vie publique, comme les nourrices, les modistes, les coiffeurs et les pâtissiers. Ce jugement volontairement brutal chez Platon a quelque chose de pathologique; lui qui n'est arrivé à ce point de vue qu'en violentant sa propre chair, lui qui pour l'amour du socratisme a foulé aux pieds sa nature profondément artiste, il révèle dans l'âpreté de ces jugements que la blessure la plus profonde de son être n'est pas encore cicatrisée». Nietzsche, *La naissance de la tragédie*, p. 211.

[145] «Il y a donc un langage qui n'est pas mythique, c'est le langage de l'homme producteur : partout où l'homme parle pour transformer le réel et non plus pour le conserver en image, partout où il lie son langage à la fabrication des choses, le méta-langage est renvoyé à un langage-objet, le mythe est impossible». Barthes, *Mythologies*, p. 234. Toute œuvre est une fabrication et une donnée objective, ce que Malévitch appelait pour sa part un «donné». K. S. Malévitch (1993), *La lumière et la couleur*, Lausanne : L'Âge d'homme.

[146] «Chez les Grecs la volonté cherchait à se contempler elle-même sous les formes trans-figurées du génie et de l'art; pour se glorifier, il fallait que ses créatures puissent se croire dignes d'être glorifiées, en s'apercevant dans une sphère supérieure, sans que ce monde parfait de la contemplation leur apparût comme un impératif ou comme un reproche. Cette sphère est celle du Beau [...] Au moyen de ce mirage de beauté, le vouloir hellénique luttait contre le talent de souffrir et de pratiquer la sagesse de la douleur, qui est corrélatif au talent artistique; le monument de cette victoire, c'est Homère, l'artiste naïf». Nietzsche, *La naissance de la tragédie*, p. 35.

[147] Cf. Monique Trédé-Boulmer et Suzanne Saïd (1990), *La littérature grecque d'Homère à Aristote*. Aussi : Jacqueline de Romilly (1983), *Perspectives actuelles sur l'épopée homérique*, Paris : P.U.F.

[148] «Percevoir quelque chose ne se fait pas en pure transparence : une œuvre d'art n'est pas saisie par un «œil innocent»; elle est une construction intimement liée à l'environnement social où elle a été pensée, élaborée, réalisée. «Telle une bouteille à la mer, chaque œuvre poursuit sa route : nul ne connaît vraiment la puissance de son message et ne sait qui le recueille», écrit Habermas». Rose-Marie Arbour, *L'art qui nous est contemporain*, p. 117. Quant à la citation d'Habermas, elle provient de Marc Jimenez (1997), *Qu'est-ce que l'esthétique?* Paris : Gallimard, p. 402.

[149] Dans l'*Iliade*, Homère invente de nouvelles relations qui, «outre qu'elles font la richesse du Poème, à la mesure de la complexité des êtres et de l'imprévisibilité du réel, jettent un jour singulier sur les hommes et les dieux, eu égard à leur responsabilité dans la guerre. Ce que l'on voit, en effet, c'est que les dieux la veulent et que les hommes la subissent». Marcel Conche, *Essais sur Homère*, p. 6. Ainsi pour Homère, la notion de «justice divine» n'existe pas dans l'*Iliade*. Les dieux y sont avant tout préoccupés par leur honneur et s'offensent vite d'un manque d'égards. Mais la nécessité de la justice suivra, dans l'*Odyssée*. Elle sera alors partagée par les hommes et les dieux. E. R. Dodds, *Les Grecs et l'irrationnel*, p. 41.

[150] «Je dis œuvre littéraire. Le mot n'est pas indifférent. Il signifie que l'écriture a dû être utilisée pour faciliter la composition de cette œuvre, ou en tout cas que cette œuvre a été jugée, aussitôt ou presque aussitôt, digne d'être, pour ses qualités et sa perfection, fixée par l'écriture, pour tous et pour toujours. Après la série des traditions isolées et variables, c'est, grâce à l'écriture, le début d'une «littérature». Jacqueline de Romilly, *Perspectives actuelles sur l'épopée homérique*, p. 15.

- [151] A propos des poètes et des philosophes qui suivirent Homère : «Avec ce nivellement des déterminants locaux — cette liberté du mouvement dans l'espace — venait un nivellement analogue des déterminants temporels, une nouvelle liberté permettant à l'esprit de se mouvoir en arrière dans le temps et de choisir à son gré, dans l'expérience passée des hommes, les éléments qu'il pouvait le mieux assimiler et exploiter. L'individu se mit consciemment à *se servir* de la tradition, au lieu d'en être le serviteur. Cela est particulièrement apparent chez les poètes hellénistiques, dont la situation à cet égard est semblable à celle des poètes et des artistes de nos jours [...] L'originalité ne signifie plus une légère modification apportée à la manière des prédécesseurs immédiats; cela signifie la capacité de trouver, dans n'importe quelle œuvre de n'importe quelle époque ou localité, des indications pour le traitement de son propre sujet». E. R. Dodds, *Les Grecs et l'irrationnel*, p. 234-235.

- [152] «Homère n'a pas de héros invulnérable, ni qui puisse échapper à la mort. Alors que toutes les épopées, de toutes les civilisations, sont farcies d'exploits impossibles, de folles exagérations, de prodiges, l'héroïsme homérique, lui, est d'autant plus noble qu'il est toujours résolument humain». Jacqueline de Romilly, *Perspectives actuelles sur l'épopée homérique*, p. 15. C'est précisément cet héroïsme réaliste que tout un cinéma d'Hollywood a perverti, en nous montrant des hommes triomphant dans des situations invraisemblables. Un autre cinéma, alternatif celui-là, demeure attaché au naturalisme d'Homère et présenterait ce que Charles Taylor appelle une «éthique de la vie ordinaire» (*Les sources du Moi. La formation de l'identité moderne*).

- [153] Madame Dacier, *La vie d'Homère*.

- [154] «Homère interprète les éléments irrationnels du comportement humain. Il en fait des «interventions psychiques», des interventions dans la vie humaine d'agents non humains qui introduisent quelque chose dans l'homme et influencent ainsi sa conduite et ses pensées». E. R. Dodds, *Les Grecs et l'irrationnel*, p. 37.

- [155] «Pourquoi Homère a-t-il une force de représentation plastique supérieure à celle de tous les autres poètes? Parce qu'il *voit* plus qu'aucun d'eux. Si nous parlons abstraitement de la poésie, c'est parce que nous sommes tous de mauvais poètes. Au fond, le phénomène esthétique est simple; pour peu qu'on ait le don d'apercevoir constamment un spectacle vivant et de vivre entouré d'esprits en foule, on est poète; pour peu qu'on ait le goût instinctif de se métamorphoser et d'emprunter pour s'exprimer le corps et l'âme d'autres êtres, on est un poète dramatique». Nietzsche, *La naissance de la tragédie*, p. 61. Un peu plus loin dans ce carnet, nous verrons comment, en mes propres termes, je parle de ces expériences, celles du «spectacle vivant», des «esprits en foule», des «métamorphoses» et de leur nécessité intime.

- [156] C'est un changement très important sur le plan de son évolution artistique. Vis-à-vis l'œuvre précédente, l'*Iliade*, Homère fait avec l'*Odyssée* un travail comparable à celui des peintres modernes qui ont œuvré à déconstruire l'espace classique et perspectiviste, jusqu'à introduire l'idée des perspectives multiples avec le cubisme analytique. Dorénavant, on pourra observer une réalité sous plusieurs angles différents — littéralement, «multiplier les points de vue» sur un même objet.

- [157] Le Zeus de l'*Odyssée* a aussi considérablement évolué. Non seulement il protège les «suppliants», mais de lui viennent aussi tous les étrangers et les mendiants, d'où la règle si importante de l'*hospitalité*, règle qui est encore appliquée dans les mœurs européennes, particulièrement dans les pays latins et qui n'a pas son équivalent en Amérique : «C'est déjà l'hésiodique vengeur des pauvres et des opprimés qui commence à paraître», précise encore E. R. Dodds, *Les Grecs et l'irrationnel*, p. 41.

[158] C'est chez les Phéaciens — au roi Alcinoos et à ses convives — qu'Ulysse fait le récit de ses aventures; et c'est à ce moment que le lecteur rencontre les Cyclopes, Éole et Circé, les Sirènes, Scylla et Charybde, les Enfers, pour ne nommer que les épisodes les plus connus (et aussi les plus populaires...). Cf. *Od.*, Chants IX-XII (p. 127-175). Doté d'une grande *charis*, Ulysse subjugue l'Assemblée.

[159] J'ai fait la démonstration de cette idée dans une communication intitulée *Le complexe d'Ulysse : de la signifiance et du micropolitique dans la pratique de l'art* (2000), au «Séminaire de méthodologie interdisciplinaire en théorie psychanalytique» (Université du Québec à Montréal, novembre 2000, document inédit). Je partais d'Habermas pour établir un parallèle entre la pratique artistique et la pratique psychanalytique comme critiques du postulat d'objectivité scientifique en ce qui concerne les sciences humaines et comme mode autoréflexif de connaissance. Cf. Jürgen Habermas (1976), *Connaissance et intérêt*, Paris : Gallimard; en particulier le chapitre X : «L'autoréflexion comme science : La critique psychanalytique du sens par Freud» (p. 247-277), et le chapitre XI : «La mécompréhension scientiste de la métapsychologie par elle-même : Pour une logique des interprétations générales» (p. 278-304). Pour Habermas, le rôle spécifique des sciences sociales et humaines est précisément de proposer à la société des cadres d'interprétation générale, ce que j'ai tenté moi-même de faire dans cette recherche. Le chercheur y est nécessairement engagé, ou pour le citer, «intéressé», parce que la réalité humaine contemporaine — sociale, politique ou autre — est en soi engageante et en redéfinition constante. Poursuivant cette idée, on constate que des travaux d'Homère dériveront toute une interrogation sur l'*irrationnel*. Ainsi avec Aristote, il deviendra nécessaire d'étudier les facteurs irrationnels dans le comportement «si on veut parvenir à une compréhension réaliste de la nature humaine». Aristote traitera par exemple de l'influence cathartique de la musique et émettra une première théorie des rêves. E. R. Dodds n'hésite pas à parler dans son cas de «psychologie empirique», et particulièrement d'une «psychologie de l'Irrationnel», qui restera entre les mains des philosophes «jusqu'à une période très récente» (*Les Grecs et l'irrationnel*, p. 235-236). La culture grecque sera d'ailleurs constamment revisitée par Freud dans l'évolution de ses travaux, jusqu'à ses fameuses théories de «l'interprétation des rêves» et du «complexe d'Œdipe» auxquelles je reviendrai plus loin.

[160] Pour ce passage, on portera une attention particulière au vocabulaire employé, que j'ai voulu à ce moment le plus «plastique» possible et au plus près de ma peinture. Toute notre langue est porteuse des premiers gestes de transformation de la matière par l'homme : la «matière» de l'écrivain est d'abord issue de la *physis*. Je reprendrai cette idée qui m'est venue par la peinture et l'écriture pour la développer dans le carnet suivant, *La Mer aux Mille Bruits* (*fig. 4, fig. 13*). J'esquisse par la même occasion un élément de méthodologie, découvert par la peinture et qui a trouvé son expression dans l'écriture : le principe des «mille traverses» et des «escales forcées» dans la mer des «chants anciens». Ainsi je trouve une traduction poétique à ma manière d'entrer en relation avec le monde, d'appréhender la réalité et de la dé / peindre. Toujours quelqu'un est passé avant moi, que je respecte dans ce qu'il a voulu me dire; toujours la mémoire y joue un rôle essentiel : ce sont les «titres vénérables», et c'est le rôle de ma culture. Mon rôle d'artiste tel que je le conçois est d'explorer cette culture, de me l'approprier, de la relancer et ce faisant, de l'élargir.

[161] «J'aperçus d'abord le contraste essentiel : l'instinct *dégénéré* qui se tourne contre la vie, plein d'une sourde rancune (le christianisme, la philosophie de Schopenhauer, en un sens déjà la philosophie de Platon, toutes les variétés de l'idéalisme en sont les formes caractéristiques) et une formule *d'affirmation suprême* née de la plénitude et de la surabondance, une affirmation sans réserve, qui englobe même la douleur, même la faute, et tout ce qu'il y a de problématique

et d'insolite dans l'existence. Cette affirmation ultime de la vie, toute chargée de joie, d'exubérance et de pétulance, est non seulement la connaissance la plus haute, c'est aussi *la plus profonde*, celle que la vérité et la science corroborent et confirment le mieux. Il ne faut rien soustraire de ce qui est, rien n'est superflu [...] Pour comprendre cela, il faut du *courage*, et ce qui en est la condition, une surabondance de *force*.» Nietzsche, *La naissance de la tragédie*, p. 188-189. Ainsi, Nietzsche rejoint mon idée de la *beauté arrachée*. Nous verrons dans le dernier carnet comment cette idée a progressé («Recommencer la toile», in *L'épopée... ou le feu sacré*).

[162] Je reprends ici, en d'autres termes, des problématiques qui m'intéressent depuis 1990 : «Comment ma peinture peut-elle rendre compte de la complexité des problèmes et de la multiplicité des points de vue? [...] De prime abord, mes peintures semblent imprégnées du paysage et de l'atmosphère nordiques. Les couleurs sont fortes, contrastées, rugueuses. Sur la toile se présentent, s'agencent, fonctionnent, ce qui pourrait être des figures de l'espace : îles, continents, méandres, vallonnements, archipels, rivières et fleuves, routes articulées en un circuit rhizomatique sans début ni fin. Avec le temps, ces figures forment corps, se déforment et se reforment. Le continent devient organe : cœur, poumon, cerveau, cellule; qui deviennent machines, circuits, diagrammes, organigrammes; qui deviennent mappemonde, relevé topographique, réseau hydrographique (*fig. 1, fig. 12, fig. 15*). Déplacements, nomadicité : le regard fouille, cherche un sens, un principe ordonnateur [...] Comment, dans l'univers des images contemporaines, créer une image complexe, chargée d'informations, qui exprime une multiplicité de points de vue, à la fois incompréhensible et intelligible?» Cf. «Éloge de la complexité», texte du feuillet de salle de l'exposition *Problèmes*, Laval : Galerie Verticale Art Contemporain, 1992.

[163] A propos de la poïétique — ou étude de l'instauration de l'œuvre — la psychanalyste Nicole Geblesco (1985) rappelle comment le désir y opère : «Est-ce par hasard que «l'homme aux mille tours» de la tradition homérique ou le juif errant de Joyce nous ont, tout au long de ce travail, servi de guides et de figures de proue? En effet, l'impossibilité du désir d'être présenté à quiconque — à son sujet comme à son objet — a pour corollaire sa nécessaire présentation sous les aspects les plus divers puisqu'on pourrait aller jusqu'à dire qu'il n'existe que de se présenter, éternel errant lui aussi, à la recherche de ses objets et de ses lieux, comme Bloom et Stephen dans Dublin, comme Ulysse en quête d'Ithaque. Présence qui ne prend sens que de l'absence, mouvement traversant les formes sans s'immobiliser dans aucune, il est ce travail à l'œuvre dans toute œuvre — il y a là ouvrir et ouvrer — et qui la tourne vers l'ailleurs». «Ulysse ou la présentation du désir», in René Passeron *et al* (1985), *Recherches poïétiques. La présentation*, Paris : C.N.R.S., p. 63-64.

[164] J'insiste ici sur le caractère absolument relationnel du travail artistique : être artiste, c'est aussi travailler dans une communauté et partir d'elle pour découvrir et s'intégrer à d'autres communautés. L'artiste et sociologue Howard S. Becker (1988), l'une des figures dominantes de «l'interactionisme symbolique» (école de Chicago), a remarquablement décrit le phénomène et ce bien avant que n'apparaisse la mode récente de l'«esthétique relationnelle». En fait, il ne s'agit pas ici d'une esthétique, mais bien d'une pragmatique de la relation, essentielle à toute pratique de l'art; aussi bien comme «action collective» pour employer les termes de Becker, que comme action individuelle, pour la nécessité de la création (cf. *Les mondes de l'art*, Paris : Flammarion). «Je peux aussi croire que le rapprochement des artistes entre eux, des artistes et des expériences de vie, des artistes avec le public, peut contrer la réification de l'art et de l'artiste, enrayer la mécanique de consommation et de globalisation dont on parle tant, que ce soit comme menace d'un anonymat généralisé ou bien comme promesse de valorisation des différences locales». Rose-Marie Arbour, *L'art qui nous est contemporain*, p. 36.

- [165] «Abolirait-on le droit individuel aux biens matériels, que subsisterait le privilège sexuel, d'où émane obligatoirement la plus violente jalousie ainsi que l'hostilité la plus vive entre des êtres occupant autrement le même rang [...] Si la civilisation impose d'aussi lourds sacrifices, non seulement à la sexualité, mais encore à l'agressivité, nous comprenons mieux qu'il soit si difficile à l'homme de trouver son bonheur». Sigmund Freud (1981), *Malaise dans la civilisation*, Paris : P.U.F., p. 67-69.

- [166] J'ai utilisé cette formule, qui nous vient en fait de Mahler, dans le texte *L'Arbitrarium... ou le sexe des abeilles* (1998). Tout le corpus pictural était orienté par ce désir (*fig. 4, fig. 12, fig. 15*).

- [167] *Od.*, Chant XII : 303-313 (p. 181-183). Homère décrit Hélios, la divinité qui personnifie le Soleil, comme «Le Charmeur des Mortels» et celui «qui voit tout et entend tout». Malgré les avertissements d'Ulysse, tous ses compagnons vont périr pour avoir mangé les bœufs sacrés d'Hélios.

- [168] Ici, je laisse Charles Taylor (1992) et Richard Desjardins (2002) prendre le relais : «Les êtres humains et les sociétés humaines sont beaucoup plus complexes que toute théorie qui prétend les expliquer. Il est vrai que nous sommes poussés dans cette direction. Il est vrai que les philosophies de l'atomisme et de l'instrumentalisme jouissent d'une longueur d'avance dans notre monde. Mais il est également vrai qu'elles rencontrent bien des résistances et qu'il en apparaît constamment de nouvelles. Il suffit de penser à tout le mouvement romantique, qui a mis au défi la prédominance de ces catégories, et à sa résurgence actuelle qui remet en question notre irresponsabilité écologique. Le fait que ce mouvement a pris de l'ampleur, et qu'il a modifié, si peu que ce soit, notre comportement, constitue une réfutation au moins partielle de toute loi de fer qu'imposerait la société industrielle» (Charles Taylor, *Grandeur et misère de la modernité*, Montréal : Bellarmin, p. 124.). «Jamais nous n'avions imaginé que ce documentaire, de facture sobre, puisse causer autant d'effet [...] Quarante jours plus tard, la réponse est venue sous forme d'une lettre ouverte aux réalisateurs, signée de la main du ministre. Je suis tombé sur le cul. Non seulement elle ne répondait à aucune des interrogations majeures soulevées dans le film, elle se réduisait à une série d'attaques personnelles sur notre manière d'exercer notre art. C'est là que j'ai compris que nous avions eu raison. Que ce gouvernement ne ferait jamais la lumière sur les pratiques forestières. Qu'il se contenterait de narguer et d'intimider ceux qui éprouvent une grande inquiétude par rapport au devenir de notre plus grande ressource collective [...] Aujourd'hui, quatre Québécois sur cinq sont convaincus que notre forêt est mal gérée». Richard Desjardins, «Réveillés, les forestiers? Ils cherchent encore la *switch*», in *Le Devoir*, 27-28 avril 2002, p. B11. Au moins, Desjardins pourra-t-il dire qu'il a fait acte comme sujet et que, tout comme Ulysse, il a prévenu ses compagnons.

CHANT VI

Figure 13.

L'Ébranleur de Terre, dieu de la Mer aux Mille Bruits (2000).
Acrylique sur toile libre. 241 x 183 cm.
Collection du Bistro à Champlain, Sainte-Marguerite du Lac Masson.
Photo : Édith Martin.

Le sujet affecté. Gravure et impression. Le cœur d'Ulysse. Le réel et le désir. L'effet juste. Plastique et jouissance. L'ancre. Prodiges. Se tenir dessous. Le débordement des signes. Quand la mer se déchaîne. L'épreuve. Le naufrage. Liaison et déliaison. Forcer le retour. Ulysse aux Mille Expédients. De la lucidité artistique. L'espace et la situation. La chair de l'idée. Intégration et transgression. L'inconscient collectif et le paysage intérieur. Faire acte. La vigile artistique. Le sensible. Une île parmi les îles. Ployer la force. De la forme. De l'intégrité. L'homme dissocié. Les marais de l'ignorance. Le savoir-vivre. Comprendre. Le savoir de l'esclave. Les bordures fluides. L'art du discernement. La honte muette. Le surhumain. Le mal-à-être contemporain. De la toute-puissance. Le sujet comme propriété publique. De la paralysie. De l'asphyxie. L'invention du manque. De la beauté intrinsèque. Figures de l'extrême. Le savoir défiguré. Les forces cachées. L'art de la vie bonne. S'émouvoir. La tribu des chanteurs. Le son de l'eau vive. Joindre des lignes. Rester sans voix. De la signifiance. La vie-plastique. La vie-peinture. La peinture-silence. La violence des prétendants. L'autre monde.

6.1 L'effet

«Aujourd'hui, mon professeur d'arts plastiques m'a demandé ce que tu faisais...» J'attends, amusée et inquiète, la réponse de Sophie. «Je lui ai dit... Ma mère... hum... elle fait plein de lignes qui se rejoignent».

Paroles ailées... Sujet affecté... Mon cœur chavire.[170]

...

Il arrive qu'une parole nous bouleverse. Pour décrire une telle expérience, la culture orale s'inspire des arts plastiques. Nous disons par exemple qu'elle fut «marquante», nous a fait «une forte impression» ou qu'elle est restée «gravée dans la mémoire». La gravure est d'abord une technique de production et de reproduction d'images par impression. A l'aide d'acides et d'outils contondants, la main du graveur marque une surface dure puis la couvre d'encre. Celle-ci pénètre les encavures, la plaque est essuyée et le papier conserve l'empreinte des vides remplis. La copie imprimée est donc une image produite à partir d'un négatif, de même qu'un travail de compensation. L'œil, tout comme l'appareil photographique, ne fonctionne pas autrement.

En gravure, chaque impression est numérotée et signée sauf la première, qu'on appelle «l'épreuve d'artiste». Moi artiste, je suis une plaque sensible. Une parole d'enfant vient rayer ma surface et j'en conserve la marque inversée. Quelque chose d'indéfinissable s'est gravé en moi. Je ne sais pourquoi je suis affectée et je ne comprends pas la nature de cet effet, mais c'est précisément ce que j'en retiens : l'effet. Dans la Mer aux Mille Bruits (*fig. 13*), l'effet est un bruit silencieux. C'est du réel pur, capté par le désir (*fig. 4*).

Il m'arrive, comme il nous arrive à tous, de mettre l'épreuve d'artiste de côté... et de ne reprendre l'impression que beaucoup plus tard. Nous disons : «J'ai mis en oubli». C'est ainsi que certaines paroles peuvent mettre des années à révéler leur signifiance. D'autres seront au contraire immédiatement interprétées et traduites dans un matériau qui leur restitue toute leur puissance expressive. Mais le plus souvent, en art, ce sont les effets eux-mêmes qui sont abstraits de l'expérience pour devenir forme. L'effet juste[171] est à l'artiste ce que l'effet de vérité est pour tout individu. On l'aura compris : ce travail s'effectue par identification projective et dans le silence le plus complet. Le négatif devient positif, le creux devient plein, le noir devient blanc, le dessus est dessous et l'intérieur est extérieur. La vérité se retourne comme un gant dans l'espace qui est le mien. Telle est la jouissance que procure l'expérience plastique. En ce lieu, nulle contradiction de l'être, aucune dualité, rien qui ne soit insensé. L'être s'y accomplit par d'infimes liaisons. L'encre est l'ancre.[172]

6.2 L'épreuve d'artiste

Paroles ailées... Sujet affecté. Est-ce mon cœur de mère qui est tout retourné ou celui de l'artiste? Cela peut paraître une drôle de question. Pourtant, nous sommes appelés tous les jours à effectuer ce genre de distinction. C'est en lui-même que le sujet se relie et dans la parole qu'il se délie.[173]

«Devant la côte rien que rochers aigus : tout autour les vagues bondissent et mugissent; le roc s'élève à pic, tout uni; alentour, la mer est profonde, nul moyen de poser ses pieds et d'éviter la mort [...] Son cœur était dompté par les vagues»[174]. Un cœur est ce radeau de fortune qui peut facilement être brisé par une vague (*fig. 13*). Nous le savons. Nous savons que la vie nous réserve de ces expériences totalement envahissantes. Nous disons avoir été «profondément affectés». Nous connaissons intuitivement, même si nous ne l'avons jamais vécue dans les faits, l'expérience du *naufrage*. Celle-ci reste à jamais gravée dans notre mémoire comme l'épreuve ultime que nous avons surmontée sans pouvoir dire comment.[175]

Cette réussite, nous la devons à l'artiste en soi. Celui-ci refuse de se laisser mettre en pièces. Au contraire, il provoque l'épreuve, utilise l'affect comme un outil de travail. Il mène une expérience, l'intègre totalement, accepte le corps à corps qu'elle représente, invente un héroïsme simple et des modalités d'action inusitées pour faire face à la situation. «Fût-il entravé par des chaînes de fer, il saura revenir, car jamais il n'est à court d'expédients», insiste Homère.[176]

Figure 14.

L'eau vive (*2000*). De la suite des *Carnets* (1990 — en cours).
Acrylique sur Stonehenge. 76 x 56 cm.
Collection privée, Trois-Rivières.
Photo : Édith Martin.

Nous disons que l'artiste est «visionnaire». En fait, en se rendant disponible à la totalité de l'expérience du vivre contemporain, en l'appréhendant de manière immédiate et intuitive et en cherchant à le comprendre, l'artiste se montre tout simplement plus lucide.[177] Il assimile tout ce qu'il peut de l'expérience en cours et se donne une direction au fur et à mesure. Il se met lui-même à l'épreuve par immersion sensorielle pleine et entière et, ce faisant, il devient un analyste du temps présent.[178] «Je devais éprouver une grande détresse, que m'envoya Poséidon, l'Ébranleur de la terre; il souleva les vents, me ferma le chemin, me fit une mer indicible. Cependant je parcourus cet abîme à la nage, et j'approchai enfin de votre terre»[179]. Dans l'épreuve, l'artiste peut se rendre aux limites de sa résistance physique et psychique. De l'extérieur, sa conduite peut paraître irrationnelle; elle intrigue, inquiète, amuse les autres, les dérange. Dans tous les cas, la conduite artistique exerce une certaine fascination. Ce que le non-artiste perçoit, mais ne comprend pas, c'est que le travail de l'artiste est fondamentalement un travail sur l'espace et la situation.[180] L'espace est plein et fluide et la situation, toujours changeante; tandis qu'un corps et une psychologie d'artiste ne font qu'un.[181]

Le mot «art» vient de *are*, qui signifie «adapter», «ajuster». Tout comme les mots «artifice», «articulation» et «harmonie». L'adaptation et l'ajustement concernent tout autant l'objet que le sujet en tant qu'ils sont vus comme formes. La forme est la condition de l'art. C'est la manifestation d'une idée organisatrice, d'une intervention de l'intelligence et d'un souci d'unité face à l'infinité des possibles.[182] Par son travail de la forme, l'art est si radicalement adaptatif et intégrateur qu'il nous apparaît parfois schizophrène et hallucinatoire (*fig. 1*). Comment pourrait-il en être autrement? Un sujet ne surmonte une épreuve que par ses ressources intérieures, là où les forces de toute son histoire sont rassemblées et projetées.[183] Et c'est précisément par là, par ce type de présence et de fonctionnement, que l'art vient nous surprendre.

Ce qui était une épreuve d'artiste devient une épreuve pour le public. Une esthétique est proposée. Un certain sentiment de la beauté est troublé, peut-être même choqué. Au pôle de la réception, l'art apparaît «transgressif». Or, l'effet de transgression ne vient pas de l'intention artistique, mais bien de la réalité de tout processus de création pour autant que le projet artistique soit ambitieux.[184] Ce qui est original et novateur arrive d'abord par l'intégration psychique d'un ensemble complexe de données prélevées dans la réalité. Qu'est-ce qui refoule le chant artistique, sinon la conscience subite d'une altérité qui pointe vers un monde absolument différent?[185] Dans *Le sang d'un poète*,[186] Cocteau nous montre qu'il faut traverser le miroir. L'espace y devient liquide, le corps est en apesanteur, le monde est sens dessus dessous. Une œuvre d'art doit pouvoir créer un univers si absolument cohérent et distinct qu'à son contact, nos propres raisons se désintègrent. C'était d'ailleurs la technique favorite de Socrate : démontrer une chose par son contraire, opérer par ses questions un renversement complet de la pensée chez son interlocuteur.[187]

...

L'art a ses techniques, ses méthodes, tout un savoir pratique et théorique susceptible d'être transmis et réévalué par chaque génération. Les gestes simples de la gravure, par exemple, ont à ce point façonné notre langue et notre culture qu'ils font maintenant partie de notre inconscient collectif. Tout un vocabulaire provient des arts, que nous employons sans jamais y penser. De la même façon, l'intuition des inventeurs artistiques s'alimente à un fond commun d'expériences. L'analyse des formes et des styles traditionnels, la connaissance et l'étude des langages les plus variés permettra par la suite de les perfectionner, de les transformer ou de les refuser. Le but sera toujours finalement, de faire coïncider des formes avec un rythme, un paysage intérieur.[188]

Un sujet fait acte et vit des affects. L'un et l'autre sont irrémédiablement liés. Attentif à l'événement vécu, l'artiste en retient à la fois les circonstances et l'émotion. Il enregistre. Il filme, photographie, découpe la réalité, consigne toutes sortes de données du réel selon sa propre méthode — des observations, des notes, des croquis, par exemple — les convertit en idées et les met en réserve pour plus tard. Celles-ci ressurgiront au moment de l'acte créateur, mêlées à l'expérience présente du sujet, consciente et inconsciente. Ce sont ses observations, des autres comme de lui-même, ainsi que son savoir-faire qui donneront à l'œuvre sa dimension proprement sensible; et par «sensible», j'entends, production d'effets de réel qualitativement distincts.

Tout ce travail souterrain n'intéresse pas l'esthétique proprement dite. Où l'art commence-t-il au juste? C'est pourtant ce qui constitue et nourrit l'expérience de l'art, ce qui rend l'art possible. Pour l'artiste, l'œuvre est la pointe de l'iceberg. Elle est ce qu'elle est : une production, la preuve d'un processus de recherche et de travail. Mais elle est avant tout le témoignage d'une étape de vie, la trace d'un passage et le marquage d'un territoire. L'œuvre est donc un relais, une île parmi les îles (*fig. 6, fig. 9, fig. 24*), avec tous les souvenirs qui s'y rattachent et qui nourriront l'œuvre à venir.[189] Une œuvre intègre ne sera jamais reniée. Elle fera partie d'un passé assumé, perçu par l'artiste comme une étape nécessaire et, donc, fondamentalement bonne.

6.3 De l'intégrité

Notre civilisation est à un niveau de développement technique sans précédent. Elle nous a appris à penser l'humain comme un être vulnérable et plus ou moins défaillant, à l'imaginer comme un ensemble de petites pièces indépendantes et à penser pour chacune de ses parties malades une expertise soignante. L'homme d'aujourd'hui délègue la plupart de ses facultés à des prolongements techniques et des mécanismes sociaux.[190] Mais nous sommes à même de constater qu'il n'est pas qu'une machine et que toute la science du monde n'est pas arrivée à comprendre la complexité de l'expérience humaine d'une manière qui nous fasse comprendre notre propre vie. N'avons-nous pas le sentiment que la science est toujours en retard sur le réel vécu, toujours incompétente en regard des besoins contemporains?[191] Toute la science de l'homme aurait-elle échoué à me montrer ce que pourrait être, aujourd'hui, le *savoir-vivre*? Et bien, j'ose le dire ici : pas si on considère l'art comme la science des sciences...

En vérité, ce qu'on appelle le savoir est toujours décalé vis-à-vis de la praxis. «L'esprit des dieux éternels ne change pas en un instant...»[192], dit Homère. Les développements technologiques de l'homme et la rapidité avec laquelle ils s'implantent dans le socius — et ce de gré ou de force — causent des chocs profonds. C'est par l'action que nous faisons face aux bouleversements sociaux, par l'expérimentation de nouvelles pratiques. Ce qu'on nous aura appris à la petite école ne nous est ici en général d'aucune utilité. Devant une situation nouvelle, il faut au contraire lever tous les conditionnements. Or, l'éducation est toujours une version édulcorée de la pensée scientifique, elle-même en retard sur l'expérience du vivre contemporain. C'est dans l'ordre des choses : le champ social est un laboratoire, les nouveaux concepts ne peuvent dériver que de la pratique et de l'observation de cette pratique. Ici, il faut lire Lyotard et Lacan : ce qui intéresse le maître, c'est le savoir de l'esclave. C'est toujours l'esclave qui possède le vrai savoir.[193] La pensée scientifique dissimule mal son mépris lorsqu'elle qualifie ce savoir de pensée «préscientifique». Cette pensée, elle l'utilise pour créer de nouvelles machines. Mais elle ne nous dit pas comment vivre avec.[194]

Ce domaine de recherche m'apparaît toujours comme celui de l'art, un espace de travail où l'homme apprend à se connaître aussi bien comme objet que comme sujet de l'expérience. En effet, la distinction «objet / sujet», caractéristique épistémologique des sciences dites «dures», n'existe pas en art.[195] De son savoir d'esclave, l'artiste tire son propre enseignement et pense ses propres concepts.[196] Peut-on poser l'art comme une autre science, celle de l'homme dans l'expérience vécue?

Comme pratique de l'intégrité? Comme savoir-vivre intégral? Là où la science et la technique désintègrent le sujet, l'artiste trouve une forme unifiante.[197] Il le fait par l'exploration des niveaux de réalité les plus diversifiés et une participation maximale à tout son univers sensoriel. Chaque pratique de l'art est une pratique exacerbée de la vie; chaque œuvre embrasse l'ensemble des théories de la connaissance; chaque action artistique est de l'éthique appliquée. L'art est nécessairement et, par le fait même, une remise en question de la science objectiviste et une critique de la raison pure.[198] A Wittgenstein qui proclame «Ce dont tu ne peux parler, tu dois le taire»[199], le logicien artiste répond : «Ce dont tu ne peux parler, tu dois le faire!» L'art à son meilleur réfléchit sur toutes les sciences et les précède dans la connaissance.[200]

En fait, l'art fournit à la science ce qui lui manque le plus : du discernement. L'art est le seul domaine de recherche qui n'ait pas renoncé à une connaissance intégrale de l'homme. La tâche la plus essentielle et la plus difficile sera toujours pour l'individu de lier psychiquement ses besoins vitaux, ses désirs et sa dépendance au groupe... pour trouver la vie bonne. Franchement, voyez-vous autre chose à faire dans la vie? Qui donc nous montre ce que «ça peut vouloir dire» aujourd'hui sinon les artistes?[201] «Ça peut vouloir dire» est la réponse artistique aux problèmes individuels et sociaux, qui sont immenses : des études, des hypothèses mises en œuvre, des créations à partir de problèmes de vie qui nous concernent tous et chacun.[202]

6.4 La honte muette

Il y a un peu plus de cent ans, soit en pleine révolution industrielle, Nietzsche nous enjoignait de devenir des surhommes. Le *surhumain* était l'affirmation de la puissance, la valorisation du désir comme élan vital — et, donc, fondamentalement sain — de l'homme. Il supposait une aspiration et un combat pour le libre arbitre. Nous savons que Nietzsche en appelait à une pensée libre de toute morale religieuse et de tout dogmatisme philosophique. Il s'en prenait alors à la morale judéo-chrétienne comme idéologie «de la souffrance et du ressentiment», tout comme il dénonçait ce qu'il appelait «le nihilisme bouddhiste»[203].

Maintenant, envisageons cette hypothèse. Si notre civilisation avait évolué de manière telle que le *surhumain* soit devenu la nouvelle norme, d'une normalité qui nous rende la vraie vie, la vie quotidienne, invivable? Qui fasse que dorénavant nous ayons honte de notre souffrance? Honte de notre colère? Honte de nos sentiments confus? Honte de nos corps non performants? Honte de notre incompétence à aimer? Honte de notre désir de mourir? Si ce qui est précisément difficile à vivre actuellement, soit le «surhumain» non plus en tant que concept, mais en tant qu'exigence technique, faisait l'objet des interdits et des tabous les plus puissants dans une société en principe riche et prospère, où le libre arbitre, l'autonomie et la responsabilité individuelles sont devenus des valeurs suprêmes?[204] Où donc le mal-à-être contemporain trouverait-il à s'exprimer et à être compris? Dans la sphère privée me direz-vous, ou dans les cabinets de psychanalystes, ou dans les sectes religieuses. Mais sur la scène publique? Qui donc, socialement parlant, se charge d'en exprimer la réalité? Mais surtout, de la légitimer?[205] C'est-à-dire, d'en restituer la beauté vitale, et non de renforcer l'idée — nihiliste — du manque à être. L'homme éduqué dans l'idée de la toute-puissance, l'homme submergé d'informations et des nouvelles responsabilités qu'elles créent, l'homme honteux de ne pas «pouvoir» le surhumain, crie en lui-même. Notre honte muette tue nos forces vives dès l'enfance, massacre par suicide nos adolescents et nos hommes. Nous ne vivons pourtant pas à Sarajevo.

Le mal-à-être est pour l'artiste un signe de santé mentale et une nécessité, celle qui donne à chaque événement de la vie, qu'il soit triste ou heureux, une très grande valeur. Le mal-à-être n'est pas une tare sociale, mais l'instrument de la lucidité.[206] C'est ce qui donne à chaque individu sa plus irréductible singularité, sa plus authentique originalité; bref, sa beauté intrinsèque de sujet. Le mal-à-être est la seule sphère qui soit, aujourd'hui, réellement privée; la seule et dernière frontière qui protège le sujet de la propriété publique qu'il est devenu.

L'idée du manque est l'invention occidentale par excellence pour inculquer la honte à tout un chacun dès sa naissance. La honte de vivre une vie vraie, avec un corps splendide et une sublime intelligence, des émotions et une puissance fantasmatique faits pour créer, affronter des situations de toutes sortes, vivre une vie riche et pleine d'heureuses rencontres.[207] La vie n'a jamais été si confortable dans notre civilisation, si propice à l'action et à la découverte; et pourtant, le sujet contemporain vit une formidable compression de l'être, à tel point qu'il ne ressent plus son corps. Du côté de la clinique, on ne compte plus les cas de paralysie et d'asphyxie psychosomatiques. Sans aucune raison, médicale s'entend, les bras refusent d'obéir, le dos ne peut plus en prendre, les paupières refusent de s'ouvrir, le souffle devient haletant, le vertige et la migraine s'installent. J'ai connu une enfant de onze ans souffrant de «burn-out» et un petit garçon se dessinant dans son propre cercueil, avec tous ses parents pleurant autour.

A mesure que l'homme devient pure information, à mesure il s'ignore. Son corps s'appesantit jusqu'au point d'éclater. Un indice en est l'engouement chez les jeunes pour les rites tribaux de toutes sortes, «chatting», «rave», «body peircing» et la pratique de tout ce qui peut être «extrême». On ne compte plus les produits «extrêmes» en publicité. A l'expérience extrême de l'inanité de l'homme contemporain, on substitue l'extrême matérialité de l'expérience. Ce n'est pas quelque chose qu'on lui enseigne. C'est quelque chose qu'on lui vend. Aujourd'hui, il faut acheter du corps, du son, des odeurs, du mouvement, de la vitesse, de la gravité, de la parole. Il faut consulter un spécialiste lorsqu'on se sent mal. Comme si cela était exclus de l'expérience normale. Comme si l'homme n'avait pas déjà tout ce qu'il faut pour lui-même en naissant. Comme s'il n'arrivait plus à donner un sens à ses propres épreuves. Comme si en fait, il n'éprouvait plus rien du tout.

Aujourd'hui, il n'est rien qui dérange plus que l'émotion. On ne sait plus quoi en faire. Les sentiments exacerbés sont contre-productifs. «Le surhomme nouveau est arrivé!» Complètement défiguré, sans joie. Sans *gai savoir*, aurait dit Nietzsche.

Qui donc travaille socialement à lever les masques[208] de la honte, sinon la tribu des artistes?[209] Qui donc travaille à découvrir de nouvelles formes de savoir-vivre, à opérer une transmutation des valeurs? A transmettre l'idée que chacun possède les ressources pour vivre une vie bonne? Nul chamanisme ici, nulle sorcellerie, nulle fabulation ni promesse de bonheur. L'art est un combat individuel, à l'échelle individuelle, pour l'authenticité de l'être, dans toute sa complexité et toutes ses dimensions de sujet, célébrant sa capacité de s'émouvoir et la splendeur de ses facultés créatrices.[210] Un être dans la foule, témoignant du vivant.[211] «Le chant le plus admiré des hommes, c'est toujours le plus nouveau. Toi, donc, que ton âme et ton cœur aient la force de l'entendre», dit Homère.[212] L'aurait-on oublié? L'art s'enseigne.

6.5 Le son de l'eau vive

«Je lui ai dit... Ma mère... hum... elle fait plein de lignes qui se rejoignent».

Paroles ailées... Sujet transporté. Une voix fredonne en moi : «Ma petite est comme l'eau, elle est comme l'eau vive...» (*fig. 6, fig. 14*). Saisir une seconde de bonheur. Mettre en réserve ce doux chant. Le conserver pour les tristes circonstances.

Paroles ailées... Sujet affecté. Un jour, une artiste de renommée internationale me demande : «Mais dis-moi? Quel est l'avantage d'avoir des enfants?» Je reste sans voix. Je n'avais jamais pensé à justifier mon désir d'enfant par une formule mathématique... Une autre fois c'est un ami d'outre-mer, un peintre français très connu qui me lance : «Jamais une femme ne réalisera un grand œuvre parce qu'elle a le pouvoir d'enfanter. C'est ça son œuvre». Je reste sans voix. Il est bien entendu que le grand œuvre se voit dans les livres d'histoire et qu'aucune mère n'y figure... Une autre fois, j'ai rendez-vous avec la directrice d'une galerie qui m'offre depuis longtemps de me représenter. Il y a belle lurette qu'on ne s'est vues et je me présente enceinte jusqu'aux oreilles. A l'heure des discussions d'affaires elle me dit : «Commence par prendre soin de ton enfant... On verra plus tard». Je reste sans voix. Jamais je n'avais envisagé qu'une artiste ne l'est plus lorsqu'elle devient mère.

Certaines paroles peuvent mettre des années à révéler leur signifiance. C'est comme en gravure.

Paroles ailées... Sujet transporté. «Ma mère... elle fait plein de lignes qui se rejoignent...» (*fig. 1, fig. 8, fig. 12, fig. 17, fig. 21, fig. 29*). La mère est bien sûr très fière de l'intelligence de sa fille. L'artiste, fière qu'une telle parole ait été permise par l'œuvre. La femme quant à elle est très émue. Celle-ci mène en général une vie impossible à vouloir être à la fois une bonne mère et une bonne artiste. Et puis, la peintre est très touchée. Parce que c'est la peintre qui a permis à la femme, à la mère et à l'artiste de lier des sphères d'activité a priori incompatibles, de faire tenir tout ensemble des univers absolument parallèles, et de faire ainsi de sa vie ce qu'elle désire être une œuvre d'art.

«La vie est pure plastique, ma Sophie. C'est un problème de composition...» La vie n'est pas autre chose qu'un patient travail de tissage sans métier et sans navette, sans fil de trame ni fil de chaîne (*fig. 29*). Juste une peinture aux mille traverses et cent fois recommencée; juste une image pleine de trous et cent fois reprisée; juste un ensemble de gestes a priori inutiles et anti-performants comme moucher ton nez, caresser ton beau visage, raccommoder tes bas et sentir ton souffle tiède sur ma joue. Juste une manière de te montrer la vie (*fig. 6*).

«La vie coule et se cristallise comme la peinture, ma Sophie. C'est à toi de la peindre...» Souvent, seule là-haut, retirée dans ma chambre, je regarde le dedans du dehors. La peintre observe et saisit, se rappelle ce qu'il faut savoir au moment opportun. Accueille dans le plus grand silence le *chant des Sirènes* (*fig. 17*) et les vents bruyants (*fig. 10*), les murmures, les refrains et les ritournelles... la polyphonie des chants anciens comme les rires moqueurs de l'enfance. Elle médite. Elle peint. Et elle reste sans voix.

«La peinture est un éloge du silence, ma chérie». Les discours pèsent. Les discours sont le pouvoir. Les discours sont propriété, maîtrise et esclavage. Les discours guerroient. Les discours sont dette et devoir. Les discours s'affaissent inévitablement. La vie vraie n'est qu'une suite de babils, de balbutiements, de mots jamais tout à fait justes, de murmures, de baisers et d'éclats de voix qu'on écoute attentivement pour en découvrir la poésie (*fig. 4*). La scribe ne consigne que les *paroles ailées*. Arriver à une parole pleine, c'est la tâche la plus difficile qui soit. Celle-ci doit trouver à s'exprimer. Il est possible qu'elle ne sorte jamais de ta bouche. Elle peut être dans ton regard, dans ta démarche, dans ta manière de faire l'amour. Ou de peindre ce que tu ressens mais n'arrives pas à voir. Pour cela, il faut savoir se taire.

«La cour est pleine de prétendants, ma fille...» Ils sont brutaux, égocentriques, tapageurs et désespérément inconscients. La peintre les maintient en respect. En elle réside une force à laquelle aucun d'eux ne peut prétendre. Ce n'est pas une force guerrière, ni une force vengeresse, ni une force de possédante. La peintre n'est ni reine, ni gouvernante, ni épouse, ni bien, ni maîtresse, ni mère, ni fille. La peintre est souveraine, d'une souveraineté qui ne concerne qu'elle-même, jouissant d'elle-même sans dette ni devoir (*fig. 10*). La peintre ne manque de rien, n'est frustrée de rien. Exilée et perdue, l'artiste se mesure à toutes sortes d'épreuves viriles; je ne sais si elle en reviendra jamais. Athéna l'accompagne : tu sais, cette déesse née directement de la tête de son père? Mais la peintre est là, toujours au poste, dans la quiétude de sa chambre. Elle travaille les liens du sang (*fig. 1, fig. 15*). Seule et anonyme, elle connaît un autre monde (*fig. 2, fig. 19, fig. 28*).

Figure 15.

Fibrines, No. 3 (1995).
Acrylique sur toile libre. 241 x 183 cm.
Collection de l'artiste.
Photo : Pierre Charrier.

[169] «Carnet d'Ulysse No.6. La Mer aux Mille Bruits», *Art Le Sabord*, *No. 61*, été 2001, p. 46-51.

[170] Déjà chez Homère, le cœur est le siège des émotions : «Ulysse sentit défaillir son cœur et ses genoux, il gémit et dit à son cœur magnanime : Hélas! Maintenant que Zeus m'a donné de voir la terre contre toute espérance, et que j'ai fendu ces abîmes à la nage, je n'aperçois aucune issue pour sortir de la mer grise». *Od.*, Chant V : 395-440 (p. 87).

[171] A propos de «l'effet juste», j'écrivais en 1998 : «Chaque intervention crée une sensation nouvelle pour le corps du peintre. Le peintre abstrait, c'est d'abord un corps vigilant, qui cherche dans chaque événement pictural une sensation *qui fait sens*, soit une sensation qui lui apparaît porteuse de signification. Un simple geste peut sembler arbitraire, mais sa conservation, parce qu'il apparaît juste, est un choix, une décision [...] L'effet juste et le fonctionnement appartiennent au registre du sensible : c'est du réel à l'œuvre. Et cela se passe en dehors de la parole ou plutôt, avant que la pensée n'ait eu le temps d'organiser ces sensations pour en faire des perceptions» (in *L'Arbitrarium... ou le sexe des abeilles*, 1998, *fig. 4*).

[172] De pouvoir reproduire du réel sans le langage est, dans l'expérience vécue, un petit «prodige». Cf. *Substare. Se tenir dessous* (1999), un livre d'artiste présenté dans l'exposition collective *Ceci n'est pas un livre*, qui devait s'accompagner d'un texte de chaque artiste participant : «Sous la forme d'un ensemble de *Carnets* qui ont caractérisé ma production visuelle depuis 1990, ce livre analyse plastiquement ma relation à la lecture, à l'écriture et à la peinture, comme processus d'appropriation et d'inscription par la pensée et par le geste. L'œuvre, réalisée au moyen du collage, du dessin et de la peinture acrylique, met en lumière le bavardage incessant de la culture, la relation constante du sujet artiste avec elle et la transition entre ce bruit de la pensée et le silence de l'œuvre. Ce prétendu mutisme marque en fait le passage, dans la séquence des pages du livre, entre la parole du sujet pensant et la parole de l'œuvre pensante, forme plastique qui installe un ordre différent de communication. Se transmet ainsi au moyen du sensible, une permission essentielle : celle de penser par soi-même à partir de cette forme» (Maison des Arts de Laval, en collaboration avec la Bibliothèque Nationale du Québec, 2000).

[173] Le poète tchadien Nimrod (2002) explique bien ce phénomène : «L'origine du langage est dans le *corps* [...] Face à un arbre ou face au mystère d'un visage, nous sommes comme au premier matin du monde. Le langage s'insurge en nous, les «signes» nous débordent, car l'expression d'une pensée — ou d'un *état de pensée* — s'enclenche avec une vélocité telle que les mots nous manquent. C'est dire qu'ils épousent rarement la *courbe* de nos sensations» («L'origine du langage», *Le Devoir*, 27-28 avril, p. D1). J'ajoute que, pour moi, le médium peinture permet de demeurer au plus près de ces sensations premières et même de visualiser ce «débordement des signes» avec lequel le poète joue (*fig. 2*). En fait, c'est, depuis les origines, le problème essentiel des artistes plasticiens. Le projet de la phénoménologie sera ensuite de trouver une parole philosophique à ce type d'expérience (cf. «Dossier : La phénoménologie. Une philosophie pour notre monde», *Magazine littéraire, No. 403*, novembre 2001).

[174] *Od.*, Chant V : 395-483 (p. 87-88).

[175] Dans *L'eau et les rêves. Essai sur l'imagination de la matière*, Bachelard (1942) consacre un chapitre entier à l'imagination de «L'eau violente» (*fig. 13*). Ce qu'il nomme «la poésie de la nage» serait la production d'un complexe primitif : «La nage dans les eaux naturelles, en plein lac, en plein fleuve, peut seule s'animer des forces complexuelles [...] C'est grâce à la sensibilité que l'ambivalence spéciale de la lutte contre l'eau avec ses victoires et ses défaites s'insère dans l'ambivalence classique de la peine et de la joie [...] La fatigue est le destin du nageur : le sadisme doit faire place tôt ou tard au masochisme [...] Quand un poème trouve un accent dramatique ambivalent, on sent qu'il est l'écho multiplié d'un instant valorisé où se sont noués, au cœur du poète, le bien et le mal de tout un univers. Encore une fois, l'imagination fait

monter, jusqu'au niveau cosmique, de pauvres incidents de la vie individuelle» (*ibid.*, p. 191-192) (*fig. 6*). Par un merveilleux retour du balancier, l'image créée par l'artiste à même une expérience vécue et partagée à un moment ou à un autre par tout un chacun (ces «pauvres incidents de la vie individuelle») ira toucher chez l'autre un affect refoulé, qui serait pour moi la fameuse «corde sensible». J'ai formulé cette idée de manière plastique et poétique lorsque j'ai été invitée à produire une carte postale pour le Festival International de la Poésie (2000). Sur un collage infographique, représentant l'une de mes *Intensités immobiles* se détachant sur un fond marin (zone provenant d'une œuvre plus ancienne), se trouve le vers suivant : *Quand la mer se déchaîne, tes îles sont mes étoiles.* En ce qui concerne le champ du sensible, la faculté d'un artiste à aller droit au cœur de l'expérience est l'indice d'une perception extrêmement fine de la réalité ou, en d'autres termes, d'une sensibilité aiguë aux êtres et aux choses, qui a trouvé sa formulation théorique en psychologie cognitive. Ainsi, pour Howard Gardner (1996), les intelligences «intra-subjective» et «inter-subjective» sont, parmi les sept intelligences qu'il décrit, très développées chez les sujets artistes. Cf. *Les intelligences multiples*, Paris : Retz, 1996; cf. également, «Dossier. L'intelligence : une ou multiple?», *Sciences humaines, No. 116*, mai 2001, p. 21-37.

- [176] *Od.*, Chant I : 189-236 (p. 22). Cf. cette réflexion de l'acteur Gilbert Turp (1985) : «Imaginer le monde, mettre en scène la vision qu'on en a, est-ce un aveu tragique ou un rêve épique? Est-ce une fuite devant un réel aliénant ou une prise de conscience de la possibilité d'agir? Je ne sais pas. Je me renvoie à l'épilogue de *La Tempête* de Shakespeare». « Questions de culture...», in *Questions de culture. Présences de jeunes artistes, No. 8*, printemps 1985, p. 181. On remarquera dans cette parole d'artiste deux signifiants-clés : «rêve épique» et «tempête».

- [177] «Great poetry engages the whole man in his response — senses, imagination, emotion, intellect; it does not touch him merely to entertain the reader but to bring him, along with pure pleasure, fresh insights, or rewed insights, and important insights, into the nature of human experience [...] It is *knowledge* — *felt* knowledge, *new* knowledge — of the complexities of human nature and of the tragedies and sufferings, the excitements and joys, that characterize human experience». Laurence Perrine, *Sound and sense*, p. 261. Cela ne saurait s'accomplir sans un investissement marqué de la mémoire, soit le «forçage», au moyen de diverses techniques, du retour du souvenir inconscient vers la conscience. Par exemple, les auteurs Jean-Yves et Marc Tardié (1999), respectivement professeur de littérature et neurochirurgien, s'intéressent à la cure psychanalytique comme aux techniques de «reconnaissance» artistique en tant qu'elles permettent au sujet de recouvrer une certaine «plasticité neuronale» (rétablissement des connexions synaptiques). *Le sens de la mémoire*, Paris : Gallimard.

- [178] «Les idées courent le monde. Ça n'a pas de personnalité, une idée. Ce qui a de la personnalité, c'est la chair de quelqu'un. C'est toute son organisation intérieure, ses rythmes; et ce qu'il privilégie, ce qu'il rejette, c'est lié à une époque». Marcelle Ferron, in Bernier et Perreault, *L'artiste et l'œuvre à faire*, p.101.

- [179] *Od.*, Chant VII : 230-271 (p. 107-108).

- [180] «Sur le plan physique s'est infiltrée une transformation de mon maintien, une écoute plus attentive de l'organicité de mon corps : ressentir l'air entre les os, le muscle et la peau, la colonne vertébrale tenue et fluide à la fois, une qualité dans l'action de se mouvoir... du dedans. Quand je risque, je tombe toujours dans un autre corps». Sylvie Tourangeau (1996), «Ligne de continuité, point milieu, *âge tendre et tête de bois*», in Les Ateliers Convertibles, *Parcours désordonné. Propos d'artistes sur la collection*, Joliette : Les Ateliers Convertibles, p. 69. Un autre exemple de l'expérience décrite par Tourangeau est le paysage que j'ai créé à partir d'une représentation génitale féminine, l'espace utérin, dans *Les grottes secrètes de Calypso* (2002) (*fig. 28*).

[181] «En ployant sur soi la force, en mettant la force dans un rapport avec soi, les Grecs inventent la subjectivation [...] Les Grecs inventent le mode d'existence esthétique. C'est cela, la subjectivation : donner une courbure à la ligne, faire qu'elle revienne sur soi, ou que la force s'affecte elle-même. Alors nous aurons les moyens de vivre ce qui serait invivable autrement». Gilles Deleuze et Claire Parnet (1990), *Pourparlers*, Paris : Minuit, p. 154. C'est ce que j'entendrai à la fin du présent carnet (*Le son de l'eau vive*) et qui se résume en cette formule : «faire de ma vie une œuvre d'art».

[182] Roland de Candé (1961) distingue deux sortes de forme : la forme abstraite, qui concerne la structure interne d'une œuvre, «susceptible d'être considérée comme un schéma intellectuel»; et la forme concrète, qui est «la configuration globale de l'œuvre achevée, l'expression de son identité». *Dictionnaire de la musique*, Paris : Seuil, p. 105-106.

[183] «Tout dépend de la volonté et de la discipline. De la discipline l'œuvre dans son ensemble, de la volonté l'œuvre dans ses parties. Volonté et capacité ne font qu'un, qui ne saurait pouvoir, ne saurait vouloir. L'œuvre s'achève ensuite à partir de ces parties en vertu d'une discipline visant à l'ensemble. Si mes travaux suscitent parfois une impression de «primitivité», celle-ci est due à la discipline qui m'astreint à une gradation réduite. Elle n'est autre chose qu'une économie, donc le fait d'une suprême notion professionnelle, le contraire de la primitivité réelle». Paul Klee (1985), *Journal*, Paris : Grasset, p. 233-234.

[184] «Que d'efforts à soutenir une concentration qui tient une œuvre en équilibre! Bien souvent, le public ne peut s'imaginer à quel point le processus de création est extrêmement fragile et volatile. Pour réaliser une œuvre et en conserver l'énergie première, il faut exclure de sa vie et de son quotidien d'autres préoccupations. La symbiose avec la matière nous contraint à un état d'obsession qui nous fait mener une bataille permanente pour maintenir en équilibre la composition de l'œuvre». René Derouin (1998), *Paraiso. La dualité du baroque. Genèse d'une œuvre*, Montréal : L'Hexagone, p. 139.

[185] Marshall McLuhan (1968) donne l'exemple du cubisme : «Au lieu de l'illusion spécialisée de la troisième dimension, le cubisme dispose sur la toile une interaction de plans, une contradiction ou un conflit dramatique des modèles, de l'éclairage, de la texture, qui imposent le message par participation. Pour plusieurs, c'est là, véritablement, une leçon de peinture et non plus d'illusionnisme. En d'autres termes, le cubisme, en nous restituant l'intérieur et l'extérieur, le dessus, le dessous, l'avant, l'arrière et tout le reste en deux dimensions, rejette l'illusion de la perspective en faveur d'une conscience sensorielle globale instantanée, annonçait brutalement que c'est le médium lui-même qui est le vrai message». *Pour comprendre les média*, Montréal : H.M.H., p. 29.

[186] Jean Cocteau (1930), *Le sang d'un poète*, France : Vicomte de Noailles / Criterion, N / B.

[187] C'est ce que j'appellerais «l'intelligence du paradoxe». Celle-ci maintient l'œuvre dans un état de *résolution tendue*, expérience que le peintre et vidéaste Mario Côté (1994) décrit en ses propres termes : «Oublier qu'être artiste c'est faire tomber la pluie de bas en haut. L'ordre des choses m'astreint au désordre d'une position. Révéler ce que cache l'ordre de faire [...] Ce présent voit avec des yeux dépassés. J'oserais cette affirmation : «Je peins parce que le monde n'est pas contemporain». Et si je le filme, c'est pour le museler davantage. Il ne sait pas se reconnaître parce qu'il ne regarde jamais dans la bonne direction. Pourtant, la maison regarde immensément la mer. Dès à présent, il faut tout revoir car il n'y a pas de chemin qui mène plus loin. Soleil et terre triste, une voix s'engage sous le vent, traçant le sens de sa destination». «Être dans quel sens», *Possibles. L'artiste, auto-portraits. Vol. 18, No. 1*, hiver 1994, p. 40-41. Quatre signifiants-clés ici encore : «mer», «sens», «terre», «destination».

[188] «Il est extrêmement rare de pouvoir affirmer (comme on l'a fait à toutes les époques) que les novateurs se réfugient dans le non-conformisme par ignorance d'un art ancestral»; cependant, «si l'étude est nécessaire, elle n'est pas suffisante. L'imagination, l'inspiration, le génie ne s'apprennent pas. En devinant la personnalité de ses élèves, un maître intelligent peut seulement les aider à s'engager dans la voie qui leur convient». Roland de Candé, *Dictionnaire de la musique*, p. 78.

[189] On trouvera un plus ample développement de cette problématique à partir du concept de *déterritorialisation* de Gilles Deleuze, dans mon texte «La peinture : à la limite de la jouissance et de l'interdit» (1997), actes de la table ronde «La peinture est-elle encore un art possible?», Musée d'art Contemporain de Montréal, in *Vie des Arts, No. 167*, été 1997. La forme même de cette recherche «voguant d'île en île» (*fig. 6, fig. 9, fig. 27*) concrétise les principes de nomadicité, de déterritorialisation et de reterritorialisation qui caractérisent selon Deleuze toute pensée exploratoire; concepts qui furent justement mis au point par Deleuze par l'étude de la pragmatique artistique.

[190] «Que penser d'un système éducatif et social profondément convaincu que le professionnalisme et la spécialisation sont essentiels pour élever le genre humain au-dessus du marécage de la superstition et de l'émotion? Et que cela ne peut être obtenu que grâce à un enseignement étroit et orienté et à une action étayée sur la compétence? Rien de tout cela ne peut être traité à la légère. Les élites de toute la classe politique s'en repaissent [...] Un système éducatif et social pour qui le progrès est une multitude de compartiments plus ou moins étanches nie l'existence d'une société fondée sur le citoyen. Par conséquent il nie que l'individu soit la source de la légitimité». John Saul (1995), *La civilisation inconsciente*, Paris : Payot, p. 183.

[191] «Le problème, vous le voyez, n'est pas la raison, mais ce que nous avons fait de la raison en l'élevant au rang de divinité [...] L'un des problèmes du corporatisme — son caractère anti-démocratique mis à part — est son manque d'objectifs. Cela provient en partie d'une foule d'experts à œillères. Nous vivons dans un monde où ceux à qui on a donné le savoir n'ont pas le droit de regarder en l'air ni autour d'eux. C'est la connaissance réduite à l'ignorance. Plus la connaissance est limitée à un seul domaine, plus l'expert est ignorant». *Ibid.*, p. 118.

[192] *Od.*, Chant III : 142-182 (p. 45).

[193] Jacques Lacan (1991), *Le séminaire. Livre XVII. L'envers de la psychanalyse*; Jean-François Lyotard (1974), *Économie libidinale*, Paris : Minuit.

[194] «Le maître qui opère cette opération de déplacement, de virage bancaire, du savoir de l'esclave, est-ce qu'il a envie de savoir? Un vrai maître, nous l'avons vu en général jusqu'à une époque récente [...] un vrai maître ne désire rien savoir du tout — il désire que ça marche. Et pourquoi voudrait-il savoir? Il y a des choses plus amusantes que ça.» Jacques Lacan, *L'envers de la psychanalyse*, p. 23.

[195] Je m'appuie à nouveau sur Habermas (1976) pour dénoncer ce qu'il appelle «l'idéologie scientiste» et qu'il analyse en tant que «reniement de la réflexion». Une certaine science, la science positiviste, escamoterait l'essentiel, soit la présence du «sujet fondateur». Voir également Jacqueline Russ (1994), «Morale et éthique chez Jürgen Habermas», in *La pensée éthique contemporaine*, Paris : P. U. F., p. 62-67.

[196] «Je suis bien obligé de me penser moi-même dans la perspective de mon humanité, de la signification que je donne à cette humanité, et donc dans la perspective de ma parole [...] Parce que c'est par cette parole, et uniquement par elle, qu'on sera en mesure d'approfondir notre expérience des choses et notre expérience en tant qu'êtres humains. On trouve dans l'œuvre de Shakespeare une conception si vaste des choses qu'elle me permet de me définir

dans mon rapport à l'autre, à l'être, à l'univers, et à Dieu, que celui-ci existe ou n'existe pas». Témoignage de l'écrivain Gaétan Soucy, in Yvon Montoya, Pierre Thibeault *et al* (1999), *Frénétiques*, Montréal : Triptyque, p. 133. Dans *Empirisme et subjectivité*, Gilles Deleuze (1953) aborde cette problématique de front, à partir de Hume, et que je résumerai brièvement ici : «Nous avons cru trouver l'essence de l'empirisme dans le problème précis de la subjectivité. Mais d'abord, on demandera comment se définit celle-ci. Le sujet se définit par et comme un mouvement, mouvement de se développer soi-même. Ce qui se développe est sujet [...] Le sujet se dépasse, le sujet se réfléchit [...] Croire et inventer, voilà ce que fait le sujet comme sujet [...] Telle est la double puissance de la subjectivité : présumer les pouvoirs secrets, supposer des pouvoirs abstraits, distincts [...] Inventer, c'est distinguer des pouvoirs, des totalités fonctionnelles, totalités qui ne sont pas données dans la nature». Paris : P.U.F., p. 90-91. J'ajouterais à sa suite : la subjectivité, c'est s'inventer ses propres dieux.

[197] «Si au lieu de considérer le social comme une réalité statique, on le considère comme une réalité dynamique, le producteur d'art est celui qui, par la puissance de son imagination, épouse le mouvement en train de se faire pour le parachever et lui faire signifier son originalité créatrice. L'artiste est moins le reflet de la société que celui qui l'accouche de toutes ses nouveautés». Roger Bastide (1977), *Art et société*, Paris : Payot, p. 93.

[198] «Il me semble qu'une liste sensée des qualités humaines serait la suivante : le bon sens, la créativité ou l'imagination, l'éthique (pas la moralité), l'intuition ou l'instinct, la mémoire et, enfin, la raison [...] Au XXème siècle on a utilisé le terme «rationnel» aussi souvent, sinon plus, que bon sens, créativité, éthique, intuition ou mémoire, dans le dessein de justifier des actes d'une terrible injustice». John Saul, *La civilisation inconsciente*, p. 203. Cet argument, artistique, nous le retrouvons chez bien des philosophes.

[199] A propos du *Tractatus logico-philosophicus* : «Le livre tracera des limites à la pensée, ou plutôt — non à la pensée, mais à l'expression des pensées — car, pour tracer une limite à la pensée, nous devrions être capables de penser des deux côtés de cette limite (nous devrions donc être capables de penser ce qui ne peut être pensé). La limite ne peut, par conséquent, être tracée que dans les limites du langage, et ce qui se trouve des deux côtés de la limite sera simplement du non-sens». Ludwig Wittgenstein (1961), «Préface», in *Tractatus logico-philo-sophicus*, Paris : Gallimard, p. 27. Il n'y a rien de plus antithétique à la pensée artistique. A l'occasion d'une participation à l'exposition *Points, lignes, surfaces* (1998-1999) que j'abordais évidemment en tant que plasticienne, j'écrivais dans le catalogue : «Pour moi le dessin est un ensemble de fluctuations dans une mouvance continue. Une ligne n'est jamais une ligne, mais une bordure fluide qui dégage de l'énergie ou une faille où s'engouffre le sens» (Cf. «Faits picturaux», in Russell Gordon, Michael J. Moller *et al.*, catalogue de l'exposition, Montréal / Québec : Université Concordia / Belgo Building / Galerie Madeleine Lacerte). C'est peut-être bien même dans cette faille, cette «faillite» du langage que Wittgenstein atteste, qu'on peut trouver le plus de sens; en fait, c'est un postulat artistique essentiel au fonctionnement de l'œuvre.

[200] «L'esclave sait beaucoup de choses, mais ce qu'il sait bien plus encore, c'est ce que le maître veut, même si celui-ci ne le sait pas, ce qui est le cas ordinaire, car sans cela il ne serait pas un maître. L'esclave le sait, et c'est cela, sa fonction d'esclave». Lacan, *L'envers de la psychanalyse*, p. 34.

[201] «La complète maîtrise de soi, la parfaite modulation du rapport avec les ennemis et les amis, c'est Ulysse qui la possède. Habile aux discours, habile aux combats, fertile en ruses, il veille sur la barrière des dents, il sauvegarde son âme et refrène ses paroles [...] La virtuosité avec laquelle il gouverne sa parole, tantôt pour cacher sa pensée, tantôt pour contenir sa passion, le qualifie pour affronter le pire dehors. Le poète peut multiplier à l'envi les aventures et les voyages : la multiplicité des pouvoirs d'Ulysse répond à la multiplicité de ses épreuves». Jean Starobinski (1974), «Je hais comme les portes d'Hadès...», in *Nouvelle revue de psychanalyse. Le dehors et le dedans*, No. 9, printemps 1974, p. 18.

[202] A propos des «processus de subjectivation» que je décris ici : «Ce n'est pas du tout la constitution d'un sujet, mais la création de modes d'existence, ce que Nietzsche appelait l'invention de nouvelles possibilités de vie, et dont il trouvait déjà l'origine chez les Grecs. Nietzsche y voyait l'ultime dimension de la volonté de puissance, le vouloir-artiste». Deleuze, in Deleuze et Parnet, *Pourparlers*, p. 160. Ici comme pour plusieurs, éthique et esthétique sont indissociables, quoique toujours expérimentales ou en développement continu par la quête identitaire.

[203] «J'aime ceux qu'emplit un grand mépris, car ils portent en eux le respect suprême, ils sont les flèches du désir tendu vers l'autre rive. J'aime ceux qui n'ont pas besoin de chercher par-delà les étoiles une raison de périr et de se sacrifier, mais qui s'immolent à la terre, afin que la terre soit un jour l'empire du Surhumain». Friedrich Nietzsche (1996), *Ainsi parlait Zarathoustra*, Paris : Flammarion, p. 50. Sur le nihilisme : Vladimir Biaggi (1998), *Le nihilisme. Textes choisis*, Paris : Flammarion.

[204] Et de nouvelles figures, contemporaines, de l'aliénation, beaucoup plus subtiles et diffuses que par le passé, puisque avec la notion de «péché», la culpabilité est à peu près disparue de notre imaginaire collectif; cependant que l'honneur et la réputation («excellence», «performance», «compétitivité», «employé du mois», «parents efficaces», «bien gérer sa vie» etc.) me semblent nous rapprocher davantage de la «civilisation de la honte» homérique. Cependant que cette nouvelle civilisation n'aurait pas encore trouvé son éthique citoyenne. Comme le souligne Jacqueline Russ (1994), «Art de vivre, exercices spirituels, stylisation de la vie : en Grèce, une esthétique des conduites nous introduit à une éthique [...] Il existe une certaine parenté entre l'expérience des Grecs et celle de nos cultures contemporaines. La Grèce et Rome ne parvinrent pas aux catégories de la loi et de l'interdit, spécifiquement chrétiennes. Or nous expérimentons aujourd'hui une régression de l'interdit. Ainsi est-il permis de se demander si l'esthétique gréco-romaine des conduites ne dessine pas un paradigme susceptible de nous intéresser». *La pensée éthique contemporaine*, p. 76-77. L'auteur prend ici appui sur les travaux de Michel Foucault (1984) : «L'exigence d'austérité impliquée par la constitution du sujet maître de lui-même ne se présente pas sous la forme d'une loi universelle [...] mais plutôt comme un principe de stylisation de la conduite pour ceux qui veulent donner à leur existence la forme la plus belle et la plus accomplie possible». *Histoire de la sexualité. Tome 2. L'usage des plaisirs*, Paris : Gallimard, p. 275. Pour ma part, je pense que de nouvelles postures éthico-esthétiques commencent à se dessiner dans les diverses pratiques artistiques, mais qu'il est encore trop tôt pour en évaluer la portée. Une étude des diverses éthiques artistiques proposées, éthique guerrière, éthique de la résistance, éthique de l'hospitalité par exemple, pourrait être une avenue de recherche transversale intéressante pour le domaine de l'éthique appliquée, aussi bien qu'en sociologie et en histoire de l'art.

[205] «Démodocos, je t'estime bien au-dessus de tous les mortels : ou c'est la Muse, fille de Zeus, qui t'enseigna tes chants, ou c'est Apollon; car tu chantes avec une trop belle ordonnance le malheur des Achéens, tout ce qu'ils ont accompli, tout ce qu'ils ont souffert, tous leurs travaux; on dirait que tu étais présent en personne, ou bien tu as entendu le récit d'un témoin», dit Ulysse à l'aède. *Od.*, Chant VIII : 473-513 (p. 123). Homère formule en ses propres termes ce que j'ai décrit en amont, soit, la «vérité éprouvée» ou l'«expérience de vérité».

[206] J'ai déjà abordé la dimension clinique de la création. J'avancerai plus avant dans cette hypothèse à partir de recherches actuelles en santé mentale, notamment du côté des ressources alternatives de traitement. Ainsi, pour Rodriguez, Corin et Guay (2000), la thérapie consiste principalement à aider un sujet souffrant à se «remettre en mouvement»; la question du thérapeutique en ressources alternatives ne se poserait plus en termes de «symptôme», mais bien en termes de ce qu'ils nomment des «vecteurs de changement». «Les récits d'usagers

parlent d'une expérience de souffrance qui se déploie entre deux pôles de tension : un sentiment d'immobilité et de blocage qui semble figer le mouvement même de la vie, et une crise-débordement qui peut paradoxalement ouvrir sur l'espoir d'une vie possible [...] Dans ces cheminements personnels, il est difficile de distinguer entre les causes de changement et ce qui soutient le changement en termes de conceptions, de ressources et de pratiques. Il faut sans doute parler ici d'une mise en résonance entre deux mouvements : l'un qui se situe à l'intérieur de soi et correspond à une démarche intérieure d'apprivoisement de l'expérience ou d'auto-guérison, et l'autre qui, ayant l'origine à l'extérieur, vient s'articuler au premier et le soutenir». Dans ce processus d'autoguérison, les auteurs identifient à partir des récits d'ex-patients des vecteurs comparables aux opérateurs artistiques — et j'insiste, tant de fois explicités par les artistes eux-mêmes par le passé : le «travail sur soi comme (re)mobilisation de l'être», «le pouvoir de l'écoute», «l'expression de ce qui était bloqué», la «reconfiguration des liens et de l'histoire du sujet», le «développement de nouveaux lieux d'appartenance», «l'apprivoisement des crises», «l'ouverture de la sphère de sociabilité», etc. Cf. «La thérapie alternative : se (re) mettre en mouvement», in Yves Lecomte, Jean Gagné et al (2000), *Santé mentale au Québec. Les ressources alternatives de traitement*, p. 51-58.

[207] A propos d'Homère «l'artiste» : «L'admiration suppose que l'on s'arrête à la beauté de la chose. Par des mots ou des expressions hyperboliques, le Poète ne veut pas simplement augmenter l'impression que nous fait la chose dont il parle, mais produire une impression toute autre. C'est seulement si le regard est modifié que l'on aura des yeux pour la beauté du monde [...] Les mots hyperboliques, faux à la lettre, décèlent la vérité de l'être. Ils arrêtent le regard sur le fait, pour chaque être, d'être, tout simplement — cela sur quoi le regard, d'ordinaire, ne s'arrête pas. Or, si je vois chaque être en lui-même, je vois, disions-nous, qu'il n'y a rien à y ajouter. On est loin de l'individu «pauvre pécheur» du christianisme!» Marcel Conche, *Essais sur Homère*, p. 24.

[208] Je reprends ici une formulation d'Antonin Artaud (1964) pour la généraliser à toutes les pratiques artistiques : «L'action du théâtre comme celle de la peste est bienfaisante, car poussant les hommes à se voir tels qu'ils sont, elle fait tomber le masque, elle découvre le mensonge, la veulerie, la bassesse, la tartuferie; elle secoue l'inertie asphyxiante de la matière qui gagne jusqu'aux données les plus claires des sens; et révélant à des collectivités leur puissance sombre, leur force cachée, elle les invite à prendre en face du destin une attitude héroïque et supérieure qu'elles n'auraient jamais eu sans cela». *Le théâtre et son double*, Paris : Gallimard, p. 46. Ici, encore une fois, le signifiant «héroïque» destiné à la collectivité.

[209] «Pour tous les hommes qui sont sur terre les aèdes sont dignes d'honneur et de respect, parce que la Muse leur a enseigné leurs chants et qu'elle aime la tribu des chanteurs», dit Homère, par la voix d'Ulysse. *Od.*, Chant VIII : 473-513 (p. 123).

[210] «Je n'ai pas de censure, mais je ne suis pas exhibitionniste. Ce que l'on voit est ce que je suis. La liberté, c'est de pouvoir faire ce que je crois devoir faire, ce que mon désir et ma conscience m'imposent... La liberté de l'artiste est essentielle, sinon il ne peut pas découvrir et apporter ce que lui seul peut offrir, on aime entendre chez l'artiste une voix personnelle. Si on l'en prive, il devient inutile». Françoise Sullivan, citée par Normand Biron (1988), *Paroles de l'art*, Montréal : Québec / Amérique, 1988, p. 459.

[211] Je reprends ici la conversation avec Rodrigues, Corin et Guay (2000). Si nous appliquons en retour ces nouvelles connaissances issues de la pratique clinique aux connaissances de la pratique artistique, nous sommes ici bien loin d'une théorie de la «sublimation», où le refoulé serait transformé fantasmatiquement par l'artiste. Sans pour autant l'exclure totalement, ce portrait serait cependant incomplet, en évacuant de la pratique artistique toute la sphère de la conscience. Il faudrait lui adjoindre la capacité introspective de l'artiste — soit, ses forces du Moi — à reconnaître de lui-même sa souffrance et à partir d'elle pour «poursuivre le mouvement», demeurer «mobile», bref, être «Ulysse». D'autre part, je ne parle pas ici bien entendu de détresse psychologique, mais plutôt d'une sensibilité et d'une clairvoyance développées chez l'artiste face à son histoire de vie et ses circonstances présentes, qui lui permettent d'avoir une énergie psychique libre de conflits pour la création et, donc, pour l'observation, le mouvement, le développement et l'anticipation. Bref, comme je l'ai affirmé plus tôt, il s'agit de toute une «science» du discernement, que des recherches futures en études et pratiques des arts seraient à même d'appuyer par des faits, notamment à partir des processus poïétiques.

[212] *Od.*, Chant I : 327-371 (p. 25).

CHANT VII

Figure 16.

Le Grand Porteur (2000).
Acrylique sur toile libre. 245 x 185 cm.
Collection de Robert Poulin, Montréal.
Photo : Édith Martin.

Visions mythiques. La colère des dieux. Le temps du bronze. La béance. Le chant des Sirènes. La tâche du sens. L'épreuve de l'éthique. Peindre au couteau. La violence du monde. Le retour d'Ulysse. L'art du massacre. Le trouble d'Homère. De l'immoralité. De la transfiguration. L'homme en colère. Le coup d'éclat. L'appel d'Homère. L'envers de l'art. La zone grise. De la tragédie. Le Moi artiste. Le désir de massacre. La pulsion subversive. La mise à mort comme archaïsme. De la territorialité. D'Œdipe à Ulysse. Le massacre comme symptôme. L'interdit et le manque. Politique de l'irrationnel. Le mythe d'Ulysse. Du destin artistique. La ligne de crête. Liberté et souveraineté. L'action artistique et le prestige. L'au-delà de l'art. Ithaque, terre sacrée. De la justice close. Le vrai problème d'Ulysse. De la grandeur. De la responsabilité. L'offre de Calypso. La vie sur terre. De la sagesse. Aurore. La promesse. La prière d'Homère. Le miracle grec.

7.1 L'angoisse

C'est un jour magnifique. L'air est pur et le ciel, d'un bleu intense. Aurore aux Doigts de Rose (*fig. 19*) vient juste de se lever, parée de son voile éclatant et de sa belle ceinture d'or. Deux immenses phallus de béton la pénètrent. Homère y aurait reconnu Le Grand Porteur (*fig. 16*), «Atlas aux pernicieux conseils, celui qui connaît les abîmes de toute mer et soutient seul les hautes colonnes séparant la terre et le ciel»[214]. Soudain, une flèche d'airain traverse l'espace et s'enfonce droit au cœur de l'une des tours, dans une formidable explosion. Je rêve... Une autre vision : celle du début du monde, lorsque Gaïa châtre Ouranos. Lui s'éloigne dans un cri déchirant. La terre et le ciel se séparent définitivement. L'univers se crée par une terrible blessure... une blessure d'immortel.[215] Les «Twin towers» me semblaient intouchables. Aujourd'hui, la castration est bien réelle, éveillant en moi l'angoisse la plus primaire qui soit.

À peine ai-je le temps de reprendre mes esprits qu'une autre flèche, étincelante, atteint la tour jumelle. Cette fois, on dirait un aigle fonçant sur sa proie, terrifiant de puissance et de précision. Sa morsure est fatale. Serait-ce la foudre de Zeus Tout-Puissant, Pasteur des Peuples, ici à l'œuvre? Gaïa la terre lui a remis le feu pour qu'il exerce la justice dans l'univers (*fig. 10*). S'il s'agit ici d'une intervention de dieu, sa colère est effrayante. Les phallus orgueilleux, tels des figurines de plâtre, tombent en poussière. Le ciel s'obscurcit et la clameur est à nouveau horrible. Je ne peux détacher mes yeux de cette scène qui atteint au sublime. Les Géants retournent pour toujours sous terre, dans un énorme fracas de métal et de verre. Combien? Combien sont soudainement envoyés au Pays des Ombres? Les statistiques s'affolent.

Je vivais à l'âge de lumière. Me voilà revenue au temps du bronze.[216]

Quand la colère de Zeus éclate, les mortels «fuient tous vers la ville, n'ayant plus qu'un désir, celui de vivre». Mais «personne n'évite la Moire funeste», me dit Homère : «Il suffit de naître»[217]... Assister en direct à ce qui aurait pu être ma propre mort est insupportable. Effondrée, je le suis... comme ces tours, symboles de ma vie terrestre, qui m'apparaît si futile et inutile dans l'instant même. La poésie étouffe, ensevelie vivante. Tout le jour, je n'éprouverai que le désir des lamentations, jusqu'à ce qu'une déesse bienveillante vienne enfin alourdir mes paupières de sommeil.

...

Hermès transmet la nouvelle par toute la terre.[218] Le monde entier gémit; et tandis que les mortels sont terrifiés, la voix des Sirènes se fait entendre : «Jamais nul encore ne vient par ici sans avoir entendu la voix aux doux sons qui sort de nos lèvres; on s'en va charmé et plus savant car nous savons tout ce qui arrive sur la terre nourricière»[219]. Tel est le chant des Sirènes (*fig. 17*); et la tentation est grande de se laisser séduire. Je veux bien sûr tout entendre et tout savoir, mais je dois aussi me protéger et pouvoir m'éloigner de l'île funeste, où tant d'ossements de marins imprudents jonchent le sol. Comment faire? Ulysse avait la curiosité de les écouter, mais attaché au mat de son vaisseau creux, il résista à leur pouvoir d'attraction.

En artiste, je veux comprendre par moi-même et suis prête à assumer ce risque.[220] Comme Bergson, Godard affirme : «Je crois aux données immédiates de la conscience»[221]... Ce sera ma stratégie : l'œuvre est le mat auquel je m'attache; et la peinture, la *tache* — la *tâche* — du sens... Tantôt, «la peur est blême», dit Homère, tantôt elle est «verte». De quelles couleurs sont l'insécurité, l'effroi, l'angoisse? Comment peindre la terreur? Au couteau ou à la pique? Quels sont les mouvements du chaos? Et puis, quels sont les gestes nécessaires en temps de crise? Pour une œuvre à la mémoire des victimes (*fig. 18*), j'ai dû trouver en moi... toute la violence du monde.[222]

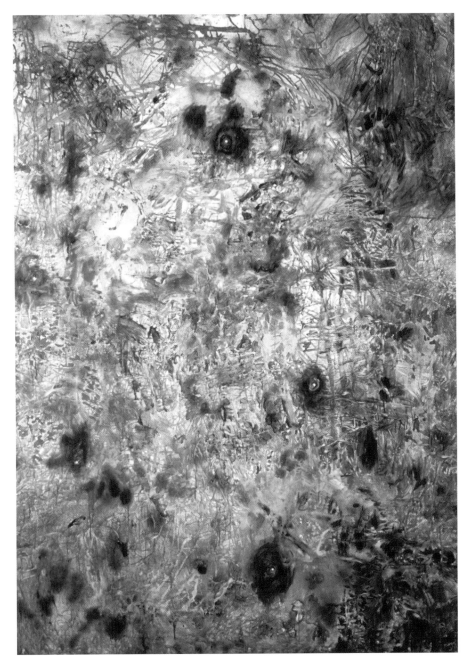

Figure 17.

Le chant des Sirènes (2000).
Acrylique sur toile libre. 245 x 185 cm.
Collection de Louis-Joseph Tassé, Montréal.
Photo : Édith Martin.

7.2 Le retour du refoulé

Du fond des âges, Homère raconte :

«C'est alors qu'Athéné tint levée son égide meurtrière au-dessus d'eux, au plafond de la salle, et leurs cœurs furent glacés d'épouvante [...] Comme des vautours aux serres recourbées, au bec crochu fondent des montagnes sur des oiseaux — ceux qui s'abattent dans la plaine, fuyant avec effroi la région des nuages; leurs ennemis se jetant sur eux les tuent, et pour l'oiseau point de résistance, point de fuite possible; chasse aérienne que l'homme suit avec intérêt — ainsi Ulysse et ses compagnons se précipitant frappaient de tous côtés; affreuse était la plainte de ceux dont la tête éclatait sous les coups; tout le pavé bouillonnait de sang»[223].

«[...] Amphimédon, d'où vient que vous soyez descendus dans les ténèbres souterraines, tous hommes d'élite et de même âge? Quelqu'un eût voulu prendre les plus nobles d'une ville n'aurait point fait un autre choix.»

«[...] Il frappa d'abord le roi Antinoos. Puis il lança contre d'autres des flèches sifflantes, visant un but toujours atteint; les prétendants tombaient en rangs serrés. Il était visible qu'un dieu les secondait. Car dès le premier instant ce fut un massacre dans toute la salle : ces furieux tuaient ici, là, partout; d'affreux gémissements s'élevaient; les crânes étaient fracassés et le sol était inondé de sang. C'est ainsi que nous pérîmes, Agamemnon, et maintenant encore, nos cadavres gisent sans sépulture»[224].

Ainsi se serait accompli le retour d'Ulysse. Ithaque m'apparaissait pourtant jusque là une île enchantée...[225] Ithaque, mon Ithaque, promesse de bonheur, théâtre d'une telle hécatombe? Comment cela a-t-il pu arriver? Comment Euryclée, la nourrice d'Ulysse, peut-elle à ce point se réjouir?[226] Pour ma part, je ne peux me faire à l'idée que le héros de mon enfance, héros originel de l'Occident, ait pu commettre un crime aussi odieux : calculé, de sang-froid, effroyablement efficace par la précision de ses coups et l'éradication rapide de quelques cent-vingt jeunes hommes, fils aimés des îles voisines. Tant de maîtrise de soi avant et pendant l'exécution... Tant d'art!

Tout un pan de ma culture condamne ce type de règlement de compte, barbare et tribal; «archaïque», disent les historiens. Pourtant, une autre partie de ma culture — dite «civilisée» — célèbre la violence, me fait violence au quotidien. S'il ne porte plus le nom d'Ulysse, le héros sanguinaire ressurgit à tout moment dans notre imaginaire collectif. Et je désespère de mon espèce.

Le poète me met devant un fait très troublant. Il ne m'explique rien, me laisse avec mon angoisse devant l'horreur; et son tir est précis, parfait, une flèche directe dans mon propre inconscient. Du grand art, Homère, car ce que tu as si méticuleusement mis en scène dépasse mon entendement et se révèle d'une cruelle actualité. En quelques pages, ce dénouement tragique me fait passer de l'enfance à l'âge adulte... et je découvre mon «complexe d'Ulysse». Ulysse, mon Ulysse en Artiste, aventurier et explorateur, énergique et maître de lui-même, intelligent et talentueux sur tous les plans, chevalier sans peur et sans reproche? Ulysse, sans cœur et sans scrupule, impitoyable et tyrannique, sans foi ni loi autres que la sienne? Ulysse despote? Ulysse terroriste? Ma morale est profondément ébranlée. Ma conscience, alertée, interpellée. Ce qui n'est pas dit mais amené dans le poème d'Homère, cet événement où l'on assiste, à la fois béat et profondément choqué, à un terrible retour du refoulé, doit bien pourtant avoir un sens?

...

Prudent, Ulysse rentre chez lui déguisé en mendiant. Les prétendants le méprisent et l'humilient. Ils révèlent leur lâcheté en s'attaquant à un être qui, visiblement, a beaucoup souffert. Ils montrent aussi leur nature impie, en bafouant les lois sacrées de l'hospitalité. L'étranger n'est-il pas toujours un envoyé de Zeus? Blessé dans sa dignité, exilé en ses propres terres, Ulysse constate les dommages. Il voit la nouvelle élite de son pays — ces princes gâtés pour lesquels il s'est battu en terre étrangère — installés à demeure; festoyant, se gavant, gaspillant ses ressources, corrompant ses servantes, convoitant sa femme et complotant contre son fils. Et ce sans que leurs pères, du haut de l'Assemblée, ne soient intervenus en aucune manière.

Pour les Anciens, les rois sont de descendance divine. La terre, transmise de père en fils, a ses dieux protecteurs. L'occupation du palais par les prétendants n'a aucune justification et leur comportement décadent courrouce profondément Athéna, déesse protectrice d'Ulysse et de sa maison. La terre sacrée est profanée. Excité par Athéna qui réclame justice, Ulysse fourbit sa vengeance, attendant les circonstances propices. Lorsque Pénélope, trahie par une servante, abdique en proposant l'épreuve de l'arc, Ulysse révèle son identité. Au moment de diriger sa flèche, il est transfiguré. Le mendiant redevient un puissant guerrier, sans pitié pour les prétendants et les traîtres. Seules deux personnes échapperont au massacre : le héraut et l'aède, soit le messager et l'artiste. Ainsi, les innocents sont épargnés.

Du Pays des Ombres nous parviennent les voix des héros. Pour les valeureux guerriers, ce massacre est simplement... un haut fait d'arme. Ulysse a exercé sa justice avec intelligence et brio. Les prétendants font même l'objet de railleries puisque aucun n'a réussi à «bander» — selon l'expression d'Homère — l'arc d'Ulysse. Aucun n'a pu démontrer la même force ni une telle maîtrise de soi. Il n'y a donc qu'un homme qui mérite l'honneur de régner sur Ithaque et c'est *Odysseus*, l'homme en colère. Jadis, son père l'avait nommé ainsi parce que, disait-il, «J'ai beaucoup d'ennemis»[227].

Ainsi, le massacre des prétendants est-il à la fois un règlement de comptes personnel pour tant de souffrances subies et un coup d'éclat politique d'ordre territorial et religieux. «Voilà», dit Homère. «L'affaire est complexe, très complexe». Quand j'arriverai enfin au bout de l'histoire, ne pouvant m'identifier à cette gloire assassine non plus qu'à la conduite honteuse des prétendants, j'aurai dû concilier en moi un Ulysse héros et anti-héros, un homme «magnanime» comme un «grand destructeur de villes». «Y aurait-il une violence nécessaire, des guerres inévitables?», semble me demander le poète, me laissant entière à ma réflexion.[228] Et cet appel éthique, n'est-il pas la marque de l'art qui atteint la véritable grandeur? La différence entre la signifiance et l'insignifiance?

7.3 L'envers de l'art

Bien après Homère, Euripide révisera l'Histoire. Ulysse ne sera plus qu'un être fourbe et mesquin. Les guerriers de la rectitude politique ont toujours été contre les héros.[229] Or, en vérité, le héros ici n'est ni tout a fait bon ni tout à fait méchant. C'est bien ce qu'Homère s'est efforcé de me montrer et il est fort difficile de se battre pour une vérité qui n'est ni blanche ni noire. Martyre de la zone grise, voilà bien ce que tu as été, Homère, voilà ce que nous serons toujours en tant qu'artistes. Car aussi bien l'admettre, tous autant que nous sommes : quelque chose d'innommable jouit en nous à la vue du sang, des explosions et des éclats de verre. Nous adorons le spectacle de la mort. Nous avons un besoin inavoué et inavouable de vengeance et de réparation au quotidien. Et je désespère de mon espèce.

Moi artiste, héros ou anti-héros? J'ai besoin de canaliser mon hostilité de mendiant, d'étranger, d'exilé, d'esclave. J'ai besoin de régler leurs comptes aux prétendants, de me défouler, de tuer symboliquement tout ce qui constitue une entrave à l'exercice de ma puissance. Oui, j'ai besoin de toute-puissance, Moi-Zeus (*fig. 10*), comme aux temps archaïques où je me pensais maître du monde, où je croyais ma mère à mon service, devant répondre au moindre de mes désirs... Comme nous nous moquons du nourrisson qui hurle sa rage au retrait du biberon! Comme nous sommes terrorisés lorsque cette rage devient perversion, crime contre l'humanité. Que je sois femme ou homme ici n'a aucune importance. Je peux, et j'ai tout ce qu'il faut en moi, pour tyranniser l'Autre et administrer la mort cruelle.[230] Une partie de moi a joui devant l'effondrement des tours. Une autre s'est sentie affreusement coupable. Nous appelons cela «un choc» et nous n'en dormons pas. Pourquoi ne pas envisager que le désir de massacre nous habite au quotidien et qu'il hante nos nuits? Qu'une pulsion profondément subversive — révolte contre le pouvoir, attaque contre toute forme d'autorité — soit prête à bondir en chacun de nous? Moi-artiste, Moi-anarchiste.[231]

Je n'ai jamais cru en la confession et l'absolution des péchés. Petite, je me souviens avoir cherché et inventé des fautes pour répondre à la commande... Plus jamais! Plus jamais! Ce que je suis, je le suis toute entière; et mes doutes, mes angoisses, ma culpabilité inconsciente, le sang et les larmes que j'ai pu faire verser... tout est matière à signifiance, tout doit pouvoir s'assumer. J'en suis pleinement responsable. Face aux prédateurs, la souveraine en moi se rebelle. Ce que je dois dire, ce que je dois faire ou penser, je le trouverai par moi-même, devrais-je mettre à mort cent-vingt prétendants! Ainsi, de démocrate à démagogue, de redresseur de torts à despote, de la juste colère à la rage destructrice, il n'y a qu'un pas, nous montre Homère. Regarde-toi bien, guerrier irréprochable. Regarde bien ton inhumanité. Affronte ta cruauté primordiale lorsque vient le temps d'affirmer ta souveraineté et de reprendre possession de ton territoire.[232] Combien d'artistes montent aux barricades ou jouent les vierges offensées pour leur gloire personnelle? Combien complotent pour éliminer l'héritier légitime? Combien se drapent du manteau de la paix pour assouvir leur rage assassine? Lorsque le territoire devient prétexte à règlements de comptes, on est dans une logique tribale.[233] Euripide jouirait de voir ce que le royaume de l'art est devenu en ces temps où il n'y a plus... de terres sacrées. Moi-artiste. Moi-paranoïaque. Moi-terroriste.

7.4 D'Œdipe à Ulysse

Plus de deux mille ans après l'*Odyssée*, Freud donne au monde occidental la possibilité de penser la culpabilité, le tabou, le refoulement, la résistance. Mais aussi, l'envie, la rivalité, le désir de possession et la vengeance, ce qu'il nommera éventuellement le *Malaise dans la civilisation*. Freud réfléchit sur la violence à partir de l'interdit de l'inceste. Ce qu'il appelle le «complexe d'Œdipe» est un ensemble de mouvements de désir et de représentations inconscientes dans la vie psychique, un nœud de relations familiales qui forment l'identité d'un sujet

Figure 18.

Le massacre des prétendants. Le 11 septembre 2001. In memoriam (2001).
Acrylique sur toile libre. 245 x 185 cm.
Collection de l'artiste.
Photo : Édith Martin.

comme le bassin primitif de sa fantasmatique. Avec la découverte de l'inconscient, nous étions donc au siècle dernier confrontés à un certain déterminisme. Tel était notre destin. Telle serait ma vie, articulée sur le manque, la misère morale, la défaillance, la béance originelle; la haine refoulée de ma mère, le désir interdit pour mon père... Et résultat de tout cela, la honte muette et l'agir insensé, irrationnel. Lorsqu'il découvrira qu'il a épousé sa mère et tué son père, Œdipe se crèvera les yeux.

Comme Freud, Homère s'intéresse au «massacre» en tant que symptôme. Cependant, il met en scène un complexe différent, où tous les éléments pouvant provoquer une crise à la fois individuelle et sociale sont réunis. Il questionne du même coup les notions de justice et de droit, donnant à une problématique individuelle sa pleine dimension politique. C'est pourquoi, au tragique Œdipe, concept freudien et mythe fondateur de la psychanalyse, j'oppose le rusé Ulysse, comme mythe fondateur de la pratique artistique. Signifiance et micropolitique sont les forces centripète et centrifuge de la création artistique. Le «complexe d'Ulysse» place d'emblée l'artiste comme sujet politique, avec sa capacité de choisir et d'infléchir le destin. Ainsi, face à son passé trouble, plutôt que de se crever les yeux, l'artiste les ouvre tout grand. Et il développe un nouveau regard. Certes, «papa» et «maman» ont déjà joué leur rôle et ils ont certainement marqué mon imaginaire et mes relations sociales dans leur ensemble. Mon passé, ma mémoire, ma culture familiale telle les valeurs léguées, tout cela constitue une partie de mon expérience. Mais comme sujet adulte, j'exerce un métier qui me permet de reconnaître ce passé, d'objectiver mon histoire et de créer politiquement ce qui ne fut pas possible dans mon enfance ou mon adolescence.[234]

Dans la Grèce homérique, la liberté de parole se fonde sur la propriété. Chez l'artiste, c'est l'appropriation de l'expérience de vie qui procure cette liberté. Telle est ma ruse d'Ulysse : celle qui permet une modification profonde de mon monde, l'exploration et la réorganisation constante de mes relations sociales, la définition et la transformation continue de mon territoire. Quête identitaire, par le fait même, et affirmation de ma souveraineté comme sujet. Dans *La condition de l'homme moderne*, Hannah Arendt explique que, chez les Grecs, le prestige se fonde sur de grandes actions et de grandes paroles, les unes et les autres étant pour eux de même nature et d'égale importance : «Les mots justes trouvés au bon moment sont de l'action [...] Seule la violence brutale est muette, et c'est pourquoi elle ne saurait avoir de grandeur»[235]. Il y a encore de cette morale dans la morale artistique. L'art fait de la bête humaine... un animal domestique.

7.5 L'au-delà... de l'art

Lorsqu'un sujet se dit «artiste», il s'autoproclame roi et héros. Il connaît une terre sacrée pour laquelle il est prêt à se battre. Il veillera à protéger son bien et l'intégrité de son territoire. Il gouvernera Ithaque à sa manière et là s'exercera sa toute-puissance.[236] Cela fait, il lui faudra éventuellement trouver une manière de résoudre son complexe, un complexe spécifique à l'artiste, source profonde de déchirement comme source féconde de création. Car tôt ou tard il viendra à se demander : comment être un bon roi? Comment exercer son pouvoir sans en faire une opération strictement narcissique? Comment être un souverain juste, capable d'altruisme, d'hospitalité et de compassion? Comment demeurer, en toutes circonstances, une exemplarité? Bref : comment faire pour qu'esthétique et éthique soient indissociables et que l'art atteigne une véritable grandeur?[237] Face à sa misère morale, face à la souffrance humaine, Ulysse tâche de trouver la justice et la paix. Cela se fera par l'œuvre, dans une conversation avec elle et, comme le disait Braque à la fin de ses jours : «C'est ce rapport entre l'homme et son œuvre qui est important. C'est ça qui est bon et qui nous touche»[238]. Le devenir éthique est le but ultime de l'art. Ici se joue la différence entre l'art et l'art Grand, entre l'aventure pour l'aventure, la guerre pour la guerre... et une quête rejoignant le sacré.[239]

«Purifie ton cœur et nettoie-le de toutes les affaires terrestres. Seuls les croyants qui connaissent la vie après la mort et la récompense après la mort seront ceux qui chercheront la mort», disent les guerriers suicidaires.[240] Ulysse n'a jamais désiré la mort. Au contraire, il l'a combattue de toutes ses forces, car il sait que certains dieux sont bons pour lui pendant sa vie d'homme.[241] À Calypso (*fig. 28*) qui lui offre l'immortalité, mais aussi, l'ennui mortel... il préfère sa Pénélope et la jouissance de la vie parmi les hommes.[242] Homère raconte que la guerre terminée, Ulysse va planter sa rame, loin à l'intérieur des terres. Il élève un sanctuaire à Poséidon, le Grand Ébranleur de Terre, dieu de la Mer aux Mille Bruits (*fig. 13*). Quelque chose en lui y sera abandonné. Le héros se serait-il assagi? Là seulement commencera une vie sereine et heureuse. Ulysse sera aimé et respecté comme un roi foncièrement juste et bon...[243]

Foncièrement? «Un fonds de terre», me dit le dictionnaire.[244]

...

Figure 19.

Aurore aux Doigts de Rose (2000).
Acrylique sur toile libre. 245 x 185 cm.
Collection de l'artiste.
Photo : Édith Martin.

Un jour m'apparut *Aurore aux Doigts de Rose* (*fig. 19*). Une brume légère au teint de pêche. Des montagnes bleues toutes en rondeurs. Une ceinture d'or à la surface de l'eau... La terre retenait son souffle. Des arbres doucement dressés se reflétaient dans le miroir aigue-marine. Une île brillante s'élevait miraculeusement de la surface étale. J'ai vu la terre nourricière et une promesse, juste une promesse (*fig. 2*). Je l'ai peinte.

Après Homère, Athènes fondera la démocratie et produira les premières lois condamnant l'esclavage, l'exil et la mort injuste. Et si ce que les historiens appellent «le miracle grec» était l'œuvre d'un vieux poète aveugle? Loin de la salle du palais, l'art peut être aussi... une prière secrète.[245]

- [213] «Carnet d'Ulysse no.7. Le massacre des prétendants. *In memoriam*», *Art Le Sabord, No. 61*, hiver 2002, p. 78-82.

- [214] *Od.*, Chant I : 15-57 (p. 18).

- [215] Récit horrifiant de l'origine de l'univers chez les Anciens. Alors qu'Ouranos (Ciel) s'épanche en Gaïa (Terre), leur fils Cronos (Temps), prisonnier des entrailles de sa mère, tranche les parties sexuelles de son père avec une serpe. Dans un hurlement, Ouranos s'éloigne de Gaïa et se fixe tout en haut du monde, ce qui libère Cronos et tous les autres enfants de Gaïa. Cf. Jean-Pierre Vernant (1999), «La castration d'Ouranos», in *L'univers, les Dieux, les Hommes. Récits grecs des origines*, Paris : Seuil, p. 19-21.

- [216] Les attentats terroristes du 11 septembre 2001 ont déclenché un retour phénoménal de la mythologie grecque, tant dans le discours médiatique que dans la parole individuelle de nombreux témoins de l'événement et ce qu'ils aient été près ou éloignés de la scène. En fait, ce qui m'a frappée, ce fut le recours instantané et généralisé au langage mythique face à l'inconcevable — soit, chez les Anciens, «l'irrationnel». Je fus extrêmement sensible à cette forme de marquage spontané et transhistorique. Les signifiants «chaos», «héros» (les pompiers, les survivants par exemple), «l'écroulement des Géants», «le destin tragique», «l'innommable», «notre condition mortelle», «la guerre des dieux», «la fin du monde / Ground Zero» etc. ont démontré encore une fois la puissance du mythe comme élément connu et intégré dans la mémoire des individus qui partagent une culture et, en général, inconscient; ce qui fut l'objet d'étude particulier de Carl Gustav Jung (1998), père de la notion «d'inconscient collectif» dont ce phénomène fournit encore une fois la démonstration (cf. *La réalité de l'âme, Tome I, Structure dynamique de l'inconscient*, Paris : Librairie générale française). J'ai tenté ici de mettre des mots sur une expérience intime : le fait que toute une civilisation soit subitement remise en cause chez tout un chacun, à cause d'un événement, un réel incontournable. Mais aussi et surtout à cause d'une image — précise, incisive, qui lui marque la chair — image que Lacan aurait justement appelé «une béance».

- [217] *Od.*, Chant XXIV : 511-547 (p. 346); *Od.*, Chant XXIV : 17-59 (p. 334).

- [218] Dans la mythologie grecque, «le messager de Zeus». Hermès guide les ombres jusque chez Hadès, il protège les voyageurs; mais il est aussi «le patron des voleurs et des marchands» (Michael Grant et John Hazel, *Dictionnaire de la mythologie*, p. 200). Bref, Hermès joue ici le rôle de «dieu des communications». Dans les jours qui suivent les attentats, le langage mythique, qui était d'abord l'expression spontanée d'une foule d'individus isolés en réponse à «l'innommable», sera récupéré et amplifié jusqu'à l'évidence suivante : l'importance du «héros guerrier» et du «grand destructeur de villes» dans la culture américaine. C'est au «Ulysse magnanime» que les autres nations feront appel, sans grand succès comme la suite le montrera.

- [219] *Od.*, Chant II : 186-227 (p. 180).

- [220] «Penser l'événement, méditer sa portée, c'est d'abord faire l'effort de se soustraire à la dichotomie du bien et du mal sans céder à l'indifférence. C'est chercher à se libérer des réflexes jumeaux que sont la bonne conscience et la culpabilité, non pas pour se soustraire au monde mais, au contraire, pour poser la question : dans quel genre de monde voulons-nous vivre?» Thierry Hentsch (2001), «Penser l'événement», *Le Devoir*, 20 septembre, p. A6. Cf. également : Jacques Derrida, Gad Soussana, Alexis Nous (2001), *Penser l'événement, est-ce possible? Séminaire de Montréal pour Jacques Derrida*, Montréal / Paris : L'Harmattan. À ce propos, Georges Leroux (2001) résume la pensée de Derrida : «À l'impossibilité constitutive de ce dire, et en convoquant le tiers, le témoin qui permet l'adresse, et suivant Lévinas, qui ouvre dans ce dire la possibilité de l'éthique. Dire l'événement, ce ne sera pas en dire quelque chose [...] mais se faire le porteur impossible de son épreuve, le sujet paradoxal de son issue». «Arrêt sur histoire», *Le Devoir*, 22-23 septembre, p. D5.

- [221] Henri Bergson (1967), *Essai sur les données immédiates de la conscience*, Paris : P.U.F.; réponse de Lemmy Caution, le héros de l'histoire, lorsqu'il subit l'interrogatoire du robot dans le film *Alphaville* de Jean-Luc Godard ((1965), France : Production Chaumiane, N.B. / 100 min). Film visionnaire, qui incidemment est l'ancêtre européen de *2001. L'Odyssée de l'espace* de Stanley Kubrick (1968), par sa représentation du «robot-ordinateur-humain» qui domine, pour l'un, la ville et pour l'autre, le vaisseau spatial (U.S.A. : MGM, couleur / 148 min.).

- [222] Voir la peinture *Le massacre des prétendants. Le 11 septembre 2001. In memoriam* (*fig. 18*) que j'appellerai ici une «urgente et nécessaire œuvre-réflexe», puisqu'elle fut réalisée dans les deux jours suivant l'attentat. J'avais résolu de «faire acte», soit de la présenter publiquement la semaine suivante (même si d'ordinaire je consacre de un à trois mois à une peinture monumentale) pour l'ouverture de mon exposition solo à la Bibliothèque nationale, *Paroles ailées*, dont j'ai déjà parlé précédemment. L'urgence était que je devais donner un sens à cette expérience, tout le monde étant encore sous le choc, tout le monde continuant de suivre l'actualité, participant de toutes les manières possibles à la recherche des cadavres, au soutien des familles des victimes etc. Je ne pouvais présenter une autre «exposition de travaux récents» comme si rien ne s'était passé. Il m'était impossible de faire abstraction de cette nouvelle réalité, comme il aurait été impossible au public de le faire. Pour tous, il y avait un non-sens, un nihilisme ambiant, dont il fallait tenter de s'extirper et, pour moi, il y avait des affects à reconnaître et à présentifier. Ce carnet-ci s'écrivit donc au cours du mois suivant, de façon à être remis à l'éditeur au début de novembre 2001 (qui était mon échéance pour le numéro d'hiver de la revue *Art Le Sabord*). Depuis plusieurs mois, j'essayais de comprendre la fin tragique de l'*Odyssée*, de lui donner un sens. Ce nouveau «massacre» m'aida à «penser l'événement»; d'une part, de façon à actualiser le poème et à lui rendre justice; d'autre part, pour ramener l'idée du massacre à ses origines et lui donner une épaisseur historique, pour ne pas dire, transhistorique. Or comme toujours, le sensible de la peinture et celui de l'écriture m'amenèrent là où je ne m'attendais pas me retrouver au départ. Ce fut donc, au sens plein du terme, une «épreuve d'artiste». Le désir d'éthique et son devenir sont toujours exigeants, puisqu'ils demandent à la fois un absolu décentrement et une parole pleine, provenant de l'expérience vécue.

- [223] *Od.*, Chant XXII : 289-326 (p. 317).
- [224] *Od.*, Chant XXIV : 101-186 (p. 336-337).
- [225] «Bien des gens la connaissent, parmi ceux qui habitent vers l'Aurore, ou vers le Soleil, ou loin par-derrière les brumes ténébreuses. Sans doute elle est rocheuse et impropre aux courses de chevaux; mais elle n'est pas trop pauvre, si elle n'est pas bien grande. Elle a du blé plus qu'on ne saurait dire; elle produit aussi du vin. La pluie n'y manque jamais, ni la rosée abondante; elle est bonne nourrice de chèvres et de bœufs. On y trouve des arbres d'essences diverses, et des abreuvoirs remplis toute l'année. Aussi, étranger, le nom d'Ithaque est-il allé jusqu'en Troade, que l'on dit pourtant loin de l'Achaïe». *Od.*, Chant XIII : 217-260 (p. 193) (*fig. 19, fig. 24*).
- [226] Annie Leclerc (2001) pose la même question dans *Toi, Pénélope*, Paris : Actes Sud.
- [227] Michael Grant et John Hazel, *Dictionnaire de la mythologie*, p. 363.

[228] A propos de la «guerre juste» revendiquée par un grand nombre d'intellectuels et de scientifiques américains suite aux attaques terroristes du 11 septembre : «Je m'oppose au concept de guerre juste. Bien sûr, si quelqu'un vous attaque avec un bâton, vous êtes en droit de prendre un bâton pour vous défendre. Je crois qu'on doit admettre le concept de légitime défense, mais pas la loi du talion. Où est la nuance? Je défends mon œil, mais je ne vais pas crever l'œil de l'autre parce que j'ai perdu le mien». Thierry Hentsch, cité par Laurent Laplante (2002), in «L'Occident doit amorcer une profonde réflexion», *RND, Vol. 100, No. 4*, avril, p. 26.

[229] Pour Nietzsche (1949), c'est Euripide qui assassine la tragédie grecque en introduisant la comédie. Du coup, c'est la perte d'une certaine idée de la «grandeur» qu'il déplore : «Ulysse, le type du Grec dans l'art ancien, déchoit sous les mains des poètes récents jusqu'à n'être plus que le *Graeculus*, l'esclave domestique, débonnaire et matois, désormais placé au centre de l'intérêt dramatique [...] Dès lors, la manière de mettre en scène et de faire parler la réalité quotidienne n'avait plus rien de mystérieux. La médiocrité bourgeoise en qui Euripide avait mis toutes ses espérances politiques avait à présent la parole». *La naissance de la tragédie*, p. 78. Or, «par-delà le bien et le mal», Nietzsche aspire à une éthique citoyenne qui serait une nouvelle forme de «noblesse». Ce que la modernité nous montre, c'est qu'avec le développement des droits individuels vient le relativisme généralisé des conduites et le désengagement face à cette possible éthique citoyenne, pourtant plus que jamais nécessaire selon de nombreux experts et ce dans les domaines les plus variés (ne serait-ce qu'en biotechnologies ou en sciences économiques par exemple). À force d'horreurs, le capitalisme à outrance finira-t-il par s'abolir de lui-même? Ce n'est pas à la «médiocrité bourgeoise» que nous devons nous attaquer aujourd'hui, mais bien à sa perversion et à son impunité, comme les divers scandales qui secouent la bourse américaine nous le démontrent actuellement.

[230] Ici, je m'en prends au féminisme extrémiste, qui diabolise l'homme et le tient responsable de tous les maux de la société. L'expérience clinique et une abondante littérature psychanalytique montrent qu'une mère tyrannique, possessive ou fusionnelle par exemple, peut faire autant sinon plus de dommages qu'un père autoritaire et violent. La violence au foyer se partage beaucoup plus facilement et plus sûrement que les tâches ménagères.

[231] Dans le développement affectif de l'individu, les fantasmes de mort et de meurtre accompagnent tout processus de séparation et d'individuation. «Si, dans le fantasme de la première croissance, il y a la *mort*, dans celui de l'adolescence il y a le *meurtre*. Même si, au moment de la puberté, la croissance se fait sans crises majeures, des problèmes aigus d'aménagement peuvent intervenir, parce que grandir signifie prendre la place du parent, et *c'est bien ainsi que ça se passe*. Dans le fantasme inconscient, grandir est, par nature, un acte agressif». D. W. Winnicott, *Jeu et réalité. L'espace potentiel*, p. 199. À titre d'exemple, l'auteur analyse le jeu «Je suis le roi du château» (ce qui nous ramène directement à mon objet d'investigation), dont on trouverait des traces déjà chez Horace (20 av. J.-C.); jeu où l'enfant est appelé à nommer son rival et à l'attaquer verbalement pour «l'assassiner», «marquer sa domination» et «son triomphe». Jeu auquel, manifestement, nombre d'adultes continuent de s'adonner avec plaisir. La différence essentielle tient à ceci : c'est que l'enfant et l'adolescent sont nécessairement immatures et, par conséquent, réputés «irresponsables» socialement.

- [232] «Peut-on penser cette chose apparemment impossible, à savoir un au-delà de la pulsion de mort ou de maîtrise souveraine, donc l'au-delà d'une cruauté, un au-delà qui n'aurait rien à voir avec les pulsions ni avec les principes? [...] Y a-t-il, pour la pensée, pour la pensée psychanalytique à venir, un autre au-delà?» Jacques Derrida, cité par Ginette Michaud (2001), «La souveraineté, la cruauté, *more psychanalytico*», *Spirale, No. 178*, mai-juin, p. 23. Voir également : Jacques Derrida (2001), *États d'âme de la psychanalyse. Adresse aux états généraux de la psychanalyse*, Paris : Galilée.

- [233] «À l'ère des Titans, pas de salut hors de toute attache institutionnelle, hors de toute appartenance corporative. C'est ainsi que l'université devient la caserne des artistes et des écrivains, soumettant toute vie intellectuelle et artistique à un culte de l'autorité, à une idolâtrie de l'image sociale, à une professionnalisation anti-solidaire. Pourquoi les poètes et les artistes, les écrivains et les créateurs, ne peuvent-ils pas s'exalter entre eux, s'enrichir et se relancer les uns les autres?» Michaël Lachance (2000), «Quand nous serons des héros», *Inter, No. 75*, hiver, p. 7.

- [234] «L'art est dangereux d'abord pour celui et celle qui le pratiquent. Si on écrit un poème sur la douleur, on va plus loin que la nôtre. Une douleur en ressuscite une autre et finalement nous touchons à la douleur du monde entier. Comment porter un tel poids sans s'écrouler? D'où ces destins si tragiques qui ont frappé tant d'artistes? On aime retenir ceux-là, mais quand je pense qu'au Québec (comme ailleurs) il y a des milliers de suicides, je me dis que ces gens-là ne sont pas pourtant, pour la plupart, des artistes. Et je me dis que l'art les aurait peut-être sauvés. Car la création aurait pu changer leur monde, leur vision, une certaine façon de braquer le malheur qui leur a mangé le cœur». Jean-Paul Daoust (2002), «L'art peut-il encore changer le monde?», *Estuaire, No. 108* février, p. 12. À cela, Jean Broustra (1996) répond que si la création et l'expression peuvent avoir une fonction thérapeutique, cela dépend des ressources émotionnelles de l'individu comme de son contexte (support, accompagnement, environnement favorable). En effet, «certains tiennent longtemps la ligne de crête et produisent des œuvres importantes (Picasso); d'autres produisent des œuvres fulgurantes (Rimbaud, Pollock) et peuvent très vite descendre une pente mortelle; d'autres encore mettent dans une certaine connivence leur création et leur maladie (Proust, Artaud)». Pour Broustra, la fonction artistique ne saurait se réduire, socialement, à cette dimension clinique, au risque de perdre sa liberté essentielle; en même temps qu'elle peut permettre de nourrir et d'ouvrir par ses expérimentations divers domaines de la pratique des soins. *L'expression. Psychothérapie et création*, Paris : ESF, p. 240-243.

- [235] (1985), Paris : Calmann-Lévy; citée dans Jacques Dufresne, *La démocratie athénienne*, p. 21.

- [236] «Ulysse revient non pas en poète attendri, mais en justicier et vengeur, l'épée haute, pour rétablir le statu quo et remettre les choses en l'état et restaurer l'ordre antérieur; celui qui fait expier aux usurpateurs et aux parasites leurs empiètements [...] celui-là parachève dans une certaine mesure l'œuvre compensatrice du retour. Sous sa forme éthique cette œuvre s'appelle la justice — justice close il est vrai, et aussi fermée sur soi que le peuple méditerranéen du navigateur. Le périple s'est réduit aux dimensions d'un îlot et d'un bonheur insulaire». Vladimir Jankélévitch (1974), *L'irréversible et la nostalgie*, Paris : Flammarion, p. 351. À cette manière de restaurer ce qu'il n'hésite pas à appeler «l'ordre bourgeois», le philosophe tente de trouver une autre forme de résolution au «retour» et imagine une autre fin à l'*Odyssée*. C'est aussi ce que je tenterai de faire, comme nous le verrons dans le dernier carnet, puisque pour moi, le «désir de justice» ne saurait se restreindre à mon seul «territoire».

[237] Exemple d'un désir d'éthique exprimé publiquement : «Depuis le 11 septembre, je suis assurément perturbée par l'apparente inutilité de l'art — ou devrais-je dire de l'artiste? — dans des moments troubles. Bien sûr, il y a bien ce que tout le monde répète, peut-être un peu pour se convaincre : que l'art sert de catalyseur, de baume, de... qu'il en faut... qu'il ne faut surtout pas arrêter... que la vie continue... Mais, dans l'atelier, ces réponses ne suffisent pas toujours à stimuler mon ardeur. Et dans les montagnes au nord de l'Afghanistan, il y a plus urgent à régler. Alors, suis-je seulement inconfortable à cause de mon confort?» Jocelyne Chabot (2001), extrait de «Notes d'atelier, le 16 octobre 2001», publié dans le communiqué *Pour qui, pourquoi faire de l'art maintenant. Rencontre.* Montréal : Centre des Arts Actuels Skol, le 20 novembre 2001.

[238] In Dora Vallier (1982), *L'intérieur de l'art : Entretiens avec Braque, Léger, Villon, Miro, Brancusi.* Paris : Seuil.

[239] «L'accent mis actuellement sur «l'autonomie» de la société, de la vie individuelle, de l'esprit humain, du savoir rationnel, sert à occulter nos dépendances envers l'environnement, envers les pays pauvres, envers les méprisés de notre société... alors que notre équilibre est basé sur la surconsommation et l'exploitation, l'autoritarisme et la désinformation, cela aussi bien à l'intérieur de chaque institution que dans le macro-social entre l'Occident et son reste [...] Voilà l'inconscient *fin de millénaire* : nous portons le monde en nous-mêmes. Il est temps de l'apprendre à une époque où l'on se donne la mort d'une planète en spectacle». Michaël Lachance, *Quand nous serons des héros*, p. 5.

[240] Extrait d'une lettre qui aurait été retrouvée en trois exemplaires et destinée aux trois présumés responsables des actes terroristes du 11 septembre 2001. La lettre comprenait des recommandations pratiques et spirituelles de même qu'une prière à réciter une fois qu'ils seraient à bord de l'avion. Agnès Gruda (2001), «L'étau se resserre», *La Presse*, 24 septembre, p. A1.

[241] «Quand j'ai appris que les tours du World Trade s'étaient effondrées, je me suis inquiété pour des gens proches, des artistes, des amis [...] Je me dis aussi que nous aurions pu être là nous aussi et que les dieux ont été gentils, malgré tout, avec nous, en nous épargnant cette épreuve...» Evergon, cité par Stéphane Baillargeon (2001), «Margaret et lui. Evergon expose des portraits de sa mère nue», *Le Devoir*, 12 septembre, p. B9.

[242] «Puissante déesse, n'en sois pas irritée contre moi. Je sais fort bien que la sage Pénélope n'est, à la voir, ton égale ni pour la beauté, ni pour la taille; c'est une mortelle; toi tu ne connaîtras ni la mort ni la vieillesse. Malgré tout, je veux et souhaite tous les jours revenir en ma maison et voir la journée du retour». Od., Chant V : 184-228 (p. 82).

[243] «Contre cette vie toujours déjà donnée, déjà conquise, il importe de se mettre en état de survie, de découvrir combien notre existence dépend de celle des autres — ce qu'on éprouve seulement lorsqu'on met sa propre vie en jeu dans ce qu'on dit, ce qu'on fait, ce qu'on crée, ce qu'on refuse et aussi dans tout ce à quoi on acquiesce. C'est là une responsabilité fondamentale de l'être humain dans son rapport aux autres et à lui-même : le devoir d'épargner la honte à autrui et de se respecter soi-même. Chez les créateurs en art, la situation me paraît moins critique quand ceux-ci parviennent davantage à définir leurs finalités propres, à concilier les critères de réussite techno-économiques avec une création artistique où l'impossibilité de réussir alimente la nécessité de tenter. On s'étonne d'ailleurs de l'*abdication* des intellectuels lorsqu'ils se révèlent incapables de se définir par eux-mêmes et qu'ils substituent à la discussion pluraliste l'exclusion institutionnelle de ce qu'ils ne veulent pas. Pourtant, n'est-ce pas le privilège du héros de trouver dans les événements et dans ses propres actions l'occasion de se définir?» Michaël Lachance, *Quand nous serons des héros*, p. 7.

- [244] C'est la notion de «territorialité» qui est évoquée ici et qui a été abondamment traitée par de nombreux chercheurs : par exemple chez Deleuze et Guattari (*Mille plateaux*) qui en explorent les diverses modalités (déterritorialisation, reterritorialisation, phénomène de meute, ritournelles chez les oiseaux etc.), mais aussi chez de nombreux artistes, tels René Derouin (2001) par exemple, qui se centre pour sa part sur l'idée de «migration» (René Derouin, Gilles Lapointe *et al* (2001), *Pour une culture du territoire*, Montréal : L'Hexagone). En fait, il n'est pas de processus identitaire qui ne s'assortisse de l'idée de territoire.

- [245] «L'idée d'une Grande Esthétique pour un Grand Art est la machine fictive et terroriste destinée à nier cette réalité plurielle des comportements artistiques et esthétiques. Elle est corrélative des entreprises pour nier la diversité des groupes au sein de l'espace social. La tâche de ceux qui aiment l'art pour lui-même et non comme religion (il y a de faux dévots) est de dénoncer la comédie du Grand Art. La tâche de ceux qui aiment la démocratie pour elle-même et non comme dernier avatar de la totalité, est de penser et de mettre en pratique les conditions d'ententes minimales et imparfaites entre des hommes égaux et libres. Et qu'on ne parle plus ni d'art ni de culture comme ciment social et encore moins de service public de la création! L'art cesse d'être en crise le jour où nous avons de nouveau vraiment besoin de lui».
Yves Michaud, *La crise de l'art contemporain*, p. 268.

Figure 20.

Paroles ailées — Wingèd words (2000-2002).
Exposition solo itinérante.
Vue partielle de l'installation à Kingston : Modern Fuel Gallery, 2002.
Photo : C. O. Brien.

La fidélité. Les amants. La passion de l'art. Le noyau dur. Le signifiant «artiste».
L'étranger et le Cyclope. De l'anonymat. Le sceau d'Ulysse. Les mille traverses. De la nostalgie.
L'enfance ou le monde merveilleux d'Ulysse. De la pensée magique. De l'humiliation.
L'adolescence ou les mystères d'Ulysse. De l'Académie sous toutes ses formes. L'exil.
L'oubli. Le naufrage. Accomplir son retour. L'Île-en-soi. Le devenir-adulte. L'art comme
désir. La plastique du Moi. Grandir. L'aventure. Le retour d'Ulysse. L'art comme théâtre.
De Charybde en Scylla. Toucher le temps. L'imaginaire aquatique. Le vaisseau-passeport.
Explorer. Devenir héros. Les signes secrets. La fuite. Perte d'un compagnon. Le sacrifice.
L'action. Découvrir. Rencontrer. Échapper à la mort. S'exposer. L'emprise du signifiant.
Kubrick et les autres. De l'autorité. Le complexe d'Ulysse. L'épopée. Dénouer les fils.
L'univers d'Homère. Du courage comme nécessité. Le choc.

> Entre la jouissance et le savoir, la lettre ferait le littoral.
>
> Jacques Lacan.

8.1 De la fidélité

En 1997, j'entreprenais un doctorat en études et pratiques des arts. C'était un nouveau programme et l'aventure m'intéressait. J'éprouvais la nécessité de marquer une pause et de faire le point sur ma pratique. J'y voyais également un beau défi, celui de mesurer la connaissance apportée par l'expérience, mais je n'arrivais pas à me fixer sur un sujet. Mon expérience de l'art m'apparaissait si vaste et en même temps, tant de questions m'assaillaient. J'avais presque quarante ans et c'était, comme pour plusieurs, une période-charnière de ma vie.

Ma peinture allait bien, pourtant j'avais l'impression de porter mon œuvre à bout de bras depuis des années. De nombreuses personnes me décrivaient comme «courageuse» et me demandaient comment j'arrivais à maintenir une posture si difficile. À cela, je ne pouvais que répondre qu'il s'agissait d'une «nécessité intérieure». En regard de la pratique, certains discours et théories sur l'art me heurtaient, certaines attitudes me révoltaient. J'avais la plus profonde admiration pour les artistes qui avaient persisté dans ce métier pendant trente, voire quarante ans. J'étais devenue amie avec plusieurs d'entre eux et je constatais à quel point ils étaient restés fidèles à leurs idéaux, à leur œuvre également et ce malgré les résistances du milieu, des conditions de vie précaires et des mécanismes de reconnaissance des plus aléatoires. Bref, je me demandais ce que signifiait «avoir le feu sacré» (*fig. 10*), ce type d'engagement hors du commun. Pour eux comme pour moi, il y avait un noyau dur, une sorte d'îlot protégé et indestructible (*fig. 23, fig. 24*).

Je dois dire que mon Ithaque existe. Je partage ma vie avec le même homme depuis plus de vingt-cinq ans. Nous fûmes des Pénélope l'un pour l'autre pendant toutes ces années et ma passion pour l'art avait quelque chose de similaire. Sans la fidélité dans l'amour, Ulysse n'aurait eu aucun désir de retour, Pénélope ne l'aurait pas attendu... et l'*Odyssée* n'aurait pas eu lieu. Un soir, après avoir, comme le raconte si joliment Homère, «goûté les charmes de l'amour et le plaisir des mutuelles confidences»[247], je dis : «Je me rends compte que je n'ai jamais analysé ce que représentait l'art pour moi, le signifiant «artiste». Au fond, je reprends l'analyse là où je l'ai laissée, en 1984». Pour mon époux, psychanalyste lui-même, cette réflexion était des plus justes et méritait une nouvelle tranche d'analyse. Ce à quoi je me refusais. J'allais plutôt faire de cette quête une création.

«Étranger, qui es-tu? D'où viens-tu?» Cette formule, nous la rencontrons régulièrement chez Homère. Au Cyclope, Ulysse répond : «Personne! Voilà mon nom»[248]... Non seulement ce monstre le menace, mais il méprise les règles de l'hospitalité les plus élémentaires; il est donc plus prudent de conserver l'anonymat. Cependant chez les Phéaciens, Ulysse décline son identité sans réserve, en raison du merveilleux accueil qu'il a reçu. Révéler son identité ou demeurer anonyme, effectuer le passage du privé au public, fait partie des décisions artistiques. Ici, puisque je m'intéresse à la pratique, je ferai un retour sur l'histoire du *Complexe d'Ulysse* pour en explorer l'inconscient artistique. Il aura fallu quarante ans d'expérience de vie, seize ans de pratique professionnelle et cinq ans de recherche entre peinture et écriture, pour que cette création vienne au monde. Et comme le symbolise le sceau qui les marque depuis le début (*fig. 21*), les *Carnets d'Ulysse* furent autant de traverses de mon sujet... au sens propre comme au sens figuré.

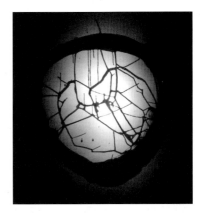

Figure 21.

Le sceau d'Ulysse (1996-2000).
De la suite des *Carnets* (*Coulées No. 2*, 1996).
Acrylique sur Stonehenge. 76 x 56 cm.
Collection de l'artiste. Photo : Pierre Charrier.

8.2 La nostalgie

J'ai une très longue histoire d'amour avec Ulysse. La simple mention de l'*Odyssée* ravive des souvenirs de mes plus jeunes années, à saveur de cinéma du dimanche après-midi dans le sous-sol de l'église. Il est possible que ma mémoire confonde ici Ulysse et Sinbad le Marin, les deux ayant combattu leur Cyclope. L'important est que le héros de mon enfance arrivait à vaincre le monstre, et son écroulement dans un cri de douleur me procurait une extase certaine; et puis, tout comme moi, il évoluait dans un monde merveilleux et plein de mystères.[249]

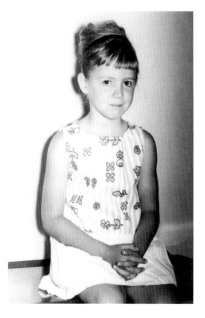

Figure 22.   Photo de Louise
vers l'âge de huit ans.

Petite, j'étais très active et curieuse. J'avais une imagination débordante et un grand désir d'expression. Chaque dessin était une aventure, et je passais des heures à en explorer la couleur, la texture et la forme (*fig. 23*). J'aimais ce voyage en solitaire. Je devais avoir cinq ou six ans lorsque je visitai l'atelier d'un artiste pour la première fois, et je fus très impressionnée par les grandes tables de travail et la quantité de pinceaux qu'il avait «pour lui tout seul». Je découvris que certains adultes s'adonnaient à mon activité préférée pour «gagner leur vie» et cela me laissa fort rêveuse... Ainsi va la pensée magique de l'enfant.

Me revient un autre souvenir. À sept ou huit ans, j'ai une recherche à faire en géographie et je m'intéresse aux Indes. Je travaille une semaine entière sur un dessin des costumes traditionnels hindous. Pour ce faire, je me suis documentée et suis d'une grande précision analytique. La recherche plastique est fouillée, les costumes sont éblouissants, les détails de l'exécution me remplissent de joie. J'ai un souvenir extrêmement clair de ce travail. Je remets fièrement ma «recherche» à Mademoiselle Lessard... qui me *coule*. Le grand zéro! La déconfiture, l'humiliation sont totales (*fig. 22*). «Couler» signifie «faire sombrer un navire, le saborder»; et en effet, elle fut finie pour un temps, l'aventure de l'art (cependant que ma collaboration à la revue *Le Sabord* vient de prendre en cet instant une toute nouvelle signification pour moi!).

J'ai croisé mon héros de nouveau au début de l'adolescence, dans une série télévisée qui, semble-t-il, n'a pas été conservée. Je ne me souviens pas de l'acteur qui personnifiait Ulysse. Curieusement, c'est Irène Papas qui est la plus présente en ma mémoire.[250] Sans doute sa posture stoïque et son pur profil grec, rappelant la statuaire antique, me communiquèrent une émotion esthétique inconnue. Mais je me rappelle que le grand explorateur ne rencontrait pas que des monstres dans cette émission; en effet, bien qu'il soit marié, il lui arrivait de dormir avec des déesses et cela m'apparaissait un comportement des plus étranges. De quelles sortes d'aventures s'agissait-il? Ulysse frappait encore mon imagination, mais d'une toute autre manière. Il rencontrait des problèmes que je commençais tout juste à percevoir et qui sans doute à la puberté sont bien plus inquiétants que la rencontre d'un Cyclope... Quoi qu'il en soit, est-ce la faute d'Hollywood ou de l'Académie française qui, à coups de «Heureux qui comme Ulysse / a fait un beau voyage...»[251], avaient gommé une réalité aussi dure et crue? Est-ce en raison de mes propres mécanismes de défense? Ou encore, avais-je tout bêtement raté le dernier épisode? Je n'ai conservé, des lieux de mon enfance comme de mon adolescence, aucune image du retour d'Ulysse en Ithaque.

Figure 23.

Encre sur carton vers l'âge de dix ans.

8.3 L'exil

Me consacrant à devenir adulte, j'ai mis Ulysse en oubli. J'ai étudié, suis devenue psycho-éducatrice, j'ai trouvé un bon emploi et me suis mariée. Cependant, dans la jeune vingtaine, je fus confrontée à une expérience-limite : une dépression. Aujourd'hui on parle de surmenage ou de «burn-out», mais la plupart du temps, c'est plutôt d'épisode dépressif dont il faudrait parler. J'aimais mon travail avec les adolescentes, j'étais très aimée et entourée, j'avais ce qu'on pourrait appeler «une bonne vie» et, pourtant, je me sentais perdue, désespérée... et c'est vraiment en naufragée que j'arrivai en analyse. Lorsque la psychologue me demanda pourquoi je voulais faire une thérapie, je répondis en fondant en larmes : «Je voudrais pouvoir sortir d'ici en artiste...». Étais-je à ce point exilée de moi-même? Je n'aurais su le dire, mais je le pressentais. Ainsi, j'entrepris mon retour, «un retour aux mille traverses», murmure Homère.

D'Ulysse, pas un mot en analyse, mais l'aventure fut réelle et dura quatre ans. Sur cette *Île-en-soi* que j'allais peindre plus tard (*fig. 24*), je connus l'errance, je rencontrai les plus grands périls, je pleurai toutes les larmes de mon corps et j'écrivis tous les scénarios possibles. Je me suis vraiment battue à cette époque pour la vérité, une vérité qui m'appartienne. Tout ce que je vivais était matière à réflexion. J'appris ainsi à mieux me connaître et à parler de ma place, à différencier mes besoins de mes désirs, à comprendre ce qui en moi résistait et insistait. Mais sans doute l'expérience la plus difficile fut de découvrir un jour que j'étais sans parents... qu'en fait, aucun d'eux ni personne ne pourrait jamais m'apporter les réponses dont j'avais besoin pour vivre. Il me fallait dorénavant admettre ma profonde solitude, être mon propre père et ma propre mère... Devenir adulte. Et ce devenir-adulte passait par le devenir-artiste.

C'est sur ce rivage que se termina l'analyse. Du désir d'être artiste, je ne me souviens pas avoir parlé. Il semble que c'était à l'époque dans la logique des choses, y compris pour mes collègues de travail qui ne furent nullement surpris de ma décision. Ma profonde sensibilité avait fait de moi l'antenne de l'équipe à laquelle j'appartenais : en supervision clinique, j'étais un peu l'oracle, celle qui pouvait prévoir les crises deux semaines à l'avance. Aux dires de mon chef d'unité, j'arrivais toujours à pressentir ce qui allait arriver dans le groupe. Finalement, ce triste épisode de ma vie avait servi à me ramener là où j'étais déjà pourtant, toute petite (*fig. 23*). L'analyse m'avait permis de découvrir la plastique du Moi; que celui-ci s'explore, se transforme, se diversifie par la parole et le geste et que c'était une bonne manière de *grandir*... Sans doute cette expérience fut déterminante pour la suite de mon art. Au fond, je n'avais jamais cessé de peindre.

Figure 24.

L'Île-en-soi (1987). Du corpus *Bilan provisoire* (1984-1988).
Acrylique sur toile. 140 x 105 cm.
Collection de Johanne Prescott, Sainte-Agathe.
Photo : Pierre Charrier.

8.4 L'aventure

J'ai donc largué les amarres et suis repartie. Je quittai mon emploi de psycho-éducatrice, j'entrepris de nouvelles études, en arts visuels cette fois, et me retrouvai peu après au Symposium International de la jeune peinture au Canada, à Baie Saint-Paul.[252] Je venais d'avoir trente ans.

Mon projet s'intitulait *De Charybde en Scylla...*[253] Signifiant, quand tu nous tiens! L'œuvre portait à l'époque sur l'art comme théâtre; l'artiste y était représenté en *Ulysse* et six grands panneaux articulés en constituaient la scène. Sitôt un tableau achevé, l'œuvre se désarticulait et se recomposait en un nouveau tableau. Chaque transformation mettait l'œil en crise et, pour qui suivait le périple, c'était l'image d'un paysage instable qui se projetait, en continuelle mouvance, chaque halte donnant l'ordre d'un nouveau départ. En fait, la peinture devenait le lieu du dépaysement le plus absolu et quiconque s'y aventurait se mettait en péril. A la fin du processus, le paysage esquissé au début revenait tout retourné sur lui-même, enrichi, densifié, complexifié par toutes les interventions qui avaient marqué sa déconstruction et sa reconstruction. L'aventure avait duré un mois, le temps avait fait son œuvre et l'expérience s'était accumulée sur la toile. J'avais transposé-là, à la face du public et tout à fait inconsciemment, les processus émancipateurs que j'avais découverts par la psychanalyse, mission que j'attribuais dorénavant à l'art. Et nul moyen d'expression ne me permettait mieux de poursuivre ce travail que la peinture. Souvent, j'imaginais qu'elle me coulait dans les veines, que la couleur me sortait directement du corps. Sa fluidité rejoignait, je le sais maintenant, mon imaginaire aquatique, comme elle me permettait une saisie très rapide et intuitive des événements. Toucher, saisir, sentir : toutes ces sensations tactiles sont au cœur de l'expérience picturale. J'avais par ce moyen le sentiment de «toucher à l'essentiel», et plus tard, le travail de «la touche» prendrait de plus en plus d'importance dans mon œuvre.

Ce projet terminé, je passai à autre chose et j'oubliai Ulysse encore une fois. Suivant mon désir, l'œuvre devint un vaisseau comme un passeport. Pendant sept ans, j'explorai tous les territoires artistiques et géographiques possibles. J'étais ivre d'une liberté chèrement conquise et je n'avais peur de rien. J'obtins du succès, je devins même «ambassadrice» comme disent les politiciens... En 1995, je faisais ma première exposition à Paris [254] et un éditeur français lançait un livre sur mon travail, un *Passeport* justement (*fig. 1, fig. 11*). Je décidai de le dédier à Gilles Deleuze, le philosophe de la *déterritorialisation*. Aujourd'hui quand j'y pense, la pensée nomade n'est-elle pas profondément ulyssienne, à la fois désir d'exploration et désir de retour?... Deleuze m'avait personnellement donné son appui et désirait voir mon exposition, mais je le savais atteint d'une très grave maladie et ne m'attendais pas à ce qu'il puisse venir. Quoi qu'il en soit, j'étais consacrée héros. Je dis bien «héros», car seul mon nom, *Prescott,* devait apparaître sur la jaquette du livre. Ainsi selon l'éditeur, le lecteur ne saurait pas tout de suite que j'étais une femme. Telle était donc la manière d'entrer dans la très patriarcale histoire de la peinture française? Soit! Je serais donc une femme-héros!

Savourant ma réussite, je me promenais et bouquinais sur le boulevard Saint-Michel quand je tombai... sur mon vieil ami. Le livre était usé, des passages avaient été soulignés timidement, à très peu d'endroits et juste au premier chant. Sans doute quelque étudiant avait entrepris cette lecture et s'en était fatigué. Je réalisai soudainement que je n'avais jamais lu l'*Odyssée* et que ce serait intéressant de le faire. J'étais à ce moment simplement curieuse et amusée : j'avais eu de si bons moments dans mon enfance! J'étais aussi désireuse de rapporter un souvenir spécial de Paris. Ce fut mon secret.

De retour à Montréal, j'appris la mort de Deleuze. Il s'était défenestré, le dernier jour de mon exposition. J'étais encore sous le choc lorsqu'un représentant de la maison d'édition *Ulysse* m'apprit qu'il était chargé de la distribution de mon livre au Canada. Mon héros organisait un lancement pour moi, à la librairie du Musée d'Art Contemporain de Montréal! Sur le moment, je m'amusai de cette coïncidence. Ensuite, j'eus le sentiment que c'était un signe du destin et cette idée me fit peur. J'enfouis *Ulysse* dans les rayons de ma bibliothèque et me consacrai à une œuvre à la mémoire de mon cher compagnon. Ce sacrifice me permit d'effectuer mon deuil et de me réconcilier avec sa mort. Je compris que se jeter dans le vide, Deleuze s'y était exercé toute sa vie... et que son geste était, par toute sa philosophie, absolument conséquent. Je peignis pour lui un monument à la vie, à une vie riche et féconde (*fig. 25*).

Puis je fus de nouveau emportée dans l'action. Je réalisai mon *american dream,* une exposition à New York; je continuai d'arpenter le Québec, la France, le Canada... Je fis aussi une pointe du côté de la Californie (*fig. 2, fig. 4, fig. 12, fig. 15, fig. 25*).[255] D'une manière insoupçonnée, l'art devenait pour moi un formidable terrain de recherche et de découverte. Je tenais un journal de bord, sous forme de carnets, dans lequel je devenais tour à tour psychologue, ethnologue, sociologue, anthropologue... Je documentais tout et, au retour, je traduisais mon expérience dans des carnets visuels (*fig. 11, fig. 21, fig. 29*). Chaque exposition nous fait découvrir un monde, des gens qui vivent et pensent autrement. L'œuvre agit pratiquement comme un sondage, un moyen d'enquête, et les rencontres

Figure 25.

Hommage à Gilles Deleuze (1996).
Acrylique sur toile libre. 241 x 183 cm.
Collection «La Peau de l'Ours», Montréal.
Photo : Pierre Charrier.

qu'elle permet sont parfois d'une très rare intensité. Mes nouvelles connaissances s'intégraient naturellement à l'œuvre, remettant en question mes propres conventions, me permettant de découvrir de manière très intuitive certains universaux ou concepts généralisables. Ainsi, traverser les frontières, explorer de nouveaux territoires, en rapporter une connaissance différente firent de l'art toute une aventure, tant du point de vue imaginaire que dans l'expérience concrète. Il n'en demeurait pas moins un projet existentiel : changer le cours du destin, échapper à la mort, trouver les réponses dont j'avais besoin pour vivre... Et c'est dans cet état d'esprit que j'entrepris mes études de doctorat.

8.5 L'épopée

Donc, entre 1997 et 1999, j'écris, je peins, j'étudie et je médite. Je prépare trois expositions différentes, avec en trame de fond : Qu'est-ce que l'art? *Un Arbitrarium!* Qu'est-ce que l'expérience de l'art? *Un espace proliférique.* Et la création? *Enchaînements, glissements et condensations.* Qu'est-ce que la vie? *Une eau qui court.* Les œuvres d'art? *Des intensités immobiles.* Et le désir? *Des bruits.* Le poétique? *L'activité des poussières.* L'artiste? *Une génératrice.* Ma micropolitique? *Une politique de l'hymen.* La peinture et l'écriture? *Substare. Se tenir dessous...* Je présente aussi une vidéo-performance, *Petit conte impudique.* Le corpus d'œuvres est considérable et l'ensemble des titres, révélateur de ce qui m'habite (*fig. 2, fig. 3, fig. 4, fig. 6, fig. 7, fig. 8, fig. 12*). Mais je cherche toujours un concept qui me permette de passer d'un langage à un autre, soit, du visuel au texte.

Dans la même période, les média font grand cas du changement de millénaire qui sera vraisemblablement un immense «bog» planétaire. Moi je repense à *2001. L'Odyssée de l'espace* de Stanley Kubrick, vu plus de vingt ans auparavant, et je commande la cassette vidéo. Peu après, je tombe sur le *Ulysse* de James Joyce, une nouvelle édition,[256] dans une vitrine de librairie. «C'est ça ma p'tite, l'emprise du signifiant!», aurait dit Lacan... Et en effet, certaines coïncidences n'en sont pas vraiment. J'achète le livre, je l'explore quelque peu et, vu la complexité de l'ouvrage, je reporte la vraie lecture à plus tard. *Ulysse*, à nouveau, se perd dans la bibliothèque.

La machine d'Homère continue cependant de faire son effet. Je découvre par la suite bien d'autres Ulysse et une question devient de plus en plus lancinante : qu'est-ce qu'ils ont tous, ces artistes, à revenir sur cette figure? Quel est le legs d'Homère, ce qu'il a tenté de me transmettre? Et avec lui les Godard, Joyce, Kubrick, Konchalovsky, Angelopoulos, Varda, Fernandel, Carpi, les frères Cohen[257] et combien d'autres, d'un océan à l'autre et depuis des siècles? Progressivement, je prends conscience de ma propre histoire, de ce qui insiste à travers le personnage d'Ulysse, à des moments très clairs et très significatifs depuis mon enfance jusqu'à l'âge adulte. A chaque étape critique de ce voyage, Ulysse se manifestait aussi sûrement que le coucou de mon horloge.

Par un beau matin, je jongle avec les mots «Ulysse» et «complexe». L'art, c'est si complexe, si complexe! En 1992, j'avais publié un *Éloge de la complexité*,[258] que je relis. Puis je pense au *complexe d'Œdipe*. Je me demande comment je l'ai résolu, mon «Œdipe»? C'est peut-être bien l'art qui m'a permis de le faire? Me revient en mémoire *L'Anti-Œdipe. Capitalisme et schizophrénie* de Deleuze et Guattari,[259] lu dans les années 80, lorsque j'étais psycho-éducatrice. A l'époque, je travaillais dans une institution carcérale pour jeunes délinquantes et, dans un rapport d'évaluation, un supérieur avait noté que j'éprouvais... un conflit avec l'autorité! Chose certaine, quelque chose de très important s'était réglé pour moi en devenant artiste; j'allais devenir mon propre père et ma propre mère, et me forger «un nom qui reste»... Mais aujourd'hui? Où en suis-je? Je n'en ai aucune idée, mais les mots s'enchaînent et c'est l'éclair : *Le complexe d'Ulysse.* Zeus n'aurait pas mieux fait. Comment n'y avais-je pas pensé plus tôt? Cette formule m'apparaît alors d'une telle évidence. Quelque chose me travaille et cette chose travaille bien d'autres artistes qui, à maturité, analysent et réinterprètent cette figure symbolique. Un complexe est un nœud, une figure d'entrelacement : en dénouer les fils, tel sera le but de ma recherche (*fig. 21, fig. 29*). *Le complexe d'Ulysse* deviendra ainsi, pendant trois ans, mon signifiant porteur.

Finalement, c'est à quarante et un ans que je décide de lire l'*Odyssée* d'Homère. Cette lecture me fut ardue au début, car il n'y avait là rien de l'aisance de la consommation cinématographique. J'avais affaire à une œuvre immense, fascinante, d'une beauté et d'une intelligence à couper le souffle. Je découvrais non seulement un continent mais une civilisation tout entière. Ce héros, Ulysse, n'était ni celui de mon enfance ni celui de mon adolescence : il n'avait absolument rien de romantique. C'était plutôt un pragmatiste, pour qui le courage était bien plus une obligation qu'une vertu. Et la fin, la fin tragique de l'*Odyssée*, me causa un véritable choc. Malgré mes recherches en études grecques, je n'arrivais pas à m'expliquer cette violence. Du moins, je ne l'acceptais pas. Plus tard, je retrouverais l'idée du «massacre» chez Kubrick, quand l'astronaute débranche le robot pour reprendre les commandes du vaisseau. A cet instant, d'une très grande intensité dramatique, je perçus clairement la jouissance que je vivais en tant que spectatrice. J'en fus troublée, et je mis cette idée en banque.

[246] «Carnet d'Ulysse no.8. L'épopée... ou le feu sacré», *Art Le Sabord*, No. 62, printemps 2002, p. 78-83.

[247] Homère décrit ainsi les retrouvailles des amants : «L'une disait tout ce qu'elle avait enduré dans cette maison, la noble femme, quand elle voyait la troupe des prétendants funestes rester pour elle dans le manoir et égorger sans cesse les bœufs et moutons gras, ou sans cesse puiser le vin des tonneaux. Et Ulysse de glorieuse naissance lui contait tout ce qu'il avait fait souffrir aux hommes, tous les maux cruels qui le frappèrent lui-même. Elle était heureuse de l'entendre et le sommeil ne lui ferma point la paupière qu'il n'eût tout narré en détail». *Od.*, Chant XXIII : 296-338 (p. 331).

[248] *Od.*, Chant IX : 338-375 (p. 136). La fin de l'épisode avec le Cyclope montre que le fait de se nommer «Personne» sauve la vie d'Ulysse et de ses compagnons. Le refuge dans l'anonymat est très souvent une stratégie de survie.

[249] La première version dont j'aie pris connaissance est sans doute le *Ulysse* datant de 1954, mettant en vedette Kirk Douglas (Mario Camerini, *Ulysses*, U.S.A. / Italie : Lux Films / Paramount). Source : *The Internet Movie Data Base*, http: // us.imdb.com.

[250] C'est grâce à elle que j'ai retrouvé mon second Ulysse. *Odyssea*, réalisé par Mario Bava et Franco Rossi (1969), fut distribué au Canada par TV Ontario sous forme de mini-séries à partir de 1969 (Coproduction Italie / Yougoslavie / Allemagne de l'Ouest : Dino de Laurentis / Jadran Film / Bavaria Film / Radio Televisione Italiana). Source : *The Internet Movie Data Base*. Effectivement, le film n'est plus disponible, et l'acteur jouant Ulysse, Bekim Fehmiu, a eu une carrière principalement européenne.

[251] Joachim Du Bellay (1522-1560) : *Les regrets* (1568) in (1968) Paris : Larousse.

[252] J'ai terminé mon baccalauréat en arts visuels à l'Université Concordia en 1987. Après une première exposition solo à la Galerie Alliance (*Bilan provisoire*, Montréal, 1988), je participai dans l'été au Symposium de Baie Saint-Paul. C'est d'ailleurs là que je rencontrai pour la première fois Ulysse Comtois, qui me fit une très forte impression. Il me servit cet avertissement : «Ne te laisse jamais impressionner par la critique. L'artiste est toujours bien en avant. C'est à eux de te suivre».

[253] Pour des reproductions photographiques de même que plus de commentaires sur cette expérience, voir le site de la revue électronique du GREP (Groupe de Recherche en Poïétique de l'UQAM) : www.unites.uqam.ca/doctorat_arts/prescott.htm., ou encore www.unites.uqam.ca/grep/; article «Le temps de Pénélope», in Françoise Le Gris *et al* (2001), *Revue électronique du GREP*, Vol. 1, *Le temps du faire*.

[254] *Louise Prescott. Œuvres récentes : Hommage à Gilles Deleuze*, Paris (6ème) : Galerie De Castelnou, 1995. Voir aussi Antoine Blanchette (1995), *Passeport 94-95*, Paris : Fragments; et Cristina Toma (1995), «Louise Prescott», *Bulletin Castelniouze* (feuillet de salle). L'exposition sera reprise au printemps 1996 à la Galerie 55 Mercer, à New York (Soho), sous le titre *To Gilles Deleuze*.

[255] On trouvera quelques-uns de ces éléments biographiques sur mon site web (2000-en cours) : http: // membres.lycos.fr/l.prescott/accueil.html.

[256] En fait, il s'agit de la réédition d'une traduction d'Auguste Morel et Valery Larbaud (1957), revue par l'auteur (Paris : Gallimard).

[257] Je réfère à nouveau le lecteur au site *The Internet Movie Data Base* pour des renseignements plus détaillés. Outre les œuvres de Joyce et de Kubrick précédemment citées, mentionnons rapidement (et pour ne nommer que celles dont j'ai pris connaissance, car la liste serait pratiquement interminable pour ce qui concerne le cinéma seulement) : Théo Angelopoulos, *Le regard d'Ulysse* (1995); Fabio Carpi, *Les aventures d'Ulysse* (1969) et *Homère, la dernière Odyssée* (1998); Ethan et Joël Cohen, *O brother, where are you?* (2000); Jean-Luc Godard, *Le mépris* (1964); Andrei Konchalovsky, *The Odyssey* (1997); Fernandel, in Henri Colpi, *Heureux qui comme Ulysse* (1970); Agnès Varda, *Ulysse* (1982).

[258] Cf. Feuillet de salle, exposition solo *Problèmes*, Laval : Galerie Verticale Art Contemporain, 1992.

[259] (1972), Paris : Minuit.

Figure 26.

Vue de l'atelier (août 2000).
Exposition *Paroles ailées* en préparation.
Photo : Édith Martin.

Recommencer la toile. Écrire et décrire. Visions de peintre. Figures de fil. Le geste inlassable. Du sacré et du merveilleux. Le monde de Pénélope. La chambre secrète. Le complexe de virilité. La femme au cœur de fer. Pour une politique de l'hymen. La Porte des Songes. L'autonomie resplendissante. Paroles ailées. De l'héroïsme. La leçon de Joyce. La misère d'Ulysse. Les ruses de l'intelligence. Du cynisme et de la compassion. De la démesure. Suivre et perdre le fil. Le délire. Le seuil critique. L'épreuve d'artiste. De la libre jouissance des lieux. Le torrent tout au fond. La langue de l'hystérie. Le massacre. La souveraineté de l'art. De l'archaïsme. Du délire comme cadeau des dieux. De la «jouis-sens». Pour une politique du désir. De la dépense. De l'irrationnel et du surnaturel. Du libre accès. Pisteurs de l'amour. Le mythe artistique. Exister. De l'invocation. Présence du fabuleux. L'aventure de la vie. Les divinités concrètes. L'art comme fantasme. Le flambeau. L'autre scène. Le devenir-immortel selon Joyce. De la jouissance phallique. Devenir père. Ithaque... ou vouloir son désir. La mêlée. La Loi du Père. L'éthique de la jouissance. De la névrose civilisationnelle. La parole de Molly. L'Anti-Œdipe. Suivre les chemins liquides. Ho! Mère! Le Dire de l'amour. Le contrat sacré. La compagnie des dieux.

9.1 Recommencer la toile

À l'automne 1999, j'entreprends l'écriture des *Carnets d'Ulysse* [261] et une nouvelle série de peintures monumentales. Dans l'écriture, je cherche à retrouver la fluidité et la musicalité de ma peinture, tandis qu'en peinture, je suis déjà ailleurs. J'ai une vision, une vision très générale : je rêve d'une grande salle bleue et d'un espace océanique... Progressivement, la couleur et la lumière se libèrent, la touche devient plus fébrile, mes gestes se resserrent pour former de grands tissages de matière. Une trame de fond court d'une œuvre à l'autre et, à certains endroits, des figures de fil [262] semblent nouées et dénouées par de très menus gestes. Un mouvement s'installe dans l'image qui, telle une vague, avance et se retire en un geste inlassable (*fig. 9, fig. 13, fig. 17*). Certains tableaux me rappellent mes peintures de jeunesse cependant que le traitement en est nettement plus poétique (*fig. 16*). En filigrane, il y a toujours l'idée de la *beauté arrachée*, de cette beauté si difficile à atteindre et qu'une infinité de gestes tentent de reconstruire sous nos yeux. La différence est que, dans ces paysages qui surgissent comme en rêve, je retrouve mon imaginaire d'enfant. Un sens du merveilleux s'en dégage, intemporel (*fig. 10, fig. 19*). La surface est également beaucoup plus riche et sensuelle : vingt ans de peinture y sont pour quelque chose, mais aussi une sexualité féminine épanouie, mieux assumée, enrichie par l'expérience de la maternité. [263] Je découvre que le sublime n'est pas une vue de l'esprit mais bien une émotion, profondément ancrée dans le corps, et que celle-ci constitue mon expérience intime du sacré. [264] Certains événements de notre vie ne sont-ils pas les plus précieux du monde, quoi qu'il advienne?

Je commence à m'intéresser de plus près au personnage de «la sage Pénélope» et je me rends compte que, dans ma pratique, s'il y a bien une artiste en Ulysse (*fig. 21*), il y a aussi une peintre en Pénélope (*fig. 29*). En effet, bien que tout semble s'opposer à mon désir «dans la cour du royaume», il suffit de juxtaposer trois ou quatre pièces dans mon atelier pour créer un univers féérique (*fig. 26*). Dans cette chambre secrète semble s'exercer une autre forme de pouvoir et je ne cesse de me répéter : «Oui, l'art, c'est complexe. Mais je veux peindre sans complexe...», c'est-à-dire que ce sens du merveilleux et cet appel aux sens et à la jouissance féminine, il est grand temps, et même impératif, que je les élabore davantage (*fig. 28*). Mon *complexe d'Ulysse* aurait-il été aussi un complexe de virilité?[265] «Femme, veille sur mes biens!», ordonne Ulysse à Pénélope, juste avant de partir...[266] «La femme est un voyageur sans bagages, qui se transforme en porteur de ceux des autres. Quant au voyage il ne la ramène jamais chez elle, mais toujours chez les autres», écrivait Christiane Olivier en 1980, dans *Les enfants de Jocaste.*[267] C'est le devenir-artiste qui m'a permis d'échapper à ce destin, mais aussi et surtout, le devenir-peintre, car nul à ce jour n'a pu peindre ce que j'ai peint et l'œuvre que j'ai signée est celle qui a permis au «héros» d'advenir et de parcourir le monde... Si Pénélope n'avait pas été capable de maintenir sa vision et de développer ses propres manières de faire, elle serait morte à elle-même et il ne resterait plus rien à Ulysse. Au fil de la lecture, je découvre en cette femme, rompue aux plus délicats ouvrages, l'incarnation de la résistance politique : la «fidèle» et «sage» est aussi une «rebelle», dit Homère, une femme «au cœur de fer, à l'âme plus dure qu'une pierre»[268], qui irrite profondément les prétendants, met son fils en colère et qu'Ulysse lui-même découvre à son retour, non sans stupéfaction. Grâce à sa stratégie et à sa détermination, le nouvel ordre que les prétendants tentent de mettre en place est tenu en échec. Pour exercer cette résistance, il lui aura fallu «prendre le maquis» pendant l'occupation; et prendre le maquis, l'histoire le démontre, n'est pas que résistance *passive*. C'est aussi un lieu essentiel de réflexion et d'organisation de l'action.[269] «Faire et défaire ma toile» m'aura permis, à travers les années, d'élaborer un jeu de rôles très complexe et d'inventer toute une *Politique de l'hymen...*[270] une alliance nouvelle de l'homme et de la femme en moi (*fig. 30*).

Ainsi, en me tenant comme Pénélope à la Porte des Songes,[271] en restant attentive au monde enchanté de mes rêves comme à celui de tous ceux qui m'entourent, j'éprouve un autre sens de la durée et de la survie, une manière de conserver ma souveraineté sans recourir aux techniques viriles du combat et du massacre, et sans nécessité aucune de confrontation. Par là, j'exerce une toute autre forme de puissance : une puissance affirmative, d'une autonomie resplendissante (*fig. 10*). N'ai-je pas moi-même réalisé un rêve d'enfance (*fig. 23*)? C'est toujours de cette façon que la peinture aura effectué sa mission particulière dans ma pratique : délier la parole intérieure, découvrir certains refoulements et transgresser certains interdits, pour éprouver une nouvelle jouissance dans mon travail. Ma prochaine exposition s'intitulera... *Paroles ailées*. Et pendant plusieurs mois, je flotterai comme sur un nuage, sereine comme jamais. Un état de grâce (*fig. 27, fig. 20*).

Figure 27.

Paroles ailées (environnement océanique) (2000-2002).
Exposition solo itinérante. Vue partielle de l'installation à Trois-Rivières,
Maison de la culture de Trois-Rivières, Festival International de la Poésie, 2000.
Chaque peinture est accompagnée de vers choisis d'Homère
ainsi que du poète invité Daniel Dargis.
Photo : Marie Duhaime.

9.2 De l'héroïsme

C'est à l'été 2001 que j'ai ressorti le *Ulysse* de Joyce[272] des rayons de ma bibliothèque, car il me restait quelques problèmes à résoudre. Joyce était incontournable, ma dernière épreuve, dont la lecture était plus exigeante encore que celle d'Homère. Pourtant, son héros m'appelait par mon nom. Il évoquait la terre de mes ancêtres, la mélancolie du peuple irlandais comme son entêtement légendaire. Je rencontrais des Prescott dans ce livre, de joyeux lurons à vrai dire, et je partais en rêveries : l'exil qu'avaient dû vivre certains de mes parents éloignés, sans doute partis pour le Canada au siècle dernier lors de la grande famine... Mais son Irlande n'avait rien pour me rendre nostalgique; en fait, elle était misérable. Son Ulysse était un commis voyageur des plus quelconque et Pénélope le trompait allègrement; Circé tenait un bordel, Éole dirigeait un journal. L'artiste, c'était Télémaque, en Stephen Dedalus, un poète errant n'ayant rien à foutre de son père ni de tous les autres.[273]

L'écriture de Joyce était terriblement drôle, décapante, cynique à la limite. Comme chez Homère, son héros n'avait absolument rien de romantique. En même temps, on y sentait une profonde compassion pour l'homme : à la manière d'un Zola, Joyce prenait le parti de l'homme ordinaire, aux prises avec toutes sortes de problèmes existentiels dans un quotidien des plus prosaïques... à cette différence près que l'expérience la plus familière pouvait devenir surnaturelle. L'esprit de l'homme n'est-il pas extraordinaire? N'y a-t-il rien de plus fabuleux que «les ruses de l'intelligence»? En cela, Joyce retrouvait la pensée des Anciens et l'arrimait à son temps.

Ensuite, ce furent la démesure, la folie de cette entreprise qui frappèrent le plus mon imagination. J'y reconnus une intention présente dans ma peinture : celle de rendre tangible toute une phénoménologie de la perception, son temps réel, sa matérialité et son expérience concrète.[274] Qu'arrive-t-il du point de vue de l'écriture si on commence à suivre le fil des pensées d'un homme qui déambule dans Dublin pendant vingt-quatre heures? Lorsqu'on peint au fur et à mesure la plus infime des intuitions, lorsqu'on intègre à un tableau la somme d'images qui apparaissent dans la pensée pendant le faire? L'apparence d'un délire, un art schizophrène dans sa structure même (*fig. 1*). Pourtant chez Joyce, on est impressionné par l'intelligence de l'œuvre, la justesse des observations, l'ampleur de cet acte d'écriture qui se maintient jusqu'au bout à ce seuil critique : l'exacte coïncidence entre la figuration et l'abstraction. Si Joyce avait su tenir son pari, cette expérience avait dû l'amener à la limite du supportable et, pour moi, l'œuvre était en soi un acte d'héroïsme. Je retins donc cette idée : elle revint plus tard dans les carnets sous le thème de l'*épreuve d'artiste*.

9.3 De la libre jouissance des lieux

Bien sûr, je m'amusai beaucoup de la torture infligée par Joyce au roman classique, à l'académie littéraire, à la bourgeoisie, à l'Église, à toute figure d'autorité incluant pour les Irlandais, l'Angleterre. J'imaginais sans peine à quel point il avait dû scandaliser les lecteurs de son temps. Je reconnus ce «torrent, tout au fond» — le déluge même — d'une parole entière, délestée, vive et crue, sur plus de mille pages. Plus que tout, c'était le langage, véhicule du pouvoir, qui était dépecé, trituré, recousu, hystérisé. «Ô le gros toutououaouaoua!»[275], écrivait-il, en évoquant l'inévitable machin masculin (... un ouaouaron à vrai dire, vu sous un certain angle!). Joyce devenait *Odysseus* en personne, «l'homme en colère», et répétait le massacre des prétendants; non plus au mode figuré, comme chez Kubrick, mais au mode figural, par l'œuvre elle-même, son traitement, sa structure, sa logique implacable. Et cette exigence de l'œuvre avait dû procurer à son auteur une jouissance extrême : être propriétaire, conserver l'usufruit, affirmer la souveraineté de l'art et en payer le prix s'il le faut puisque au fond, cette jouissance n'a pas de prix. Pour accéder ainsi à la «libre jouissance des lieux» qui, je le rappelle, est une notion provenant du droit foncier, il lui avait fallu faire appel à ses pulsions les plus archaïques. En revenir, demeurer maître à bord, tel est l'exploit du génie; mais aussi, là où le génie côtoie la folie.

«Les dieux peuvent faire un insensé de l'homme le plus sensé, comme aussi rappeler à la raison un faible d'esprit»[276], remarque Homère. Le constat du poète date de 800 ans avant J.-C. et, en effet, encore aujourd'hui, le tracé entre la normalité et la folie est extrêmement ténu. Chez l'artiste, pour autant qu'il soit équilibré, c'est-à-dire, qu'il possède un Moi suffisamment fort, le «délire» est un cadeau des dieux. Dans mon récit, j'ai voulu montrer que les ritournelles, les fabulations, les questions lancinantes, les blessures de toutes sortes, les grandes joies, les rêves, les hallucinations, la moindre pensée intrigante méritent toute l'attention possible chez l'artiste. Ceci parce que, comme le dit Lacan, «la jouissance, c'est aussi la *jouis-sens*...» : jouir de la signifiance.[277] Tout sujet se développe à travers des chaînes signifiantes qui lui procurent de la jouissance. Celles-ci constitueront éventuellement les lignes de force de l'œuvre comme les fils de son dénouement. Toute une axiomatique organise ainsi la fantasmatique du public.[278] Toute une politique du désir se met en place pour un ensemble indéfini d'individus qui s'étaient cru, jusque là, seuls au monde. Par-delà le plaisir esthétique, c'est la signifiance de l'œuvre qui permettra au public d'accéder à la jouissance à son tour.[279] Ce qui est gratuit, ce qui fait même de l'art un luxe, c'est ce que Georges Bataille appelait *la dépense*,[280] soit le temps et l'énergie consentis pour arriver à préciser l'agencement de ces chaînes signifiantes, ou en termes artistiques, «l'idée» et «la forme». Cette dimension de la jouissance dans la création est purement libidinale, une énergie sexuelle libre, forcément irrationnelle (*fig. 28*), qu'il nous faudra lier à des expériences concrètes et à des formes «qui nous parlent».[281]

D'autre part, au plus près de sa fantasmatique inconsciente, on peut dire que l'artiste «nage» dans le surnaturel, que celui-ci fait partie intégrante de sa vie. Cela, la plupart des artistes le confirment : la création est vécue comme un profond mystère, la vie d'artiste pleine de rebondissements; la gestation d'une œuvre et sa carrière publique sont imprévisibles; l'aventure est à chaque fois nouvelle et demande des facultés adaptatives différentes; la connaissance qu'ils en retirent est incommensurable... et ils ne sauraient s'en passer (*fig. 27*). Lorsqu'on questionne un artiste à ce sujet, il fera naturellement ressortir le caractère *épique* de son expérience et, très souvent, nous serons étonnés par sa modestie et même par sa profonde vulnérabilité devant les faits.

Ainsi, le monde intime de l'artiste est homérique par essence; et il l'est d'autant plus qu'il donne, d'une manière tout à fait naturelle, libre accès à la jouissance. Telle serait cette «nécessité intérieure» de l'artiste, la vraie flamme de l'endurant Ulysse, le secret de sa fidélité et de sa force indomptable... Le poème d'Homère n'est-il pas aussi, superbement érotique? Nous révélant tous les visages de l'amour, toutes les formes possibles par lesquelles l'amour arrive et s'exprime dans l'expérience humaine? En tout artiste il y a un pisteur de l'inconscient, mais aussi et surtout, un pisteur de l'amour.

9.4 Ulysse ou le mythe artistique

Certains événements nous ramènent à des questions existentielles : vaut-il la peine de vivre? Et si oui, qu'est-ce qui vaut la peine d'être vécu? Inconsciemment, nous invoquons les artistes. Nous allons voir un film, un spectacle ou une exposition; nous lisons, nous écoutons de la musique et nous regardons toutes sortes d'images. Certaines œuvres nous transportent, nous revivifient et nous donnent du courage, tandis que d'autres nous troublent, nous bouleversent ou nous procurent une conscience nouvelle des choses. Parfois, dans des situations problématiques, elles nous reviennent en mémoire. Elles réussissent ainsi de petits prodiges, en nous aidant à réaliser ce que nous n'arrivons pas à faire tout seuls : trouver la mesure entre l'intelligence et l'affect; lier et structurer ce qui est en nous confus, senti mais non formulé; et finalement, éprouver de la jouissance... une nouvelle jouissance des lieux. Mythe ou réalité?

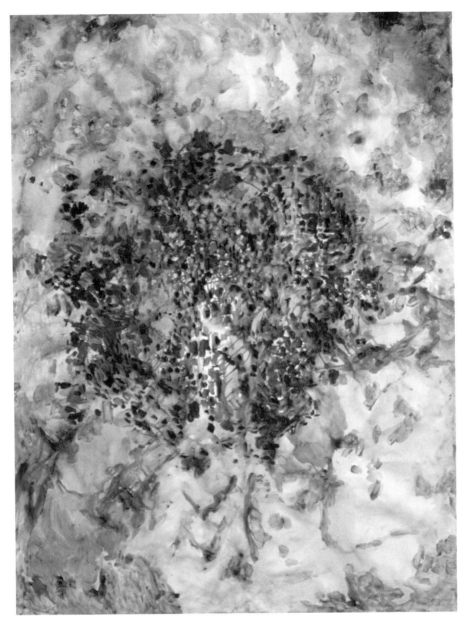

Figure 28.

Les grottes secrètes de Calypso (2002).
Acrylique sur toile libre. 245 x 185 cm.
Collection du Bistro à Champlain, Sainte-Marguerite du Lac Masson.
Photo : Édith Martin.

Les artistes sont nos compagnons dans l'aventure de la vie. C'est le rôle qu'on leur assigne culturellement, ils remplacent les dieux que nous avons perdus, les prophètes en qui nous ne croyons plus. Ceci parce que, comme aux temps archaïques, ce sont des divinités *concrètes*. L'artiste est cet immortel qui sait prendre forme humaine. Omniprésent, il partage notre quotidien et se manifeste au moment opportun, dans les situations les plus familières comme les plus singulières.[282] Mais le mythe artistique est clair : c'est un Ulysse dont la route sera pleine d'embûches, le retour long et pénible et la mission jamais terminée, même après le massacre des prétendants. C'est toujours par sa ruse et ses facultés créatrices qu'il arrive à se sortir du pétrin et on est toujours curieux de connaître ses stratagèmes. Le succès des biographies, des musicographies, des documentaires de toutes sortes en est le témoignage le plus probant; la quantité de recherches scientifiques qui y sont consacrées également et ce dans tous les domaines. On attend des artistes qu'ils nous montrent des manières de faire et d'exister. On l'attend collectivement et les individus qui s'engagent dans cette voie, fascinés par le mythe, y plongent tête baissée. De quoi faire retourner Platon dans sa tombe... et énerver les politiciens jusqu'aux plus hauts niveaux!

Ainsi, avant d'être un désir, l'art est un fantasme. C'est d'abord parce qu'il est une figure mythique que l'artiste exerce socialement son pouvoir d'attraction et c'est par le mythe que des gens s'engagent corps et âme dans la création artistique, comme je l'ai fait moi-même dans la jeune vingtaine. Sans utopie, sans idéal du Moi, un individu stagne, en vient à se mépriser lui-même et risque de céder au désespoir; les illusions de la jeunesse sont donc une étape nécessaire. Lorsque le fantasme est devenu une réalité, soit que je suis confirmée socialement dans mon statut d'artiste, demeure une grande question : comment persister dans mon désir d'art? Quelques épreuves m'auront amenée à découvrir la part tragique de cette existence et c'est d'abord par l'abandon du mythe que j'aurai réussi à me maintenir dans mon désir. Lorsque l'art n'est plus un fantasme, mais le choix libre et éclairé d'un sujet, l'œuvre rend tangible la puissance affirmative du désir. Ainsi, ce que des artistes matures nous offrent par leur œuvre, c'est comment renaître de ses cendres une fois les mythes identifiés; et innombrables sont ceux qui sont retournés à Homère pour y retrouver des opérateurs.

Figure 29.

Le sceau de Pénélope (1996-2000).
De la suite des Carnets (Coulées No. 3, 1996).
Acrylique sur Stonehenge. 76 x 56 cm.
Collection de l'artiste. Photo : Pierre Charrier.

Dans les années où je menais ma propre enquête, Latour et Vigneau publiaient leur *Ulysse en trois temps* aux Éditions Le Sabord;[283] Alexis Martin et Dominic Champagne préparaient en coulisses une *Odyssée* pour le Théâtre du Nouveau Monde;[284] en France, Nadine Norman préparait son œuvre *Index.html* pour le projet *Je ne suis pas une Pénélope*,[285] tandis qu'Annie Leclerc mettait la dernière touche à son essai *Toi, Pénélope*. Ils ne sont pas les seuls et cela n'est pas le fruit du hasard. La prégnance du signifiant «Ulysse» pour les créateurs est davantage l'indice d'un inconscient artistique partagé qu'un phénomène de mode. Comme dans une course à relais, les artistes semblent porter le flambeau et se le remettre, d'une génération à l'autre, d'une discipline à l'autre et d'un continent à l'autre... En Occident, Ulysse est l'archétype de l'artiste et chacun de ses retours sur la scène publique est un retour en Ithaque, «la terre aimée de ses pères». Sur cette autre scène se rejoue, à chaque fois et pour chaque artiste qui s'y confronte, le *complexe d'Ulysse*... et le public attendra impatiemment de voir comment il arrivera à le résoudre.

Très récemment, j'ai lu ces commentaires de Joyce : «J'ai écrit *Ulysse* ainsi pour occuper les critiques durant trois cents ans [...] Ce que j'exige de mon lecteur, c'est qu'il consacre sa vie entière à me lire». Plus tard il ajoutera : «C'est la seule façon pour un homme de s'assurer l'immortalité»[286]. Et en effet, de cette manière, il devenait le patron incontestable, le maître absolu, le «Père Tout-Puissant»... J'étais bel et bien en présence de la jouissance phallique, d'un acte de mise à mort (*fig. 18*) qui lui avait permis non seulement de devenir son propre père, mais aussi de devenir père à son tour.[287] Fait plus important encore, je découvrais que c'était cette expérience spécifique qui était au cœur de l'œuvre, transmise par elle et ce, bien au-delà du plaisir esthétique. Ainsi, Joyce me révélait une autre dimension du «feu sacré». Si «l'Œdipe» est une épopée qui se développe dans le roman familial, «l'Ulysse» se développe bien après celui-ci, en ce lieu où tout sujet se questionne sur ce qu'il laissera derrière lui comme bien symbolique.[288]

9.5 Ithaque... ou vouloir son désir

«Télémaque mon fils chéri, maintenant souviens-toi de ceci : quand tu entreras dans la mêlée où se reconnaissent les braves, garde-toi de déshonorer la race de tes pères; car jusqu'à ce jour, par la force et le courage nous nous sommes signalés sur toute la terre», dit Ulysse.[289] A cette *Loi du Père*, l'artiste ne pourra pas échapper. Entrer en «Art», c'est effectivement entrer dans la mêlée, devoir se signaler par la force et le courage, devenir *grand* dans tous les sens du terme... et cela fait partie du complexe d'Ulysse. Cependant, si Ulysse est déjà son propre père et sa propre mère, c'est en montrant à son fils *comment* retrouver son Ithaque qu'il deviendra vraiment père à son tour, «seule façon pour un homme de devenir immortel», dit Joyce.

Figure 30.

Murale composite de trois peintures juxtaposées :
Aurore aux Doigts de Rose (2000), *Les grottes secrètes de Calypso* (2002), et *Le chant des Sirènes* (2000). Vue partielle de l'exposition trio *Battre le «faire» au féminin*. Commissaire : Karl-Gilbert Murray. Laval : Galerie Verticale Art Contemporain, 2002. Photo : Édith Martin.

Le plus beau de l'affaire, c'est qu'en maintenant cette éthique, l'artiste pourra accéder à de très nombreuses modalités de la jouissance, qu'elle soit phallique, sadique, masochiste, mystique... ou féminine.[290] Grâce à la création, l'artiste arrivera même à vaincre son complexe de virilité : trois mille ans de culture névrotique nous rappellent qu'il est aussi présent chez l'homme que chez la femme et qu'on a en tant que civilisation encore beaucoup de travail à faire...[291] Pour sa part, le *Ulysse* de Joyce se termine sur la parole de Molly[292] et, par cette percée, l'écrivain accède complètement à la jouissance féminine[293] dans l'œuvre suivante, *Finnegans wake*,[294] qui constitue son testament.[295] De cette manière, il aura réuni l'homme et la femme en lui et réalisé pleinement son *Anti-Œdipe*[296] : un lieu où il n'y a plus ni père, ni mère, ni famille, ni institution, ni rivalité; une île vierge où le masculin et le féminin prennent tour à tour le relais dans une parenté immortelle.[297] Homère y aurait vu une intervention divine : «Nous les dieux, dit Zeus, mettons dans les âmes l'oubli de fils et de frères massacrés; que l'amitié renaisse entre les citoyens et qu'avec la paix fleurisse la richesse»[298]!

Car la paix est possible. Arrive ce moment privilégié dans la création où l'œuvre n'est plus une réaction à des conditions, des exclusions, des malaises ou des déséquilibres, qu'elle n'est plus le symptôme de rien. Une parole pleine est en émergence, se donnant ses propres critères et conditions d'existence, complètement détachée, souveraine et inaliénable. En ce lieu secret et jalousement gardé, le discours de l'Autre n'a plus aucune prise. Cette forme de grâce, Lacan la retrouve dans cette lettre d'une mystique qu'il nomme si bellement «le Dire de l'amour», et qui selon lui, crée un littoral... «entre jouissance et savoir»[299].

«Au terme de l'analyse, le sujet est appelé à renaître pour savoir s'il veut ce qu'il désire...», conclut Lacan en 1966.[300] Et en effet, cette épopée que fut *Le complexe d'Ulysse* m'a permis de *vouloir* mon désir d'art : de retrouver mon Ithaque et de jouir pleinement des lieux. J'aurai même trouvé en route mon propre *Dire de l'amour*;[301] et que si l'art n'a pas d'âge, il existe des âges de l'art. Ceci parce qu'un jour, un vieux poète décida de prononcer des paroles ailées comme autant de prières, dans une lettre magnifique qui s'est rendue jusqu'à moi. Vivent encore aujourd'hui un Ulysse et une Pénélope fidèles et courageux, dont les manières de faire et de penser se conjugueront toujours pour laisser une bonne terre à leur fils. «Un contrat sacré unit à jamais les deux partis sous l'inspiration d'Athéné, fille de Zeus. Athéné dont la voix et l'aspect étaient ceux de Mentor»[302], dit Homère. Ce sont ses derniers mots. Des Mentor, j'en aurai rencontré une multitude pendant mon voyage. Aux sinistres individus, aux pervers et aux rabat-joies de toutes sortes, je préférerai toujours... la compagnie des dieux.

- [260] «Carnet d'Ulysse no.8», *Art Le Sabord No. 63*, printemps 2002, p. 83-87. Bien qu'il ait été prévu pour le numéro d'été, le neuvième carnet fut finalement, pour des raisons éditoriales, présenté à la suite du précédent pour former un texte complet.

- [261] En septembre 1999, je vais assister au Festival International de la Poésie et voir par la même occasion l'exposition solo de Françoise Sullivan, alors artiste invitée par le Festival (Maison de la culture de Trois-Rivières). Mon intention est de prendre connaissance de l'événement et du lieu d'exposition puisque j'ai été invitée pour le Festival de l'année suivante. Lors d'une rencontre informelle avec l'éditeur Denis Charland *(Art Le Sabord)*, je raconte avoir écrit des centaines de pages manuscrites depuis deux ans et que je vais certainement publier quelques textes sur la pratique de l'art. De but en blanc, Denis me dit : «Pourquoi pas une chronique? Disons, huit numéros pour une durée de deux ans?» J'accepte la proposition et démarre l'écriture dans les jours suivants. Le premier carnet paraîtra dans le numéro d'automne et la chronique s'étalera finalement jusqu'au printemps 2002.

- [262] Pour de plus amples développements autour de cette notion, je réfère à nouveau le lecteur au texte «Le temps de Pénélope», in *La revue électronique du GREP. Le temps du faire*. Dans ce texte, Pénélope est posée comme «la peintre» dans ma pratique. Elle symbolise le travail de la mémoire et de la durée, que je résumerais par cette formule : «Peindre, c'est toucher le temps». Cependant, la «peintre en Pénélope» avait commencé à émerger dans l'écriture, de manière discrète et sur un ton plus intimiste, au printemps 2001, dans le carnet No. 6, *La Mer aux Mille Bruits*.

- [263] C'est une pensée qui s'est développée très progressivement, à partir des peintures qui s'élaboraient. Ce trait, plus affirmé qu'auparavant, sera analysé plus avant par le commissaire Karl-Gilbert Murray (2002) dans le catalogue d'une exposition récente : «Louise Prescott. La perversion du visible» *(fig. 30*, cf. Exposition *Battre le «faire» au féminin*, Renée Chevalier, Louise Prescott et Christine Palmieri, Laval : Galerie Verticale Art Contemporain, avril 2002). Son hypothèse interprétative se base sur cette énonciation, qu'il met en relation avec l'œuvre : «Ma peinture s'est construite au rythme du développement de ma propre sexualité. La sexualité de la femme est changeante et se modifie lentement. C'est dans ma pratique et dans l'apprentissage de mes sensations physiologiques, complexes et multiples, que s'est déterminée ma sexualité et ma relation à l'art». Cette reconnaissance du fait féminin dans mon travail s'exprimait pour la première fois publiquement.

- [264] Cette réflexion m'inspirera le texte accompagnant l'exposition *Paroles ailées* (2000-2002); mais également, le vers *Quand la mer se déchaîne, tes îles sont mes étoiles* (2000), inscription sur une carte postale produite par le Festival International de la Poésie, dont j'ai parlé précédemment.

- [265] Je rappelle que le mot «complexe» vient des mots latins *plectere* («plier»), et *plexus* («entrelacement»). À ce stade, pour continuer de «dénouer les fils» de ma recherche, je m'intéresse à la psychologie féminine et c'est Hélène Deutsch (1959) qui me fait découvrir ce qu'elle a nommé «le complexe de virilité». La guerre de 39-45 provoque l'entrée massive des femmes sur le marché du travail; ce bouleversement des rôles traditionnels déclenchera un conflit identitaire chez de très nombreuses patientes, dont elle décrira la typologie, nouvelle à l'époque. Cf. *La psychologie des femmes. Enfance et adolescence*, Paris : P.U.F. Un autre livre m'apportera un éclairage essentiel : Luce Irigaray (1974), *Speculum. De l'autre femme* (Paris : Minuit). En bref, l'ouvrage montre comment la science du «sujet» s'inscrit dans des impératifs logiques masculins depuis Platon. Irigaray procède à une nouvelle «archéologie du savoir» qui exclut de la production de discours, l'Autre — la femme — sa sexualité et montre en quoi elle demeure, comme le disait Freud lui-même, le «continent noir» de la psychanalyse. Lacan (1975) se penchera également sur cette problématique, avec bien sûr son éclairage particulier, dans son séminaire intitulé *Encore*. Celui-ci porte principalement sur la jouissance féminine; c'est là que Lacan développe son concept du «plus-de-jouir», auquel je reviendrai plus loin. *Le Séminaire. Livre XX. Encore, 1972-1973*, Paris : Seuil.

- [266] *Od.*, Chant XXIII : 338-372 (p. 332).
- [267] (1980), *Les enfants de Jocaste. L'empreinte de la mère*. Paris : Denoël / Gonthier, p. 162.
- [268] Je rappelle ici des épithètes qu'Homère utilise tout au long de l'*Odyssée* pour qualifier Pénélope.
- [269] Ce passage me fut inspiré par le récit d'amis français qui me sont très chers, Geneviève et Noël Raynaud, et qui m'ont souvent raconté leur vie de jeunes adultes sous l'occupation allemande. Pour Noël, «prendre le maquis» fut une expérience terrifiante puisque tout l'ordre ambiant était menacé par ce geste. Par son témoignage, il se confirmait dans mon esprit comme ce héros «de la vie ordinaire», si souventes fois nécessaire dans le retournement de l'Histoire. Quand à Geneviève, à dix-huit ans, elle dut supporter la présence de soldats allemands qui avaient élu domicile dans la maison de ses parents. Elle n'a pas hésité à me parler de «génération sacrifiée» par la guerre; les plaisirs auxquels s'adonnent ses petits-enfants aujourd'hui, elle ne les a pas connus. Alors que plusieurs jeunes femmes fréquentaient les Allemands, il lui fallait, dit-elle, «maintenir ses distances». Ce qu'elle fit jusqu'à la Libération.
- [270] Titre d'une œuvre du corpus *Prolifical Space — Espace proliférique* (1999).
- [271] «Les songes assurément ne sont pas faciles à saisir et leur sens ne se discerne pas d'abord; tout ce qu'ils annoncent est loin de se réaliser pour les hommes. Car il est deux portes pour les songes inconsistants; l'une est faite de corne, l'autre est en ivoire; quand les songes viennent par l'ivoire scié, on ne peut rien y voir de vrai; ce sont des mots qui ne créent point le réel sous nos yeux; mais quand les songes nous arrivent par la corne polie, ils créent, ceux-là, une certitude pour quiconque les voit». *Od.*, Chant XIX : 549-593 (p. 283). C'est grâce à cette Porte des Songes que Freud (1967) découvrira l'inconscient et qu'il fondera le champ psychanalytique. *L'interprétation des rêves*, Paris : P.U.F.
- [272] (1957), *Ulysse*.
- [273] Pour faire plus ample connaissance avec Joyce et son *Ulysse* : http : // anthologies.free.fr/ Joyce.htm; et http : www.multimania.com/geryon/bio.htm. Également, pour une lecture de Joyce par Lacan (1987) : «Joyce le symptôme», in *Joyce avec Lacan*, Paris : Navarin.
- [274] Pour une réflexion actuelle sur la phénoménologie, de nouveau l'excellent dossier : «La phénoménologie, une philosophie pour notre monde», *Magazine littéraire, No. 403*.
- [275] *Ibid.*, p. 269.
- [276] *Od.*, Chant XX : 350-389 (p. 294).
- [277] «Les chaînes signifiantes ne sont pas de sens, mais de *jouis-sens*». Jacques Lacan (1974), *Télévision*, Paris : Seuil, p. 22.
- [278] «La jouissance liée au processus primaire consiste dans des défilés logiques». *Id.*, p. 20.
- [279] D'une part, «il y a un rapport du sens à la jouissance phallique»; d'autre part, «c'est le plaisir qui apporte à la jouissance ses limites». Lacan (1966), *Écrits*, Paris : Seuil, p. 821.
- [280] Elle ne va pas sans une forme poussée d'introspection et d'expérience intérieure. Camille Dumoulié (1999) résume cette notion en ces termes : la *dépense* serait « le pivot autour duquel s'effectue le renversement de la théorie du désir comme manque en son exact contraire, l'expérience du désir comme excès [...] «L'expérience intérieure» conduit à une dépense sans réserve, à une nudité de l'être comparable à l'extase, que Bataille nomme «la souveraineté». Au regard de ce que le monde politique et économique désigne par là, on aura compris, une fois de plus, que l'éthique du désir, sa gloire et sa puissance, sont tout à l'opposé de la morale du monde et des biens. L'extase mystique est un des modèles de l'expérience intérieure du désir» (*Le désir*, p.197). Cependant, pour Bataille (1954), il s'agit moins d'une expérience «confessionnelle», comme il le précise, que d'une expérience «nue, libre d'attaches» et qui procure des états d'extase, de ravissement, d'émotion «méditée». *L'expérience intérieure*, Paris : Gallimard, p. 15.

- [281] Dans la création, les jeux formels sont jeux de désir et «affirmations gratuites», pourrais-je dire; de là leur caractère précieux. J'ajouterais même que ces jeux libres participent d'une certaine expérience du confort : «La libido ne manque pas de régions à investir, et elle n'investit pas sous la condition du manque et de l'appropriation. Elle investit sans condition. Condition est règle et savoir». Jean-François Lyotard, *Économie libidinale*, p. 13. Ici, Lyotard s'oppose à la théorie du manque lacanienne. Or, dans la création artistique, les deux postures jouent l'une avec l'autre. En effet, c'est au moment où le signifiant «Art» se met de la partie que tout se complique. Ce qui me permet de penser qu'une création est «une œuvre d'art» par exemple, est nécessairement déterminé par le langage, soit une production de discours; et cela «se discute» assurément chez l'artiste, non seulement lorsqu'il est seul avec lui-même dans l'atelier, mais aussi, avec d'autres artistes et de génération en génération.

- [282] Lacan (1966) explique ainsi cette mécanique psychique, mais aussi, sociologique : «*L'idéal du Moi* se forme par l'adoption inconsciente de l'image de l'Autre en tant qu'il a la jouissance» (*Écrits*, p. 752). Et cette expérience, celle de se sentir investi de pouvoirs particuliers dans l'imaginaire du public, il n'y a pas d'artiste qui ne l'ait vécue. D'où, par le fait même, les dangers de dérapage. Un peu comme le psychanalyste, l'artiste doit éventuellement travailler sur le «transfert» du public et sur son propre «contre-transfert». Il le fera par diverses stratégies de mise à distance. Cependant, la *diva* artistique, narcissique et par conséquent, manipulatrice à souhait, n'aura pas réussi ce test d'habileté intersubjective, ni à passer le test éthique. Il est possible cependant qu'en ces temps du «tout médiatique» et du «tout imaginaire», le test de la célébrité soit passé haut la main.

- [283] Jean-Pierre Latour, artiste, Jean-Yves Vigneau, commissaire (1998), *Ulysse en trois temps*, Trois-Rivières / Hull : Axe Néo-7 Art contemporain / Art Le Sabord.

- [284] Cf. Marie-Pierre Krück (2000), «On ne revient pas de l'Odyssée», *Le Devoir*, 27-28 mai, p. C9.

- [285] Centre d'art contemporain d'Amiens, 2000. Cf. www.ac-amiens.fr/artsplastiques/pages/artsam2.htm.; ou encore, le site de Nadine Norman, www.meti.org/f-projets/norman.htm.

- [286] Cf. Richard Ellmann (1987), *James Joyce*, Paris : Gallimard; citations reproduites sur le site http : // membres.lycos.fr/geryon/ulysse/citations.htm.

- [287] Pour Lacan (1966), le phallus est une représentation inconsciente : l'organe érectile en vient à symboliser chez l'enfant «la place de la jouissance en tant que partie manquante à l'image désirée» (*Écrits*, p. 822). Le mythe d'Œdipe représenterait justement ceci : que le meurtre du père est la condition de la jouissance phallique. Celle-ci serait donc accessible aussi bien à l'homme qu'à la femme, en tant que figure signifiante de remplacement. Chez Joyce, nouveau «père de la littérature», se trouve justement remplacée toute la littérature précédente, y compris celle d'Homère, en même temps que son œuvre en constitue l'hommage et en confirme la grandeur. Bref, quand le père symbolique est assassiné, pour autant que son image idéalisée soit conservée, un nouveau père peut naître.

- [288] Ce que Patrick Guyomard (1998) a problématisé comme «désir d'éthique» à partir de Lacan (*Le désir d'éthique*, Paris : Aubier). Homère pour sa part formulerait le «bien symbolique» ainsi : «Les hommes ne sont pas nés pour longtemps. Celui qui est cruel et ne songe que cruautés est maudit de tous les mortels; et ils ne lui souhaitent que tristesses durant sa vie, et quand il est mort, sont tous à la joie. Mais celui qui est sans reproche et ne songe à rien qui ne soit irréprochable, les étrangers portent au loin chez tous les hommes son nom glorieux, et souvent on dit de lui : celui-là est un homme de bien». *Od.*, Chant XIX : 302-345 (p. 277). En clair pour Homère, «honneur» et «réputation» sont indissociables, mais loin ici de se fonder sur la crainte de Dieu ou de la loi par exemple, l'honneur et la réputation se «méritent» chez les hommes, parmi les hommes et sont fondés sur le «respect». D'autre part il précise : «La honte n'est pas de saison quand on est dans le besoin». *Od.*, Chant XVII : 314-358 (p. 249). Ainsi, le respect n'aurait rien à voir avec le rang ou le statut. Ce qui m'amène à concevoir Homère comme un vrai démocrate et non comme le défenseur d'une morale aristocratique, ce que tant de ses détracteurs ont voulu laisser entendre. D'ailleurs, de roi à mendiant, Ulysse intègre et maîtrise l'expérience par de multiples positions sociales.

• [289] *Od.*, Chant XXIV : 472-511 (p. 345).

• [290] Cette promesse tout autant que permission essentielle est procurée par le signifiant «Art», légué par nos prédécesseurs. Dans le développement de la personnalité, pour employer une expression lacanienne, l'art «s'introduit comme appareil de la jouissance» (*Écrits*, p. 54), au même titre que pourraient le faire les signifiants «Argent», «Science» ou «Droit» par exemple. Et lorsque le sens vient à manquer («L'art, un projet insensé», écrivais-je au début), à chaque artiste d'en retrouver la signification intime.

• [291] Et ce n'est pas la faute d'Homère, pour qui tout le réel était «beau et divin», mais des hommes qui le suivirent, pensèrent le manque et construisirent la Cité…«Ce que l'analyse montre [...] c'est très précisément ceci, qu'on ne transgresse rien. Se faufiler n'est pas transgresser. Voir une porte entrouverte, ce n'est pas la franchir. Nous aurons l'occasion de retrouver ce que je suis en train d'introduire — ce n'est pas ici transgression, mais bien plutôt irruption, chute dans le champ, de quelque chose qui est de l'ordre de la jouissance — un boni» (*Id.*, p. 19). Ce que l'art est appelé à créer et à montrer dans le prochain siècle? À mon sens, deux avenues possibles : premièrement, comment discerner ce «boni» de la jouissance; et deuxièmement, comment jouir avec amour. En clair, ce que je pointe ici, c'est la possibilité qu'ouvre le champ artistique sur une éthique du *Bien-Jouir*.

• [292] «Loin de nous soustraire à l'abject, Joyce le fait éclater dans ce prototype de la parole littéraire qu'est pour lui le monologue de Molly. Si ce monologue étale l'abject, ce n'est pas parce que c'est une femme qui parle. Mais parce que, à *distance*, l'écrivain s'approche du corps hystérique pour le faire parler, pour parler à partir de lui de ce qui échappe à la parole et qui s'avère être le corps à corps d'une femme avec une autre, sa mère bien sûr, lieu absolu, car primordial, de l'impossible : de l'exclu, du hors-sens, de l'abject». Julia Kristeva (1980), *Pouvoirs de l'horreur*, Paris : Seuil, p. 29-30. Sans compter pour moi, le signifiant «Homère» lui-même : «Ho!Mer! Ho!Mère!» puis-je dire aujourd'hui après cette nouvelle «tranche d'analyse» (*fig. 27, fig. 28*); car si l'ordre paternel nous travaille dans la vie adulte, il en va tout autant de l'ordre maternel. Ils ressurgiront naturellement et intensément au moment où l'on devient soi-même une figure parentale, et où l'on doit de nouveau se redéfinir en fontion de ce rôle spécifique.

• [293] Ici, Lacan (1975) rejoint Luce Irigaray (1974) en attaquant le discours millénaire de l'«Un», qui de tous temps a exclu la femme et plus spécifiquement pour Lacan, sa jouissance : «C'est au niveau de la langue qu'il nous faut interroger cet Un. Cet Un, la suite des siècles lui a fait résonance infinie. Ai-je besoin d'évoquer ici les néo-platoniciens? [...] Il n'en reste pas moins que si elle (la femme) est exclue par la nature des choses — qui est la nature des mots — c'est justement de ceci que, «d'être pas toute», elle a, par rapport à ce que désigne de jouissance la fonction phallique, une jouissance supplémentaire [...] Il y a une jouissance à elle, à cette *elle* qui n'existe pas et qui ne signifie rien. Il y a une jouissance à elle dont peut-être elle-même ne sait rien, sinon qu'elle l'éprouve — ça, elle le sait. Elle le sait bien sûr, quand ça arrive. Ça ne leur arrive pas à toutes». *Le Séminaire. Livre XX. Encore*, Paris : Seuil, 1975, p. 63-69.

- [294] (1982), Paris : Gallimard. Cf. http : // membres.lycos.fr/geryon/index.html. Lacan (1975) invite ses étudiants à lire *Finnegans wake* : «Vous verrez là comment le langage se perfectionne quand il sait jouer avec l'écriture [...] Qu'est-ce qui se passe dans Joyce? Le signifiant vient truffer le signifié. C'est du fait que les signifiants s'emboîtent, se composent, se télescopent que se produit quelque chose qui comme signifié, peut paraître énigmatique [...] C'est au titre de lapsus que ça signifie quelque chose, c'est-à-dire que ça peut se lire d'une infinité de façons différentes. Mais c'est précisément pour ça que ça se lit mal, ou que ça se lit de travers, ou que ça ne se lit pas» (*Encore*, p. 39). Julia Kristeva ajoute : «Le Verbe seul purifie de l'abject [...] Une seule catharsis : la rhétorique du signifiant pur, de la musique dans les lettres, *Finnegans Wake*» (*Pouvoirs de l'horreur*, p. 30-31). Selon moi, cette catharsis est procurée par le fait que Joyce éprouve ici une jouissance toute autre, une jouissance typiquement féminine, celle qu'Homère — «Ho!Mer!» — aurait appelée peut-être «suivre les chemins liquides» (*Od.*, Chant XV : 433-476, p. 224), signifiant qui me marquera évidemment.

- [295] «Chaque pas de l'Ulysse homérique en direction d'Ithaque est un pas en direction de la seconde croisière; mais chaque pas en avant dans la deuxième odyssée rapproche le nouvel Ulysse de la nouvelle Ithaque [...] Le rapatrié, une fois de retour dans ses foyers, est bien capable de s'expatrier à nouveau, rien que pour avoir le plaisir de rentrer; non pas pour le plaisir «d'être rentré» — car la nostalgie, en ce cas, ferait aussitôt place à l'ennui — mais pour faire durer le plaisir du retour». Vladimir Jankélévitch, *L'irréversible et la nostalgie*, p. 365. À moins qu'il n'ait trouvé aucune jouissance dans l'épopée précédente, voilà l'aventurier de l'«Art» reparti.

- [296] Deleuze et Guattari, *L'Anti-Œdipe. Capitalisme et schizophrénie.*

- [297] Avec son humour habituel, Lacan (1991) dit que le problème avec l'Œdipe, c'est d'abord un problème d'«organe» : «Tout se joue autour de cet enjeu, que l'un n'a pas, et dont l'autre ne sait que faire». *L'envers de la psychanalyse*, p. 87. De là sa célèbre formule : «Il n'y a pas de rapport sexuel». *Encore*, p. 14.

- [298] *Od.*, Chant XXIV : 472-511 (p. 345).

- [299] (1971), «Lituraterre», *Littérature, Vol. 3, No. 3*, octobre 1971, p. 71. Cette idée est étudiée par Patrick Valas (1998) dans *Les dimensions de la jouissance* : «Ce que les mystiques n'ont jamais cessé d'écrire, pour ce qu'elles en éprouvent, c'est que cette jouissance n'est pas sans le Dire de l'amour — au contraire de l'homme pour qui sa jouissance va sans dire, car il s'en contente le plus souvent et ne veut rien savoir de plus. Cette jouissance se révèle par l'écrit, ainsi l'écrit c'est la jouissance [...] C'est le Dire de l'amour qui se pose au-delà de la Loi. Il est donc important de souligner le lien de jouissance de «la femme» à l'impudence du dire [...] On comprend mieux ici qu'il faille user de la lettre pour aborder avec le littéral le littoral de l'être de cette jouissance divine» (Paris : Érès, p. 154-156). J'ajouterai, à la suite de Lacan, que «l'amour, c'est donner ce qu'on n'a pas» (*L'envers de la psychanalyse*, p. 58).

- [300] Cité par Patrick Valas, *id.*, p. 156. Homère ajoute : «Car les épreuves mêmes ont une douceur pour l'homme qui a beaucoup souffert, beaucoup erré». *Od.*, Chant XV : 389-433 (p. 223).

- [301] «Parler d'amour, en effet, on ne fait que ça dans le discours analytique. Et comment ne pas sentir qu'au regard de tout ce qui peut s'articuler depuis la découverte du discours scientifique, c'est, pure et simple, perte de temps? Ce que le discours analytique apporte — et c'est peut-être ça, après tout, la raison de son émergence en un certain point du discours scientifique — c'est que parler d'amour est en soi une jouissance». Lacan, *Encore*, p. 77. Il en irait de même de la parole artistique, qui fait irruption dans le champ scientifique pour le mettre à l'épreuve.

- [302] *Od.*, Chant XXIV : 511-547 (p. 346).

• ALLAIRE, Jean-Paul (1993). *La vision syncrétique des artistes et les effets de champ perceptifs*. Thèse (P.hd. Psychologie). Montréal : Université de Montréal.

• _____ (1997). «Le visuel : de la signification à l'expression». Communication. Colloque «Art et psychanalyse», *L'Atelier psychanalytique de Montréal / Parachute*. Montréal : Espace Go (document inédit).

• ARBOUR, Rose-Marie (1999). *L'art qui nous est contemporain*. Montréal : Artextes.

• ARTAUD, Antonin (1964). *Le théâtre et son double*. Paris : Gallimard.

• ARENDT, Hannah (1972). *La crise de la culture*. Paris : Gallimard.

• _____ (1985). *La condition de l'homme moderne*. Paris : Calmann -Levy.

• BACHELARD, Gaston (1942). *L'eau et les rêves*. Paris : José Corti.

• BAILLARGEON, Paule (2002). «Que nous est-il arrivé, nous qui croyions être un peuple?», *Le Devoir*, 27-28 avril, p. B13.

• BAILLARGEON, Stéphane (2001). «Margaret et lui. Evergon expose des portraits de sa mère nue», *Le Devoir*, 12 septembre, p. B9.

• _____ (2002). «Le CALQ aide de plus en plus d'artistes», *Le Devoir*, 24 janvier, p. B8.

• BALDASSARI, Anne (1992). *Simon Hantaï*. Paris : Centre Georges Pompidou.

• BARBARAS, Renaud (1999). *Le désir et la distance*. Paris : Vrin.

• BARTHES, Roland (1957). *Mythologies*. Paris : Seuil.

• BASTIDE, Roger (1977). *Art et société*. Paris : Payot.

• BATAILLE, Georges (1954). *L'expérience intérieure*. Paris : Gallimard.

• BAUDELAIRE, Charles (1995). *Conseils aux jeunes littérateurs*. Paris : Mille et une nuits.

• BECKER, Howard S. (1988). *Les mondes de l'art*. Paris : Flammarion.

• BELLAVANCE, Guy, *et al.* (2000). *Monde et réseaux de l'art*. Montréal : Liber.

• BELLAVANCE, Guy, BERNIER, Léon, LAPLANTE, Benoît (2000). *Les conditions de pratique des artistes en arts visuels*. Montréal : INRS Urbanisation, Culture et Société.

• Du BELLAY, Joachim (1522-1560). *Les regrets* (1568), in Paris : Larousse (1968).

• BERGSON, Henri (1967). *Essai sur les données immédiates de la conscience*. Paris : P.U.F.

• BERNIER, Léon, PERRAULT, Isabelle (1985). *L'artiste et l'œuvre à faire*. Québec : IQRC.

• BIAGGI, Vladimir (1998). *Le nihilisme. Textes choisis*. Paris : Flammarion.

• BIRON, Normand (1988). *Paroles de l'art*. Montréal : Québec / Amérique.

• BLANCHETTE, Antoine (1995). *Prescott. Passeport 94-95*. Paris : Fragments.

• BLANCHETTE, Josée (2002). «Le mythe de la liberté», *Le Devoir*, 5 avril, p. B1.

• BLANCHETTE, Manon (1998). *Ulysse Comtois 1952-1982*. Catalogue de l'exposition. Montréal : Musée d'art contemporain.

• BORDUAS, Paul-Émile (1990). «Projections libérantes», in Bourassa A.-G., Lapointe, G. éd., *Refus global et autres écrits*, Montréal : L'Hexagone, p. 79-128.

• BOUCHARD, Jacques (1978). *Les 36 cordes sensibles des Québécois*. Montréal : Héritage.

• BOURDIEU, Pierre (1979). *La distinction. Critique sociale du jugement*. Paris : Minuit.

- BOUTHAT, Chantal (1993). *Guide de présentation des mémoires et thèses*. Montréal : Université du Québec à Montréal.

- BOWRA, C. M. (1990). *La Grèce antique*. Paris : France Loisirs.

- BROUSTRA, Jean (1996). *L'expression. Psychothérapie et création*. Paris : ESF.

- BUREN, Daniel (1998). *A force de descendre dans la rue, l'art peut-il enfin y monter?* Paris : Sens et Tonka.

- CAMERON, Julia (1992). *The artist's way*. New York : Penguin.

- De CANDÉ, Roland (1961). *Dictionnaire de la musique*. Paris : Seuil.

- CHABOT, Jocelyne (2001). «Notes d'atelier, le 16 octobre 2001 (extrait)», in *Pour qui, pourquoi faire de l'art maintenant. Rencontre*. Communiqué de la table ronde, 20 novembre, Montréal : Centre des Arts Actuels Skol.

- CIRET (2000). Dossier : «Niveaux de réalité», *Rencontres transdisciplinaires. Bulletin du CIRET (Centre International de recherches et études transdisciplinaires)*, No. 15, mai.

- CLÉMENT, Élizabeth, *et al*. (1994). *Pratique de la philosophie de A à Z*. Paris : Hatier.

- CLOUTIER, Raymond (1999). *Le beau milieu*. Montréal : Lanctôt.

- COLBERT, François, *et al*. (1997). *Textes choisis : politiques culturelles*, 22ème *conférence annuelle sur la théorie sociale, la politique et les arts*. Montréal : H.E.C.

- CONCHE, Marcel (1999). *Essais sur Homère*. Paris : P.U.F.

- CÔTÉ, Mario (1994). «Être dans quel sens», *Possibles. L'artiste, auto-portraits*, Vol. 18, No. 1, hiver, p. 40-41.

- COTTERELL, Arthur (1996). *Encyclopédie de la mythologie*. Paris : Celiv.

- COUTURE, Francine, *et al*. (1995). Dossier : «Créer à vif», *Possibles*, Vol. 19, No. 3, été.

- DAGONET, François (1996). *Les dieux sont dans la cuisine. Philosophie des objets et objets de la philosophie*. Tours : Synthélabo Groupe.

- DAOUST, Jean-Paul (2002). «L'art peut-il encore changer le monde?», *Estuaire, No. 108*, février, p. 12-14.

- DAVILA, Thierry, FRÉCHURET, Maurice (1999). *L'art médecine*. Catalogue de l'exposition. Antibes : Musée Picasso / Réunion des Musées nationaux.

- DEBORD, Guy (1996). *La société du spectacle*. Paris : Gallimard.

- De KONINCK, Marie-Charlotte, LANDRY, Pierre, *et al*. (1999). *Déclics. Art et société. Le Québec des années 1960 et 1970*. Catalogue de l'exposition. Québec / Montréal : Musée de la civilisation / Musée d'art contemporain de Montréal / Fides.

- DELEUZE, Gilles (1953). *Empirisme et subjectivité*. Paris : P.U.F.

- _____ (1969). *Logique du sens*. Paris : Minuit.

- _____ (1981). *Francis Bacon. Logique de la sensation*. Paris : La Différence.

- DELEUZE, Gilles, GUATTARI, Félix (1972). *L'Anti-Œdipe. Capitalisme et schizophrénie*. Paris : Minuit.

- _____ (1980). *Mille plateaux*. Paris : Minuit.

- DELEUZE, Gilles, PARNET, Claire (1990). *Pourparlers*. Paris : Minuit.

- _____ (1996). *Dialogues*. Paris : Flammarion.

- DENNISON, Lisa, *et al*. (1995). *Ross Bleckner*. Catalogue de l'exposition. New York : Solomon R. Guggenheim Museum.

- DEROUIN, René (1998). *Paraiso. La dualité du baroque. Genèse d'une œuvre*. Montréal : L'Hexagone.
- DEROUIN, René, LAPOINTE, Gilles, *et al.* (2001). *Pour une culture du territoire*. Montréal : L'Hexagone.
- DERRIDA, Jacques (2001). *États d'âme de la psychanalyse. Adresse aux états généraux de la psychanalyse*. Paris : Galilée.
- DERRIDA, Jacques, SOUSSANA, Gad, NOUS, Alexis (2001). *Penser l'événement, est-ce possible? Séminaire de Montréal pour Jacques Derrida*. Montréal / Paris : L'Harmattan.
- DESCHAMPS, Chantal, LETENDRE, Robert, *et al.* (1998). Dossier : «L'attitude du chercheur en recherche qualitative», *Recherches qualitatives, Vol. 18*.
- DESJARDINS, Richard (2002). «Réveillés, les forestiers? Ils cherchent encore la *switch!*», *Le Devoir*, 27-28 avril, p. Bii.
- DEUTSCH, Hélène (1959). *La psychologie des femmes. Enfance et adolescence*. Paris : P.U.F.
- DEVLIN, Éric, ÉLIE, Jérôme (1998). *François-Xavier Marange*. Catalogue de l'exposition. Montréal : Galerie Éric Devlin.
- DIDI-HUBERMAN, Georges (1990). *Devant l'image : Question posée aux fins d'une histoire de l'art*. Paris : Minuit.
- _____ (1998). *L'étoilement. Conversation avec Hantaï*. Paris : Minuit.
- DODDS, E. R. (1977). *Les Grecs et l'irrationnel*. Paris : Flammarion.
- DUBUFFET, Jean (1986). *Asphyxiante culture*. Paris : Minuit.
- DUFRESNE, Jacques (1994). *La démocratie athénienne*. Montréal : L'Agora.
- DUMOULIÉ, Camille (1999). *Le désir*. Paris : Armand Colin.
- ECO, Umberto (1990). «Je ne résous pas les crises, je les instaure», in *Le complexe de Léonard ou la Société de création*. Actes du colloque, février 1983, Paris : Le Nouvel Observateur / La Sorbonne, p. 57-60.
- ELLMANN, Richard (1987). *James Joyce*. Paris : Gallimard.
- ERIKSON, Erik H. (1972). *Adolescence et crise. La quête de l'identité*. Paris : Flammarion.
- FÉRAL, Josette (1990). *La culture contre l'art. Essai d'économie politique du théâtre*. Montréal : Presses de l'UQAM.
- FINLEY, M. I. (1963). *The ancient Greeks*. New York : Pengouins.
- FOUCAULT, Michel (1975). *Surveiller et punir*. Paris : Gallimard.
- _____ (1984). *Histoire de la sexualité. Tome 2. L'usage des plaisirs*. Paris : Gallimard.
- FRANCÈS, Robert, *et al.* (1979). *Psychologie de l'art et de l'esthétique*. Paris : P.U.F.
- FREUD, Sigmund (1967). *L'interprétation des rêves*. Paris : P.U.F.
- _____ (1981). *Malaise dans la civilisation*. Paris : P.U.F.
- GARDNER, Howard (1996). *Les intelligences multiples*. Paris : Retz.
- GEBLESCO, Nicole (1985). «Ulysse ou la présentation du désir», in René Passeron *et al.*, *La présentation, Recherches poïétiques*, Paris : C.N.R.S., p. 55-65.
- GLAUDES, Pierre (2001). «Romantisme. Le mal du siècle», in *Éloge de l'ennui. Magazine littéraire, No. 400*, été, p. 30-33.
- GOODMAN, Nelson (1992). *Manières de faire des mondes*. Paris : Jacqueline Chambon.
- GRANT, Michael, HAZEL, John (1985). *Dictionnaire de la mythologie*. Paris : Marabout.
- GRAVEL, Claire (1989). «Ulysse Comtois : désobéir», *Le Devoir*, 4 mars, p. Cii.
- GRAVES, Robert (1967). *Les mythes grecs. Tomes 1-2*. Paris : Fayard.

- GRUDA, Agnès (2001). «L'étau se resserre», *La Presse*, 24 septembre, p. A1.

- GUATTARI, Félix (1979). *L'inconscient machinique*. Paris : Encres.

- GUAY, Hervé (2001). «Diffuser, c'est trop dur», *Le Devoir*, 5 septembre, p. B7.

- GUILBAULT, Serge, *et al.* (1991). *Reconstructing modernism.*
  Art in New York, Paris and Montréal. Cambridge / London : MIT.

- GUIRAND, Félix, SCHMIDT, Joël (1996). *Mythes et mythologie*. Paris : Larousse.

- GUSDORF, Georges (1971). *La parole*. Paris : P.U.F.

- GUYOMARD, Patrick (1998). *Le désir d'éthique*. Paris : Aubier.

- HABERMAS, Jürgen (1976). *Connaissance et intérêt*. Paris : Gallimard.

- _____ (1978). *L'espace public. Archéologie de la publicité comme dimension
  constitutive de la société bourgeoise*. Paris : Payot.

- _____ (1981). «La modernité : un projet inachevé», *Critique*, No. 413, p. 950-967.

- _____ (1999). «De la légitimation par les droits de l'homme», *Éthique publique :
  Revue internationale d'éthique sociétale et gouvernementale*, Vol. 1, No. 1, p. 43-55.

- HAMILTON, Édith (1997). *La mythologie. Ses dieux, ses héros, ses légendes*. Paris : Marabout.

- HENTSCH, Thierry (2001). «Penser l'événement», *Le Devoir*, 20 septembre, p. A6.

- HILLMAN, James (1991). «The repression of beauty», *Tema Celeste*, mai, p. 58-62.

- HOMÈRE (1998). *Iliade*. Trad. de Leconte de Lisle. Paris : Maxi-Livres.

- _____ (1935). *The Odyssey*. Trad. de T. E. Shaw. New York : Oxford University Press.

- _____ (1965). *Odyssée*. Trad., notes et index de Médéric Dufour et Jeanne Raison. Paris :
  Garnier-Flammarion.

- _____ (1967). *The Odyssey*. Trad. d'Albert Cook. New York : W. W. Norton.

- _____ (1991). *The Odyssey*. Trad. de Richmond Lattimore. New York : Harper Perennial.

- _____ (1998). *Odyssée*. Trad. de Leconte de Lisle. Paris : Maxi-Livres.

- _____ (1999). *Odyssée*. Trad. de Victor Bérard, introd. et notes de Jean Bérard. Paris : Gallimard.

- HOTTOIS, Gilbert (1997). *De la renaissance à la postmodernité.*
  Une histoire de la philosophie moderne et contemporaine. Bruxelles : De Boeck Université.

- IMBEAULT, Jean (1997). *Mouvements*. Paris : Gallimard.

- IRIGARAY, Luce (1974). *Speculum. De l'autre femme*. Paris : Minuit.

- JANKÉLÉVITCH, Vladimir (1974). *L'irréversible et la nostalgie*. Paris : Flammarion.

- JAPPE, Anselm (2001). *Guy Debord*. Paris : Denoël.

- JAUSS, Hans Robert (1978). *Pour une esthétique de la réception*. Paris : Gallimard.

- JIMENEZ, Marc (1997). *Qu'est-ce que l'esthétique ?* Paris : Gallimard.

- JOYCE, James (1957). *Ulysse*. Trad. d'Auguste Morel et Valery Larbaud, revue par l'auteur.
  Gallimard : Paris.

- _____ (1982). *Finnegans wake*. Trad. de Philippe Lavergne. Paris : Gallimard.

- JUDD, Donald (1991). *Écrits, 1963-1990*. Paris : Daniel Lelong.

- JUNG, Carl Gustav (1998). *La réalité de l'âme. Tome I. Structure dynamique de l'inconscient*.
  Paris : Librairie générale française.

- KLEE, Paul (1985). *Journal*. Paris : Grasset.

- KRISTEVA, Julia (1980). *Pouvoirs de l'horreur*. Paris : Seuil.

- KRÜCK, Marie-Pierre (2000). «On ne revient pas de l'Odyssée», *Le Devoir*, 27-28 mai, p. C9.
- LACAN, Jacques (1964). *Le Séminaire. Livre XI.*
  Les quatre concepts fondamentaux de la psychanalyse. Paris : Seuil.
- _____ (1966). *Écrits.* Paris : Seuil.
- _____ (1971). «Lituratere», *Littérature*, Vol. *3*, No. *3*, octobre, p. 71-81.
- _____ (1974). *Télévision.* Paris : Seuil.
- _____ (1975). *Le Séminaire. Livre XX. Encore, 1972-1973.* Paris : Seuil.
- _____ (1987). *Joyce avec Lacan.* Paris : Navarin.
- _____ (1991). *Le séminaire. Livre XVII. L'envers de la psychanalyse.* Paris : Seuil.
- LACHANCE, Michaël (2000). «Quand nous serons des héros», *Inter*, No. *75*, hiver, p. 3-9.
- LACHAUD, Jean-Marc (1998). «Critique, utopie et résistance», in Lydie Pearl *et al.*, *Nouvelles études anthropologiques. Corps, art et société. Chimères et utopies*, Paris : L'Harmattan, p. 313-336.
- LAFARGUE, Guy, *et al.* (1998). «Expression et parole», *Cahiers de l'art cru*, No. *26.*
- LAMARCHE, Bernard (1999). «Ulysse Comtois n'est plus», *Le Devoir*, 13 juillet, p. B8.
- LAMOUCHE, Fabien (1999). *Le désir.* Paris : Hatier.
- LANCTÔT BÉLANGER, Marie Claire (2001). «La pensée détournée. Pourquoi Guy Debord aujourd'hui?», *Le Devoir*, 29-30 septembre, p. D8.
- LAPLANTE, Laurent (2002). «L'Occident doit amorcer une profonde réflexion», *RND*, Vol. *100*, No. *4*, avril, p. 16-28.
- LATOUR, Jean-Pierre, VIGNEAU, Jean-Yves (1998). *Ulysse en trois temps.* Trois-Rivières / Hull : Axe Néo-7 Art contemporain / Art Le Sabord.
- LECLERC, Annie (2001). *Toi, Pénélope.* Paris : Actes Sud.
- LEPAGE, Louis, LETENDRE, Robert (1998). «L'intervention de manifestations contre-transférentielles dans le déroulement de la recherche : réflexions sur une pratique et exemples», *Recherches qualitatives*, Vol. *18*, p. 51-71.
- LEROUX, Georges (2001). «Arrêt sur histoire», *Le Devoir*, 22-23 septembre, p. D5.
- LOISELLE, Marie-Claude, *et al.* (2002). «Dossier : L'enseignement du cinéma», *24 images*, No. *109*, hiver, p. 12-27.
- LYOTARD, Jean-François (1974). *Économie libidinale.* Paris : Minuit.
- _____ (1978). *Discours, figures.* Paris : Klincksieck.
- _____ (1993). *Moralités postmodernes.* Paris : Galilée.
- *Magazine littéraire.* No. *399*, juin 2001. Dossier : «Guy Debord et l'aventure situationniste».
- *Magazine littéraire*, No. *403*, novembre 2001. Dossier : «La phénoménologie. Une philosophie pour notre monde».
- MALÉVITCH, K. S. (1993). *La lumière et la couleur.* Lausanne : L'Âge d'homme.
- MARSAN, Jean-Sébastien (2001). *Devenir son propre patron? Mythes et réalités du nouveau travail autonome.* Montréal : Écosociété.
- McEWEN, Jean, in Roberge, Gaston, *et al.* (1995). *Autour de Jean McEwen.* Québec : Le Loup de Gouttière, p. 3-4.
- McLUHAN, Marshall (1968). *Pour comprendre les média.* Montréal : H.M.H.
- MICHAUD, Ginette (2001), «La souveraineté, la cruauté, *more psychanalytico*», *Spirale*, No. *178*, mai-juin, p. 22-23.

- MICHAUD, Yves (1998). *La crise de l'art contemporain*. Paris : P.U.F.

- MOLINARI, Guido, in Pierre Théberge, éd. (1976). *Écrits sur l'art 1954-1975*.
Ottawa : Galerie Nationale du Canada.

- MORIN, Edgar (1975). *L'esprit du temps*. Paris : Grasset.

- MOULIN, Raymonde (1997). *L'artiste, l'institution, et le marché*. Paris : Flammarion.

- _____ (2000). *Le marché de l'art*. Paris : Flammarion.

- MURRAY, Karl-Gilbert (2002). «Louise Prescott. La perversion du visible», in *Battre le «faire»
au féminin. Renée Chevalier, Christine Palmieri et Louise Prescott*. Catalogue de l'exposition.
Laval : Galerie Verticale Art Contemporain.

- NICOLESCU, Basarab (2000). «Transdisciplinarity and complexity : Levels of Reality as source
of indeterminacy», in Dossier : *Niveaux de réalité, Rencontres transdisciplinaires. Bulletin
du CIRET (Centre International de recherches et études transdisciplinaires)*, No. 15, mai, p. 25-38.

- NIETZSCHE, Friedrich (1949). *La naissance de la tragédie*. Paris : Gallimard.

- _____ (1993). *Le gai savoir*. Paris : Poche.

- _____ (1996). *Ainsi parlait Zarathoustra*. Paris : Flammarion.

- NIMROD (2002). «L'origine du langage», *Le Devoir*, 27-28 avril, p. D1.

- OLIVIER, Christine (1980). *Les enfants de Jocaste. L'empreinte de la mère*.
Paris : Denoël / Gonthier.

- PAQUIN, Nycole (1997). *Le corps juge*. Montréal : XYZ.

- PEDNEAULT, Hélène (1992). *Pour en finir avec l'excellence*. Montréal : Boréal.

- PERRINE, Laurence (1973). *Sound and sense*. New York : H.B.J.

- PIAGET, Jean (1975). *La naissance de l'intelligence chez l'enfant*. Paris : Delachaux et Niestlé.

- PLON, Michel, ROUDINESCO, Élizabeth (1997). *Dictionnaire de la psychanalyse*. Paris : Fayard.

- POISSANT, Louise (1994). *Pragmatique esthétique*. Montréal : H.M.H.

- PRESCOTT, Louise (1992). «Éloge de la complexité», in *Problèmes*. Feuillet de salle de l'exposition solo.
Laval : Galerie Verticale Art Contemporain.

- _____ (1996). «Œuvres, Manœuvres, Hors-d'œuvre. Le printemps de la Verticale»,
Art Le Sabord, No. 42, hiver, p. 4.

- _____ (1997). «La peinture : à la limite de la jouissance et de l'interdit»,
La peinture est-elle encore un art possible? Actes de la table ronde. Montréal :
Musée d'art Contemporain de Montréal / Vie des Arts, in *Vie des Arts*, No. 167, été, p. 39-40.

- _____ (1998). «L'Arbitrarium... ou le sexe des abeilles», in Denyse Roy *et al.* (1998).
L'Arbitrarium. Feuillet de salle de l'exposition solo. Joliette : Musée d'art de Joliette, p. 2-3.

- _____ (1998). *La Parole et l'artiste*. Communication. Montréal : GÉPI (Groupe d'études
psychanalytiques interdisciplinaires) / Université du Québec à Montréal (document inédit).

- _____ (1998). *Prolifical space — Espace proliférique*. Feuillet de salle de l'exposition solo.
Toronto : Edward Day Gallery.

- _____ (1998). «Faits picturaux», in Gordon, Russell, Moller, Michael J., *et al. Points,
lignes, surfaces*. Catalogue de l'exposition. Montréal / Québec : Université Concordia /
Belgo Building / Galerie Madeleine Lacerte.

- _____ (1999). «Par venir : le sujet artiste et l'idée de stratégie culturelle». Articulation
texte- image (trois peintures tirées de l'exposition «Prolifical space — Espace proliférique»,
Edward Day Gallery, Toronto, 1998), *Possibles, Vol. 23, No 4*, automne, p. 112-121 et p. 135-136.

• _____ (1999). «Carnet d'Ulysse no. 1. La gravité des mots», *Art Le Sabord*, No. 54, automne, p. 34-36.

• _____ *et al.* (1999). *De l'idée : enchaînements, glissements et condensations*. Feuillet de salle de l'exposition solo. Montréal : Galerie Eric Devlin / Robert Poulin Consultant / Espace Trizek.

• _____ (1999), in Alix, Sylvie, Larochelle, Huguette, *et al.* (2000). «Substare. Se tenir dessous», in *Ceci n'est pas un livre*. Livre d'artiste présenté dans l'exposition collective. Feuillet de salle et texte d'artiste. Laval : Maison des Arts de Laval / Bibliothèque Nationale du Québec.

• _____ (2000). «Quand la mer se déchaîne tes îles sont mes étoiles», *Paroles ailées*. Carte postale pour l'exposition (vers et collage infographique). Trois-Rivières : Festival International de la Poésie.

• _____ (2000). *Paroles ailées* (2000-2002). Liminaire. Carton d'invitation et feuillet de salle pour l'exposition solo itinérante. Trois-Rivières / Montréal / Drummondville / Kingston / La Tuque : Maison de la culture de Trois-Rivières / Galerie d'art du Parc / Bibliothèque nationale du Québec / Maison de la culture de Drummondville / Modern Fuel Gallery / Complexe culturel Félix-Leclerc.

• _____ (2000). «Carnet d'Ulysse no. 2. La pratique de l'art ou le complexe d'Ulysse», *Art Le Sabord*, No. 55, hiver, p. 40-41.

• _____ (2000). «La pratique de l'art ou le complexe d'Ulysse : de la création politique», *Inter 2000. L'espace traversé*. Colloque sur les pratiques interdisciplinaires en art. Communication. Montréal : Université Concordia; in *L'espace traversé*, Guy Laramée *et al.* Trois-Rivières : Éditions d'art Le Sabord, p. 102-115.

• _____ (2000). «Carnet d'Ulysse no. 3. L'homme en colère», *Art Le Sabord*, No. 56, printemps, p. 54-56.

• _____ (2000). «Carnet d'Ulysse no. 4. L'Odyssée ou le désir des lamentations», *Art Le Sabord*, No. 57, automne, p. 40-42.

• _____ (2000). «Le complexe d'Ulysse : de la signifiance et du micropolitique dans la pratique de l'art», *Séminaire de méthodologie interdisciplinaire en théorie psychanalytique*. Communication. Montréal : Université du Québec à Montréal (document inédit).

• _____ (2001). «Carnet d'Ulysse no. 5. Homère ou la logique de l'art», *Art Le Sabord*, No. 58, hiver, p. 42-47.

• _____ (2001). «L'espace prolifique ou la vision kaléidoscopique», *Colloque de la Société canadienne d'esthétique*. Communication. Québec : Université Laval (document inédit).

• _____ (2001). «Carnet d'Ulysse no. 6. La Mer aux Mille Bruits», *Art Le Sabord*, No. 61, été, p. 46-51.

• _____ (2001). «Carnet d'Ulysse no. 7. Le massacre des prétendants. *In memoriam*», *Art Le Sabord*, No. 61, hiver, p. 78-82.

• _____ (2002). «Carnet d'Ulysse no. 8. L'épopée... ou le feu sacré», *Art Le Sabord*, No. 62, printemps, p. 78-83.

• _____ (2002). «Carnet d'Ulysse no. 9. L'épopée... ou le feu sacré (suite et fin)», *Art Le Sabord*, No. 62, printemps, p. 83-87.

• PRIGOGINE, Ilya (1990). «La lecture du complexe», in *Le complexe de Léonard ou la Société de création. Actes du colloque*, février 1983, Paris : Le Nouvel Observateur / La Sorbonne, p. 61-76.

• Québec (Province), *Le Groupe-conseil sur la politique culturelle du Québec*, Roland Arpin, prés. (1991). *Une politique de la culture et des arts. Rapport commandé par le ministère des Affaires culturelles.*

• Québec (Province), *Le Groupe-conseil*, Godfroy Cardinal, prés. (1995). *Étude sur les arts visuels. Rapport commandé par le ministère de la Culture et des Communications.*

• RACHET, Guy (1992). *Dictionnaire de la civilisation grecque.* Paris : Larousse.

• RACINE, Rober (1987). «Créer à rebours vers le récit», *Parachute*, No. 48, automne, p. 33-35.

• RAGON, Michel (1971). *L'art : Pour quoi faire?* Bruxelles : Casterman.

- RAAV - Regroupement des Artistes en Arts Visuels du Québec (2001), «La face cachée des artistes en arts visuels», *Bloc-notes, RAAV, No. 76*, novembre, p. 4.
- RILKE, Rainer Maria (1990), *Lettres à un jeune poète*. Lausanne : Bibliothèque des Arts.
- ROCHLITZ, Rainer (1994). *Subversion et subvention*. Paris : Gallimard.
- _____ (1994). «L'art, l'Institution et les critères esthétiques», in *L'art contemporain en question*, Paris : Jeu de Paume, p. 131-151.
- RODRIGUEZ, Lourdes, CORIN, Ellen, GUAY, Lorraine (2000). «La thérapie alternative : se (re) mettre en mouvement», *Santé mentale au Québec. Les ressources alternatives de traitement*, novembre, p. 51-58.
- De ROMILLY, Jacqueline (1983). *Perspectives actuelles sur l'épopée homérique*. Paris : P.U.F.
- _____ (1992). *Pourquoi la Grèce*. Paris : De Fallois.
- _____ (1999). *Homère*. Paris : P.U.F.
- RUSS, Jacqueline (1994). *La pensée éthique contemporaine*. Paris : P. U. F.
- SAÏD, Suzanne, TRÉDÉ-BOULMER, Monique (1990). *La littérature grecque d'Homère à Aristote*. Paris : P.U.F.
- SAUL, John (1995). *La civilisation inconsciente*. Paris : Payot.
- *Sciences humaines, No. 116*, mai 2001. Dossier : «L'intelligence : une ou multiple?», p. 21-37.
- SOUCY, Gaétan, in Yvon Montoya, Pierre THIBEAULT *et al.* (1999). *Frénétiques*, Montréal : Triptyque, p. 131-137.
- SPINOZA (1978). *Traité de l'autorité politique*. Paris : Gallimard.
- _____ (1999). *Éthique*, Paris : Seuil.
- STAROBINSKI, Jean (1974). «Je hais comme les portes d'Hadès...», *Nouvelle revue de psychanalyse. Le dehors et le dedans, No. 9*, printemps, p. 7-22.
- TÀPIES, Antoni (1974). *La pratique de l'art*. Paris : Gallimard.
- TARDIÉ, Jean-Yves, TARDIÉ, Marc (1999). *Le sens de la mémoire*. Paris : Gallimard.
- TARDIEU, Marc (1997). *Van Gogh, l'envers d'un mythe*. Paris : Le chef-d'œuvre inconnu.
- TAYLOR, Charles (1992). *Grandeur et misère de la modernité*. Montréal : Bellarmin.
- _____ (1998). *Les sources du Moi. La formation de l'identité moderne*. Montréal : Boréal.
- THÉRIAULT, Normand (2002). «Point sur ... l'Université», *Le Devoir*, 13-14 avril, p. H1.
- TOMA, Cristina, in Sagot, Frédéric *et al.* (1995). «Louise Prescott», *Bulletin Castelniouze*, p. 2-3. Feuillet de salle de l'exposition solo *Louise Prescott. œuvres récentes : Hommage à Gilles Deleuze*. Paris : Galerie de Castelnou.
- TOURANGEAU, Sylvie (1996). «Ligne de continuité, point milieu, *âge tendre et tête de bois*», in *Parcours désordonné. Propos d'artistes sur la collection*, Joliette : Les Ateliers Convertibles, p. 67-71.
- TURP, Gilbert (1985). «Questions de culture...», *Questions de culture. Présences de jeunes artistes, No. 8*, printemps, p. 175-182.
- UZEL, Jean-Philippe (1997). «Pour une sociologie de l'indice», *Sociologie de l'art, No. 10*, p. 25-52.
- VALAS, Patrick (1998). *Les dimensions de la jouissance*. Paris : Éres.
- VALLIER, Dora (1982). *L'intérieur de l'art. Entretiens avec Braque, Léger, Villon, Miro, Brancusi*. Paris : Seuil.
- VERNANT, Jean-Pierre (1999). *L'univers, les Dieux, les Hommes. Récits grecs des origines*. Paris : Seuil.
- WAJCMAN, Gérard (1998). *L'objet du siècle*. Paris : Verdier.
- WINNICOTT, D. W. (1975). *Jeu et réalité. L'espace potentiel*. Paris : Gallimard.
- WITTGENSTEIN, Ludwig (1961). *Tractatus logico-philosophicus*. Paris : Gallimard.

- ANGELOPOULOS, Théo (1995). *Le regard d'Ulysse*. Grèce / France / Italie : Paradis Film / La Générale d'Images / La Sept Cinéma. Coul., 176 min.
- BAVA, Mario, ROSSI, Franco (1969). *Odyssea*. Italie / Yougoslavie / Allemagne de l'Ouest : Dino de Laurentis / Jadran Film / Bavaria Film / Radio Televisione Italiana. Coul.
- BOUTANG, Pierre-André (1996). *L'Abécédaire de Gilles Deleuze*. France. Coul., 450 min.
- CAMERINI, Mario (1954). *Ulysses*. U.S.A. / Italie : Lux Films / Paramount, Coul.
- CARPI, Fabio (1969). «Les aventures d'Ulysse», in *The Internet Movie Data Base*, http : // us.imdb.com.
- _____ (1998). *Homère, la dernière Odyssée*. Paris / Rome / Locarno : Gam Film / Blue Film / Amka Film. Coul., 100 min.
- COCTEAU, Jean (1930). *Le sang d'un poète*. France : Vicomte de Noailles / Criterion. N / B.
- COHEN, Ethan, COHEN, Joël (2000). «O brother, where are you?», in *The Internet Movie Data Base*, http : // us.imdb.com.
- COLPI, Henri (1970). «Heureux qui comme Ulysse», in *The Internet Movie Data Base*, http : // us.imdb.com.
- GODARD, Jean-Luc (1964). *Le mépris (The contempt)*. Los Angeles : Avco Ambassy Pictures. Coul., 102 min.
- _____ (1965). *Alphaville*. France : Chaumiane. N / B, 100 min.
- KONCHALOVSKY, Andrei (1997). *The Odyssey*. U.S.A. : Hallmark Entertainment / American Zoetrope. Coul., 130 min.
- KUBRICK, Stanley (1968). *2001. L'Odyssée de l'espace*. U.S.A. : MGM. Coul., 148 min.
- LAROUCHE, Alain (2000). *Louise Prescott. L'art sans servitude*. Montréal : P.A.L.. Coul., 10 min.
- STRICK, Joseph (1967). *James Joyce. Ulysses*. New York : Ulysses Productions / Laser Film. N / B, 120 min.
- VARDA, Agnès (1982). «Ulysse», in *The Internet Movie Data Base*, http :// us.imdb.com.

PRESSE ÉLECTRONIQUE ET SITES DE RÉFÉRENCE SUR INTERNET

- *Anthologies — Joyce* : http : // anthologies.free.fr/Joyce.htm.
- ARDENNE, Paul, MACEL, Christine (2000). «Micropolitique», *Le Magasin — Centre national d'art contemporain de Grenoble* : http : // www.magasin-cnac.org/fr/expos/ past/past.html.
- *Centre d'art contemporain d'Amiens* : http : // www.ac-amiens.fr/artsplastiques/ pages/artsam2.htm.
- Madame DACIER (1651-1722). «La vie d'Homère», *Homerica. Centre d'études homériques de l'université de Grenoble* : http : // www.ellug.ugrenoble3.fr/homerica/ homere/vies.html.
- *The Internet Movie Data Base* : http : // us.imdb.com.
- *James JOYCE (Biographie)* : http : // www.multimania.com/geryon/bio.htm.
- *James JOYCE (Finnegans wake)* : http : // membres.lycos.fr/geryon/index.htm.
- *James JOYCE (Ulysse — citations)* : http : // membres.lycos.fr/geryon/ulysse/ citations.htm.
- *Nadine NORMAN* : http : // www.meti.org/f-projets/norman.htm.
- *Philagora* : «L'héroïsme chez Bergson». http : // www.philagora.net/phprepa/ heroisme2.htm.
- PRESCOTT, Louise (2001). «Le temps de Pénélope», in Françoise Le Gris *et al. Revue électronique du GREP, Vol. 1, Le temps du faire*. http : // www.unites.uqam.ca/grep.
- _____ (2000 — en cours). *Louise Prescott. Artiste et auteur*. http : // membres.lycos.fr/l.prescott/accueil.html.

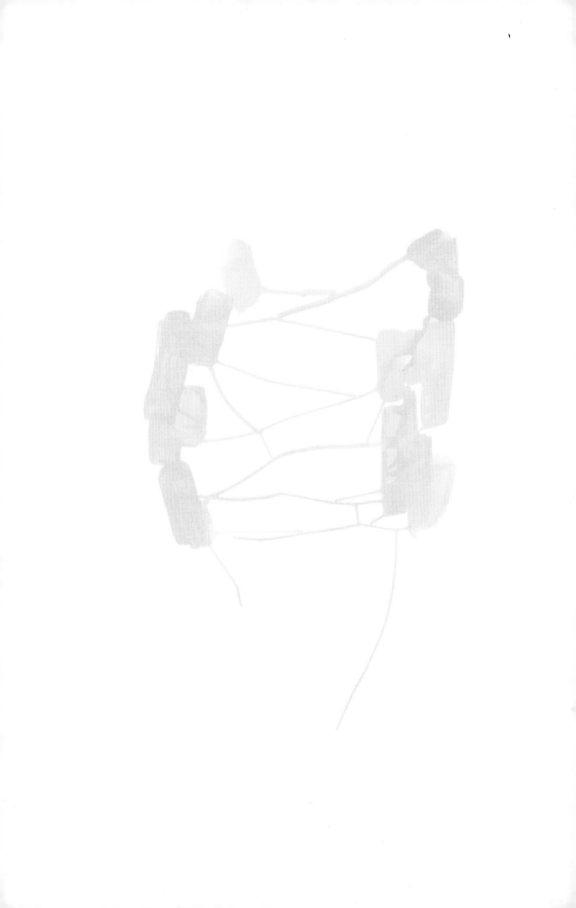

REMERCIEMENTS

En premier lieu, je ne saurais trop remercier Françoise Le Gris qui m'encouragea il y a cinq ans à entreprendre cette recherche et fut depuis une directrice de thèse chaleureuse et d'une grande disponibilité, toujours judicieuse dans ses remarques. Je remercie également le programme de doctorat en études et pratiques des arts de l'Université du Québec à Montréal qui m'a accueillie comme chercheure en 1997 et m'a apporté son soutien intellectuel aussi bien que logistique et financier. Aussi, le Fonds FCAR (Fonds pour la formation de chercheurs et l'aide à la recherche) et le CRSH (Conseil de recherches en sciences humaines du Canada) pour leurs subventions à la recherche; sans cet apport substantiel, la qualité de ce travail aurait pu être compromise.

Je remercie aussi mes éditeurs, Denis Charland et Johanne Bélanger, pour leur engagement et la très grande liberté qu'ils m'ont accordée, conditions sans lesquelles aucune création n'est possible. Merci à Denis pour les risques encourus en m'ouvrant les pages de la revue *Art Le Sabord*. Sans cette impulsion, la chronique *Carnets d'Ulysse* n'aurait pas existé. Et merci à Johanne pour sa douceur et sa patience infinie. Si j'écris mieux et avec plus d'assurance aujourd'hui, c'est beaucoup grâce à elle.

J'ai eu de nombreux autres compagnons dans cette aventure. Je désire souligner ici l'apport de Jean-Paul Allaire, Gillian Barlow, Léon Bernier, Joël Blanchette, Manon Blanchette, Jean Cédras, Gilles Chagnon, Jean-Paul Daoust, Daniel Dargis, René Derouin, Sylvie Lacerte, Dominique Laquerre, Alain Larouche, Luce Lefebvre, Geneviève Letarte, Édith Martin, Jean Paquin, Michel Passaretti, Laurent Pilon, Louise Poissant, Jean-Claude Rochefort, Roger Parsemain, Francine Simonin, Louis-Joseph Tassé, Mylène Trottier et Dominique Vayron qui furent des lecteurs engagés, chacun en son temps et à sa manière. Je remercie également Françoise Sullivan pour ses conseils artistiques et son appui moral, ainsi que Guy Bellavance, Robert Letendre, Marie Hazan, Thierry Hentsch et Jean-Philippe Uzel qui, de leurs domaines de recherche respectifs, m'ont accordé leur confiance en tant que chercheure et m'ont éclairée dans ma réflexion théorique.

En terminant, l'artiste remercie le public pour sa présence et ses témoignages de reconnaissance, de même que tous les intervenants qui l'ont aidée dans son travail de création et de diffusion depuis les tous débuts. Ils sauront je l'espère se reconnaître en ces pages à chaque fois qu'une œuvre apparaît ou qu'un événement artistique est évoqué. Je réserve cependant un merci spécial à Gaston Bellemare qui m'invitait en 1998 à produire une exposition pour le Festival International de la Poésie de l'an 2000. Sensible à ma peinture, Gaston a découvert la poète qui se cachait en moi. De cette merveilleuse rencontre est née l'exposition *Paroles ailées — Wingèd words*. L'exposition poursuit sa trajectoire depuis.

Et vogue le navire.

ÉDITEUR
© Éditions d'art Le Sabord

DISTRIBUTION

DIRECTION ARTISTIQUE
Denis Charland

Les Éditions d'art Le Sabord
167, rue Laviotte, C.P. 1925
Trois-Rivières (Québec) Canada, G9A 5M6
Téléphone : (819) 375-6223
Télécopieur : (819) 375-9359
Courriel : art@lesabord.qc.ca

**CONCEPTION GRAPHIQUE
ET INFOGRAPHIE**
Joël Blanchette

RÉVISION
Claude Brouillette

Distribution au Québec
Prologue inc.
1650, boul. Lionel-Bertrand
Boisbriand (Québec) Canada, J7H 1N7
Téléphone : (514) 434-0306
Télécopieur : (514) 434-2627

Distribution en France
Librairie du Québec à Paris
30, rue Gay Lussac, Paris, 75005
Tél. : 1.43.54.49.02 Téléc. : 1.43.54.49.15

Dépôt légal
Bibliothèque nationale du Québec, 2002
Bibliothèque nationale du Canada, 2002
4e Trimestre 2002
ISBN : 2-922685-22-5

Imprimé au Canada

Nous remercions le Conseil des Arts du Canada
et
la Société de développement des entreprises culturelles du Québec
(SODEC) pour l'aide apportée à nos programmes de publication.

Achevé d'imprimer à Sherbrooke sur les presses de l'Imprimerie HLN inc. en octobre 2002.